CB134930

Desenho para designers

Alan Pipes

Desenho para designers

Habilidades de desenho, esboços de conceito, design auxiliado por computador, ilustração, ferramentas e materiais, apresentações, técnicas de produção

Tradução:

Marcelo A. L. Alves

EDITORA BLUCHER 50 anos

www.blucher.com.br

Publisher
Edgard Blücher

Editor
Eduardo Blücher

Editora de desenvolvimento
Rosemeire Carlos Pinto

Tradução
Marcelo A. L. Alves

Preparação de originais
Vânia Cavalcanti de Almeida

Revisão
Angela dos Santos Neves

Editoração
Join Bureau

Capa
Luciano Cardinali e
Cecília Consolo

EDITORA EDGARD BLÜCHER LTDA.
Rua Pedroso Alvarenga, 1.245 – 4° andar
04531-012 – São Paulo, SP – Brasil
Tel.: (55_11) 3078-5366
e-mail: editora@blucher.com.br
www.blucher.com.br

Título original:
Drawing for Designers: drawing skills, concept sketches, computer systems, illustration, tools and materials, presentations, production techniques

A edição em língua inglesa foi publicada por Laurence King Publishing Ltd

Copyright ©2007 by Laurence King Publishing Ltd

Direitos reservados
para a língua portuguesa pela
Editora Edgard Blücher Ltda.
2010

É proibida a reprodução total ou parcial, por quaisquer meios, sem autorização da Editora.

Impresso na China *Printed in China*

ISBN 978-85-212-0508-1

Segundo Novo Acordo Ortográfico, conforme 5. ed. do *Vocabulário Ortográfico da Língua Portuguesa*, Academia Brasileira de Letras, março de 2009.

FICHA CATALOGRÁFICA

Pipes, Alan
Desenho para designers: Habilidades de desenho, esboços de conceito, design auxiliado por computador, ilustração... / Alan Pipes; tradução Marcelo A. Alves. — São Paulo: Editora Blucher, 2010.

Título original: Drawing for designers : drawing skills, concept sketches, computer ...
Bibliografia.
ISBN 978-85-212-0508-1

1. Desenho industrial 2. Desenho técnico I. Título.

09-10211 CDD-745.2

Índices para catálogo sistématico:
1. Desenho para designers 745.2

Conteúdo

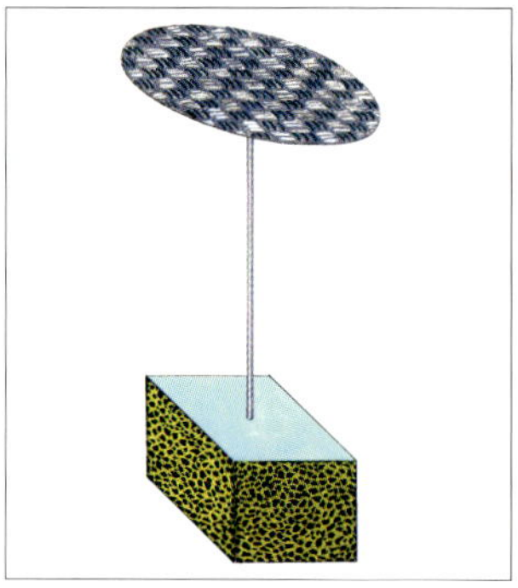

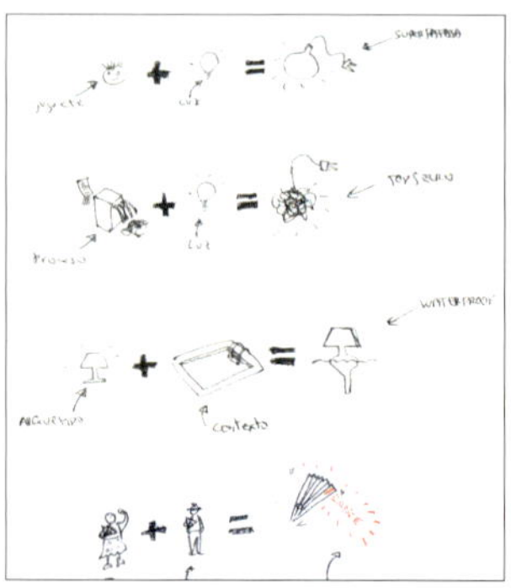

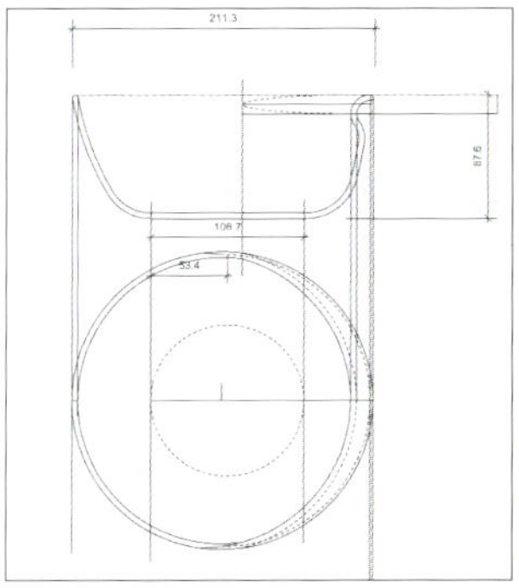

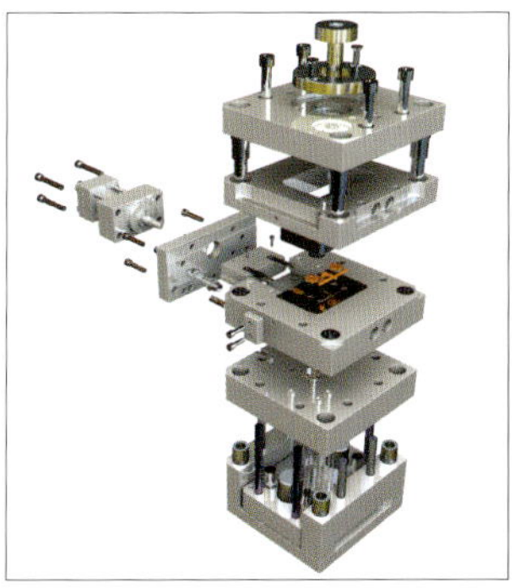

Prefácio

Designers têm contribuído para criar a aparência visual da maioria dos aspectos da atualidade. Eles agora estão trabalhando em como parecerá o futuro, e fazem ao pensar, conceitualizar e desenhar. O desenho é a manifestação visível dos seus processos de pensamento e os desenhos de designers são quase sempre uma arte oculta e privativa em que as marcas no papel são tratadas meramente como um meio para se chegar a um fim. Este livro almeja revelar estas imagens ocultas e dar a elas o respeito e apreciação que merecem, pois os desenhos de designers são mais que meras instruções de como fabricar objetos. Eles são artefatos belos por si mesmos.

É claro, sempre houve designers (principalmente originários da arquitetura) que são orgulhosos o bastante dos seus desenhos e querem mostrá-los sempre que possível. Mas, igualmente, há aqueles designers cujos desenhos nunca foram vistos fora dos seus estúdios, que dizem preferir que o produto final fale por eles. Desta forma eles estão nos tentando, tais como encantadores, ao manter envolto em mistério o processo de design que leva ao produto final. Mas todos os designers desenham, seja com um lápis em um papel ou com pixel em uma tela de computador, e este livro celebra-os ao mostrar desenhos de todos os estágios do processo de design, dos esboços de guardanapo aos modelos 3D, totalmente renderizados, em computador.

Desenho para designers surgiu de um livro que escrevi em 1990, intitulado "*Drawing for 3-Dimensional Design*" (Desenho para design tridimensional). Muito mudou desde então. Naquele tempo, desenhos de apresentação ainda eram feitos com canetas marcadoras, ilustrações técnicas eram pintadas com aerógrafo e desenhos de engenharia eram feitos a lápis ou tinta sobre Mylar; mesmo desenhos em CAD eram impressos à tinta nanquim em plotters com canetas (chamadas *penas*). Muitas técnicas de renderização e modelamento 3D, que hoje são comuns nos PCs mais simples, eram, então, projetos de pesquisa necessitando de supercomputadores. Hoje, todo o desenho, exceto talvez o mais simples esboço de conceito, foi tocado ou modificado por um computador. Muitos desenhos nem mesmo existem de maneira física até que sejam impressos.

Comparando com livros de desenho para arquitetos, há ainda alguns poucos bons livros cobrindo desenho para design de produtos. *Desenho para designers* preenche esta lacuna oferecendo um guia abrangente de desenho para desenhistas industriais, designers e estudantes de todos os níveis. O livro também contempla desenho de carros e produtos domésticos tais como mobiliário, luminárias, vestuário e joias.

Esta obra cobre o desenho em todos os estágios do processo de design, dos esboços do conceito até apresentações e desenhos de produção. É um guia prático para as técnicas de desenho, incluindo sequências passo a passo, dicas e truques, e ainda estudos de casos, apresentando designers de renome internacional. É leitura obrigatória para todos os estudantes de cursos de design de produtos e desenho industrial, bem como para profissionais do design que queiram renovar e atualizar suas técnicas de desenho.

O livro é construído capítulo a capítulo ao redor de temas específicos: uma breve história do desenho de designers; habilidades básicas de desenho; ferramentas e materiais; sistemas computadorizados; design do conceito; desenhos de apresentação; dos desenhos de conjunto aos de produção; técnicas de ilustração; e o futuro do desenho de design.

Fui criado no noroeste da Inglaterra, uma área com grande legado em engenharia. Tristemente, muitas das fábricas enormes que lá havia, exportadoras de máquinas para todo o mundo, foram fechadas. Meu pai era um desenhista-projetista de uma empresa que fabricava equipamentos para a indústria de fabricação de papel e sempre quis saber o que um desenhista-projetista realmente fazia. Tudo o que sabia era que eles faziam linhas retas com um lápis duro em um lençol tingido de azul, ou que usavam instrumentos fascinantes de um estojo de geometria. Espero que este livro seja um tributo àqueles heróis esquecidos. Não tenho ideia do quanto de design realmente eles faziam, mas tudo tinha que ser projetado por alguém, ainda que fosse apenas um pequeno dente de engrenagem em uma máquina grande ou uma cadeira com design ímpar.

Muitos desenhos antigos estão em estado terrível, pois nunca foram feitos para ser emoldurados e pendurados em uma parede. Ao contrário, eles serviam para propósitos práticos; foram feitos para ser manuseados e para fabricar peças numa oficina. Espero sinceramente que muitas destas relíquias artísticas de uma era passada sejam retiradas de seus locais de armazenagens empoeirados, desenroladas, conservadas, exibidas e admiradas para servir de inspiração para os designers de hoje. Também espero que a nova geração de designers não se torne totalmente escravizada pelos computadores, mas que continue a ser ensinada na arte de desenhar e sinta a alegria de fazer marcas em um pedaço de papel em branco.

Agradeço a alguns designers ao redor do mundo que contribuíram com imagens para este livro. Meu único pesar é que somos incapazes de fazê-lo. Das quase 300 que escolhemos, muitas tiveram que ser selecionadas por razões utilitárias – para ilustrar pontos no texto – em vez da sua beleza intrínseca. Mas não resisti em usar algumas apenas por serem tão belas. Agradeço particularmente àqueles designers que foram comissionados para criar as seções "passo a passo": James Wright e Mark Jones, ambos graduados pelo Central Saint Martins College of Art and Design; Etienne Salomé, graduado pelo Royal College of Art; o tutor de internet Thomas Parel; e Ryan Whitaker (estudante) e John Fox (tutor) em conjunto, do Blackpool e The Fylde College. Também expresso a minha gratidão a Raysan Al-Kubaisi, por criar as renderizações em computador especialmente para mim. Meus agradecimentos também aos participantes dos estudos de caso, por cederem a mim parte de seu precioso tempo: Dick Powell, Nelson Au, David Goodwin e Linda Andersson.

Este livro nunca teria existido se não fosse Jo Lightfoot, minha editora na Laurence King publishing. Também agradeço a Anne Townley, por cuidar do projeto nos seus estágios iniciais e por fazer sugestões valorosas para melhorar o texto; a Richard Mason por seu total e paciente gerenciamento dos processos editoriais, pictóricos, de design e criação da capa; e a Anna Frohm por sua pesquisa entusiasmada de imagens na qual buscou os designers mais em destaque hoje em dia e os persuadiu a ceder suas belas imagens. Finalmente, agradeço aos designers Nick Newton e John Dowling por mostrarem todos estes belos desenhos no seu melhor.

Alan Pipes

Créditos das Imagens

Agradecimentos são extensivos pelo uso das seguintes imagens. Todo esforço foi feito para encontrar e contactar os detentores dos direitos de cópia. Os editores se desculpam por quaisquer omissões e erros não intencionais e ficarão satisfeitos em inserir o reconhecimento apropriado nas edições subsequentes deste livro.

p. 10 Ron Arad Associates; 1 Tokujin Yoshioka; 2 V&A images; 3 Michael di Tullo; 4 Ron Arad Associates; 5. 6 Michael Graves and Alessi spa; 7 King and Miranda Design, Milan; 8 Thomas Gardner; 9 Karim Rashid; 10 Youmeus Design Ltd; 11 Motoring Picture Library, National Motor Museum, Beaulieu, Inglaterra; 12 Shin Azumi; 13 Marcel Wanders; 14 Italla Group, Helsinki, Finlândia; 15 Springtime-USA, Nova York, Springtime industrial design, Amsterdam, Holanda, e Studio Red at Rockwell Group, Nova Yorl; 16 BMW Group; 17, 18 Karim rashid; 19 Dassault Sysrtèmes; 20 RIBA library Drawings and Archives Collection, Londres; 21 UGS, Huntsville, AL, USA; 22, 23 Mathias Bengstsson; 24, 25 Sowden Design, Milão; p. 26 Italla Group, Helsinki, Finlândia; 1.1 Bridgeman Art Library, Londres; 1.2 Institution of Mechanical Engineers, Londres; 1.3 Bibliotèque nationale de France, Paris; 1.4 National Maritime Museum, Londres; 1.5 Pepys Library, Magdalene College, Cambridge; 1.6 Photo " Hunterian Museum and Art Gallery, University of Glasgow, Mackintosh Collection; 1.7 Georg Jensen, Denmark; 1.8 Bibliotèque de l'Institute de France, Paris, France. Lauros/Giraudon/bridgeman Art Library; 1.9 Georg Jensen, Denmark; 1.10 Bauhaus Archiv; 1.11 Rietveld Shröder Archive, Utrecht; 1.12 Sottsass Associatti, Milão; 1.13 Cooper-Hewitt, Natinal Design Museum, Smithsonian Institution; p. 42 Alessi spa, Itália; 2.1 SolidWorks Corporation; 2.2 Pepys Library, MAgdalene College, Cambridge, Inglaterra; 2.3, 2.10 RIBA Library Drawings and Archives Collection, Londres; 2.4-2.9, 2.11, 2.13, 2.15-2.16, 2.20-2.23, 2.31, 2.40, 2.42 Alan Pipes; p. 48 James Wright; 2.12, 2.17, 2.24 Sowden Design, Milão; 2,14 SolidWorks Corporation; 2.18 Steve Summerskill, Design Ergonomics Group, Loughbourgh University; 2.19 Dassault Systèmes; 2.15 SolidWorks corporation; 2.26, 2.27 Ron Arad Associates; 2.28 Mario Bellini Associati; 2.29 Raysan Al-Kubaisi; 2.30 Héctor Serrano; 2.32-2.35 Raysan Al-Kubaisi; 2.36 Stuart Lwason; 2.38, 2.39 Rio21 Design and Aslar Inc.; 2.37 Jaguar Cars, Coventry , Inglaterra; pp. 63-3 Thomas Parel; 2.41 Pearson Lloyd Design Ltd; pp 66-9 Seymour Powell; P. 70 Sottsass Associati EEIG, Milão; 3.2 James Wright; 3.7 Pilot Pen Corporation; 3.8 Isao Hosoe; 3.10 King and Miranda Design, Milão; 3.11 Mathias Bengtson; 3.13 Ford of Europe; 3.14 Héctor Serrano; 3.16 Tombow Pencil Co Ltd, Tóquio; 3.17 Rotring GmbH; 3.18 Michael Graves and Alessi spa; 3.20 Alexander Ahnebrink; 3.21 Greg Vedena and Tim Thayer; 3.22 Shin Azumi; 3.23 John Fox; 3.24, 3.25 Jan Frohm; 3.26 Letraset Limited; 3.27 Iittala Group, Finlândia; 3.28 King and Miranda Design; 3.29 El último grito; 3.30 Héctor Serrano; P. 90 Thomas Gradner; 4.1 Hewlett-Packard; 4.2 Apple Inc.; 4.3 SolidWorks Corporation; 4.4 LaCie; 4.5, 4.6 Wacom Company, Ltd.; 4.7 Ron Arad Associates; 4.8, 4.9 Wacom Company Ltd.; 4.10, 4.11 Logitech; 4.12 SensAble Technologies; 4.13 Seiko Epson Corp.; 4.14 PiliPili Product Design and UGS; 4.15 Seiko Epson Corp; 4.16 Hewlett-Packard; 4.17 Canon Inc. 4.18, 4.19 Roland Corporation; 4.20, 4.21 3D systems, Inc.; 4.22, 4.23 Alan Pipes; pp 106-07 David Goodwin; P. 108 Héctor Serrano; 5.1 King and Miranda Design; 5.2 Sowden Design, Milão; 5.4 Sony Ericsson; 5.4 Karim Rashid; 5.5 BMW AG; 5.6 Braun GmbH; 5.7 Oscar Tusquets Blanca; 5.8 Paul Sayers, Drum Design Studios; 5.9, 5.10 Alessi spa; 5.11, 5.12 Priestman Goode; 5.13 Youmeus Design; 5.14 Pearson Lloyd Design; 5.15 Autodesk Inc.; 5.16 Dassault Systèmes; 5.17 Force Dimension, Suiça; 5.18 Parametric Technology Corporation; 5.19 Pearson Lloyd Design; 5.20, 5.21 Iitalla Group, Helsinki, Filândia; 5.22 William Latham; 5.23 El Último Grito; pp. 125-7 Linda Andersson; p. 128 Mario Bellini Associati; 6.1 Michael DiTullo; 6.2 Factory Design; 6.3 Pilipili Product Design and UGS; 6.4 Georg Baldele; 6.5 Factory Design; 6.6 Science Washington D.C.; 6.8 Daniel Weil and Pentagram; 6.9 Braun GmbH; 6.10 Sony Ericsson; 6.11 Jonas Hultqvist; pp. 138-140 Etiene Salomé; 6.12 Paul Collicut; 6.13 Mark Jones; 6.14 Alexander Ahnebrink; pp 143-5 Mark Jones; 6.15-6.18 Raysan Al-Kubaisi; 6.19 UGS and SolidEdge; 6.20 SolidWorks Corp; 6.21 Next Limit Technologies, Madrid; 6.22, 6.23 Rio21 Design and Ashlar Inc.; 6.24 David O'Connor; 6.25 El Último Grito; p. 154 Torsten Neeland; 7.1 RIBA, Londres; 7.2 BMW AG; 7.3, 7.4 Alan Pipes; 7.5 Brompton Bicycle Ltd.; 7.6 Ron Arad Associates; 7.7, 7.8 Bang & Olufsen; 7.9 RIBA, Londres, 7.10 UGS; 7.11 Rio21 Design and Ashlar Inc.; 7.12 Ron Arad Associates; 7.13 Institution of Mechanical Engineers, Londres; 7.14 - 7.16 Alan Pipes; 7.17 Héctor Serrano; 7.18 Alexander Ahnebrink; 7.19, 7.21 Torsten Neeland; 7.20Oro Ito; pp 172-5 Nelson Au and Seagate Technology; p. 176 SolidWorks Corportation; 8.1 SolidThinking Ltd.; 8.2 Brompton Bicycle Ltd.; 8.3 Anglepoise Ltd. Waterloovile, Hampshire, Inglaterra; 8.4 Science Museum, Londres; Science and Society Picture Library; 8.5 Alan Pipes; 8.6 Cooper-Hewitt National Design Museum; Smithsonian Institution, Washington; 8.7 Jan Frohm; 8.8 Torsten Neeland; 8.9 Institution of Mechanical Enginners, Londres; 8.10 Jaguar Cars, Coventry, Inglaterra; 8.11 Ford Motor Company; 8.12 co-lab*; 8.13 Volkswagen AG; 8.14 UGS; p. 188 Ryan Whitaker and John Fox; 8.15 Ford Motor Company; 8.16 Mario Bellini Associati; 8.17 Jan Frohm; 8.18 UGS; 8.19 Youmenus Design; p. 192 James Wright; 8.20 UGS; 8.21, 8.22, 8.24 ITEDO & Granthams; 8.23 Corel Corp; p. 198 Ron Arad Associates; 9.1 Karim Rashid; 9.2, 9.3 Alessi spa; 9.4 Mathias Bengtson; 9.5 UGS; 9.6 Dassault Systèmes; 9.7 Daniel Weil and Pentagram; 9.8 Héctor Serrano; 9.9 El Último Grito.

No processo do design, desenhar é um ato do pensamento.

Sir Richard MacCormac

Introdução

Página oposta. Ron Arad, Exposição "Pavimentado com boas intenções" ("Paved with good intention"), 2005. O designer usou a mesa gráfica Cintiq e o software Corel Painter para produzir este expressivo desenho em computador planejando uma exposição em Miami.

À direita 2. Joseph Paxton, *The Great Exhibition,* 1850, Esboço, Altura 153/8" (39,1 cm), largura 11" (28 cm). O engenheiro Joseph Paxton fez rapidamente num papel de borrão este esboço do edifício da grande exposição, que depois viria a ser conhecido como Palácio de Cristal, durante uma reunião na Midland Railway. Cortesia V&A Images, Victoria and Albert Museum, Londres.

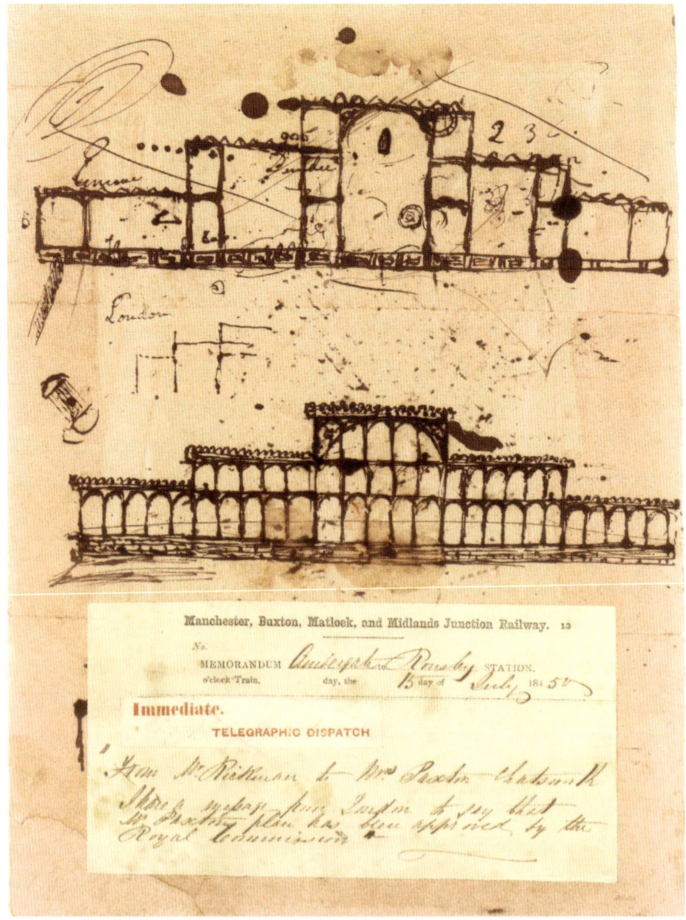

Abaixo 1. O designer baseado em Tóquio, Tokujin Yoshioka, usou aquarela simples para este esboço de conceito incrivelmente expressivo para a cadeira Boing em 2005.

É aquele "momento Eureca": você tem uma ideia brilhante e tem que colocá-la no papel, usando o que estiver à mão (Fig. 1). Isto geralmente quer dizer o verso de um envelope, ou, como fez o antigo engenheiro da era Vitoriana, Joseph Paxton, sonhando acordado com o design do Palácio de Cristal, desenhando em uma folha de papel de borrão durante uma enfadonha reunião (Fig. 2). A despeito da onipresença dos sistemas de computador, um simples lápis ou caneta esferográfica ainda têm lugar na caixa de ferramentas do designer. E isto ainda não é o fim. O ato de desenhar estimula outro pensamento, que demanda outro desenho e assim por diante (Fig. 3). Diferentemente dos modelos em computador de hoje em dia, que insistem em precisão e fim, o esboço mostra talvez uma ideia difusa do que poderia ser antes que realmente exista. Como o designer Richard Seymour (ver estudo de caso 1, pág. 66) afirma: *Um "balé" complexo de processamento bilateral de informações, um diálogo não verbal e controle motor extremo permitem-nos processar emoção, espaço, realidade e imaginação e oferecer a nós mesmos e a outros uma forma que seja instantânea e universalmente inteligível, a despeito de que língua você fale ou de qual seja a sua idade.*

Tem havido um ressurgimento do interesse pelo desenho – tanto em Design quanto nas artes. Cursos multidisciplinares de desenho têm aparecido em faculdades

Acima 3. Jordan B'2rue, 2004. Michael DiTullo produziu este conjunto de esboços de conceito e desenhos de apresentação para a Brand Jordan, uma divisão da Nike. Ele usou um lápis Prisma, marcadores e pastel em paple gráfico, juntamente com acabamento Illustrator no Photoshop.

À direita 4. O designer israelense, radicado em Londres, Ron Arad, usa uma mesa gráfica Cintiq da Wacom e o Corel Painter para desenhar diretamente no computador. Neste esboço, completo com uma natureza morta, ele desenhou em 2004 a mesa "Lo-Res-Dolores-Tabula-Rasa", feita em plástico Corian branco e trazida à vida com filme, música e imagens.

À direita 5. O designer americano Michael Graves criou esta chaleira pós-moderna, mas prática para a Alessi em 1985. Este é um dos esboços iniciais do conceito.

Acima 6. Chaleira com pássaro, 1985. A base ampla ajusta-se ao topo do fogão e o cabo é azul onde é mais frio para se tocar. As extremidades vermelhas indicam calor e, claro, o pássaro vermelho apita quando a água da chaleira ferve.

com títulos tais como "Desenho Enquanto Processo", visando demonstrar que o desenho é uma ferramenta necessária no processo de pensamento através dos limites da arte, design e tecnologia. Nas exibições de final de ano nas escolas de arte é confortador ver que os estudantes aprendem desenho com o uso de programas de computador para modelamento em três dimensões – e também usam canetas marcadoras, embora os desenhos sejam posteriormente acabados e "aerografados" no computador. Os desenhos de designers de produtos, tais como James Dyson e Terence Conran, podem ser vistos em revistas de estilo de vida acompanhando as fotografias dos objetos reais. Alguns dos mais entusiasmados são arquitetos transformados em designers de produtos, como Ron Arad (Fig. 4), Michael Graves (Figs. 5 e 6) e Aldo Rossi. E muitos designers como, por exemplo, Perry King (Fig. 7), Philippe Starke e Ross Lovegrove ficam bastante satisfeitos em exibir os seus desenhos sempre que podem.

Neste livro, o termo "design" engloba tanto o projeto de produtos quanto o desenho industrial, que o designer americano Raymond Loewy dizia *ir desde escova de dentes a locomotivas... do batom ao transatlântico*; assim, nós incluímos design automotivo, veicular e de outros artefatos tridimensionais tais como joias, calçados e mobiliário.

Os capítulos deste livro seguem a sequência do processo de design: dos esboços iniciais do conceito, nos quais o designer luta para que uma solução satisfaça as restrições estabelecidas pelo departamento de marketing do cliente e as demandas de produção; passando pelos desenhos de apresentação e visualização para manter o cliente informado; aos desenhos de configuração geral e detalhe; aos desenhos de engenharia para produção totalmente cotados com dimensões para as peças, mas também dos moldes e matrizes necessários para a fabricação e mais adiante – as ilustrações técnicas e os diagramas explodidos usados em publicidade e para instruir o usuário final na montagem, operação e manutenção do produto. Cada etapa tem os seus próprios métodos e ferramentas de desenho.

À direita 7. O grupo milanês de design King and Miranda projetou a mesa Vuelta para a Akaba em 1987, inspirado pela obsessão espanhola com as estrelas do ciclismo. Esta perspectiva de apresentação foi feita em tinta acrílica e carvão sobre papel.

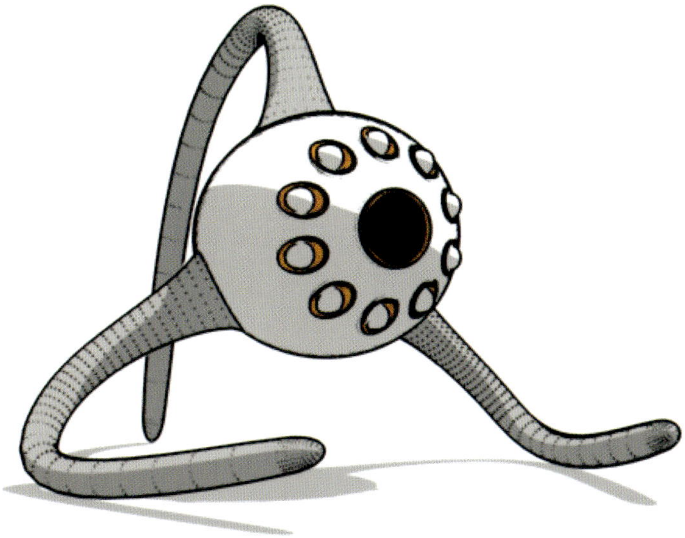

Acima 8. Esta apresentação de aspecto semelhante às histórias em quadrinhos feita por Thomas Gardener para um vídeo-monitor de bebês foi criada em 3D Studio Max. O equipamento consiste numa câmera sem fio que transmite para uma tela de computador portátil, permitindo que os pais supervisionem as crianças desde outro ambiente.

Para que Serve um Desenho de Designer?

Designer de produtos – sejam estes automóveis, cadeiras, máquinas industriais ou forma de massa – assim como os arquitetos, também tem uma relação especial com os seus desenhos. Para ele, os desenhos devem incorporar e transmitir informações sobre formas tridimensionais complexas, dotando novos produtos de personalidade e facilidade de uso, ainda que possam ser pouco familiares aos consumidores (Fig. 8).

Um desenho de designer tem três funções principais:

- Ser um modo de exteriorizar e analisar pensamentos e simplificar problemas multifacetados para torná-los mais fáceis de entender.
- Ser um meio de persuasão que vende ideias aos clientes e garante a estes que suas propostas estão sendo satisfeitas.
- Ser um método de comunicação completo e sem ambiguidades na informação para aqueles responsáveis pela fabricação, montagem e comercialização do produto.

Adicionalmente, uma vez que o produto tenha sido projetado, o designer pode ter que produzir novos desenhos – chamados de ilustrações técnicas – que instruem o usuário final a respeito da operação do produto.

Desenho em Design do Produto

Designer de produtos, diferentemente dos arquitetos, pode ser um tanto autodepreciativo quando se refere aos seus desenhos. Ele diz modestamente: "os desenhos são apenas um meio para se obter um fim, o que importa é o produto acabado". E uma vez que o projeto esteja terminado, os desenhos iniciais de caráter exploratório são geralmente destruídos, cedendo espaço para o próximo trabalho. No entanto, quando pressionados, designers admitem obter uma grande satisfação no ato de desenhar e são rápidos em louvar a capacidade de um colega em representar no papel um objeto tridimensional. A arte do designer de produto é, portanto, quase sempre oculta.

Um designer que não é capaz de desenhar bem está em desvantagem. A despeito do papel importante de modelos conceituais sólidos (muitos designers precisam de algo sólido e tangível que possam segurar e mover), o desenho é o meio fundamental de exteriorizar ideias e, então, comunicar estes conceitos para outros membros da equipe de design, clientes, administradores e outros mais até os responsáveis pela produção.

A importância associada ao design como "solução de problemas funcionais" em meados do século XX teve o efeito de relegar o desenho ao papel de uma atividade frívola, um mal necessário. O estilo foi usado como um termo depreciador. O pós-modernismo, ao restaurar cor, textura e ornamentação como atributos desejáveis de um design, também enfatizou a ideia de design como meio de diferenciação. Não existe algo como o carro ou a chaleira "ideais", a aparência de um produto mudará inevitavelmente com a moda. Estéticas são mercadorias. E, por conseguinte, se um design não pode ser gerado automaticamente a partir de uma especificação funcional, ele terá que ser desenhado (Fig. 9). Bens eletrônicos, por exemplo, não estão mais restritos à regra "forma acompanha a função", e podem ser feitos em qualquer formato que possa ser fabricado.

Um designer precisa ser um modelo de perfeição, proficiente em uma gama completa de habilidades de desenho aparentemente díspares. No estágio conceitual, assim como ser capaz de esclarecer no papel as suas próprias ideias, é crucial também ser capaz de explicar em poucas linhas bem colocadas, talvez numa reunião preparatória com o cliente, exatamente como o produto, ainda não existente, aparentará, qual textura terá e como será montado, demonstrando que todas as várias especificações impostas sobre o designer pela proposta do cliente serão satisfeitas dentro do orçamento.

Designers precisam saber como transmitir a informação a respeito de formas complexas, muitas vezes livres, e são solicitados a desmistificar produtos pouco familiares, talvez inspirados por um salto quântico na tecnologia – tais como telefones celulares, câmeras digitais e aparelhos de MP3 – conferindo-lhes facilidades de uso e talvez colocando em suas formas metáforas ou pistas para o seu uso eficiente.

Abaixo 9. É um suporte de guarda-chuvas ou um vaso de flores? Karim Rashid, que nasceu no Cairo, cresceu no Canadá e agora trabalha em Nova York, projetou a escultural Plomb em 2001 para a companhia italiana Serralunga. Este divertido esboço de conceito foi desenhado com caneta esferográfica (ver também Figs. 17, 18).

À Direita 10. Esta apresentação em 3D da chaleira portátil da Kenwood (2001) feita pelo grupo londrino de design Youmeus foi produzida usando Autodesk AliasStudio (anteriormente Alias StudioTools).

Desenho à Mão ou em Computador

CAD (Computer-aided Design) bidimensional já foi certa vez acessível a apenas algumas das maiores empresas e escritórios. Apenas há uma década, renderização fotorrealista de objetos tridimensionais só poderia ser tentada em supercomputadores. Agora é lugar-comum e, queira ou não, o computador tornou-se uma ferramenta indispensável para o designer, estando integrado no processo de design em quase todas as etapas (Fig. 10). É uma tecnologia que aumenta as capacidades com o potencial de devolver aos designers o controle total sobre os seus designs, algo que lhes foi negado temporariamente quando as demandas da Revolução Industrial levaram à divisão do trabalho e à fragmentação do processo que vai da concepção à produção.

O CAD provou ser uma "faca de dois gumes" para o designer. Pode acelerar, uniformizar e concatenar o processo de design, mas também torna o designer mais responsável pela integridade do produto final. A eficiência matemática dos sistemas de CAD elimina as "licenças do desenhista" dos desenhos, onde se sacrificava precisão em troca de uma melhor aparência, com cantos não retos e "linhas retas" encurvadas juntando dois pontos medidos com pouco cuidado. O designer precisa trabalhar duro para resolver quaisquer problemas de produção desde o início, quando as implicações de quaisquer mudanças custam menos, sem poder deixar para o operário no chão de fábrica o problema para ser resolvido mais tarde.

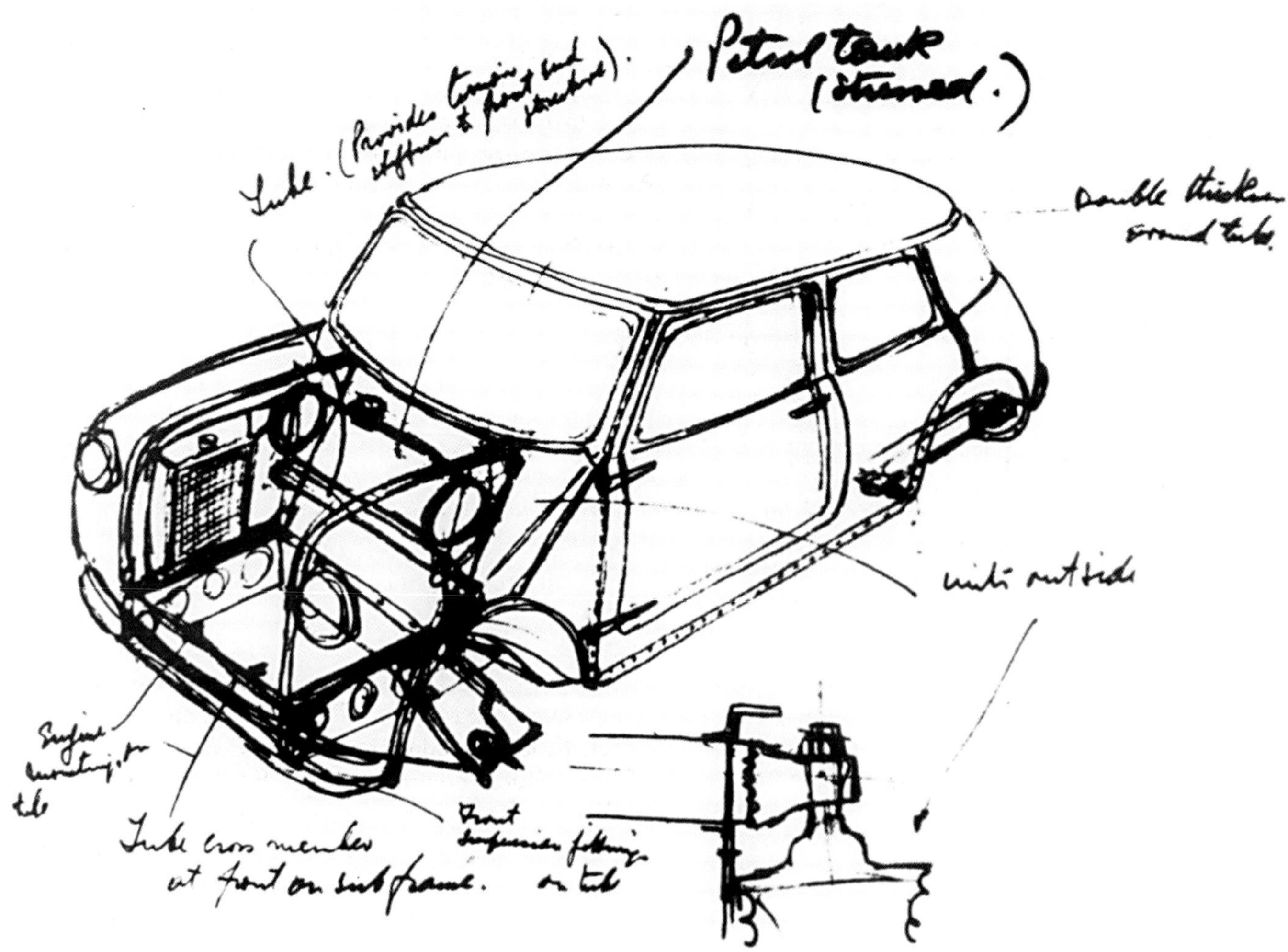

Acima 11. O Austin mini de 1959 revolucionou o design de carros pequenos e símbolo dos anos 60. Este esboço de conceito feito em 1957 por (Sir) Alec Issigonis revela o seu método de trabalho: seus desenhos fluidos serviam apenas para comunicar detalhes de engenharia para os seus assistentes. Cortesia Motoring Picture Library, National Motor Museum, Beauliau, Inglaterra.

"Impressões do artista" desenhadas à mão ainda podem ser encontradas e servem para a mão humana do designer e como uma expressão do contexto no qual o artefato existirá. Um esboço de conceito em bruto, executado a lápis ou esferográfica sobre papel, pode também assegurar ao cliente que o design proposto é ainda um trabalho em execução e não está ainda fixado ou acabado (Figs. 11, 12).

O que é Design?

Sobre o que falamos quando dizemos "design"? Há muitas definições. Seria simplesmente "preparar-se para ação"? "Ou um processo de busca em um espaço de soluções alternativas, procurando uma ou mais que satisfaçam certos critérios de projeto"? "Ou um processo recursivo de conjectura-análise operando na estrutura de abdução, dedução e indução, avançando baseado numa série de mudanças de paradigma para níveis mais detalhados, à medida que a proposta torna-se mais específica"? "Ou, para parafrasear o surrealista Marcel Duchamp, seria design o que o designer faz"?

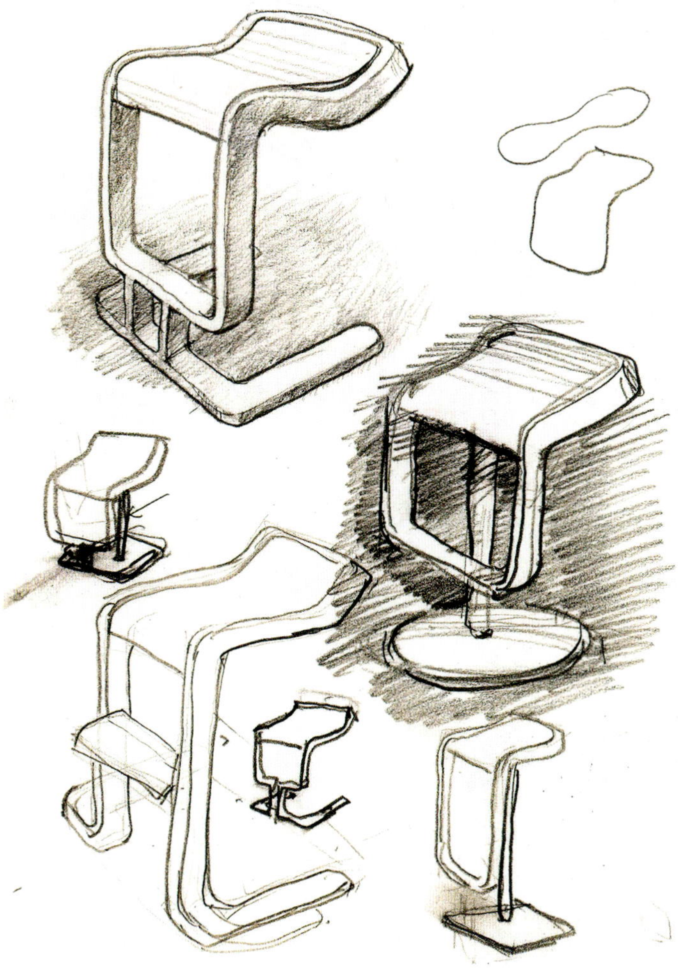

Acima 12. Esboços a lápis do designer japonês, baseado em Londres, Shin Aizumi, mostram-no explorando conceitos para o acento elevado Lem para a empresa Lapalma, da Itália, em 2000. O acento elevado ganhou o prêmio internacional de design FX e o Produto do ano no Reino Unido em 2000.

Não é intenção deste livro explorar ou rever o pensamento corrente a respeito das teorias e métodos de design; há muitos livros a respeito destes tópicos listados no item *Leitura Adicional*. Este livro é construído segundo a premissa de que o processo de design é praticado conforme descrito nas linhas seguintes e que desenhos são parte integrante deste processo, com uma forma diferente de desenho usando as distintas ferramentas conforme cada etapa do processo.

O processo de design

O designer ou o escritório de design recebem inicialmente um pedido de um cliente, geralmente na forma de uma proposta de projeto. O pessoal de marketing do cliente presumivelmente identificou a necessidade de um novo produto. Uma equipe é então constituída, contendo talvez um líder de projeto e vários profissionais: um especialista em estilo, um engenheiro de projeto, dentre outros. Eles encontram com o cliente e decidem a respeito do cronograma, com os prazos, falam sobre honorários e talvez negociem a respeito de uma proposta mais detalhada, que esta seja, de preferência, um documento detalhado com todos os requisitos, denominado "especificação do projeto do produto" (EPP). Os designers então se põem a pensar, a gastar papel de rascunho e – dentro do prazo acordado – apresentam ao cliente uma série de propostas, geralmente acompanhadas de desenhos de apresentação e maquetes.

O esboço de conceito

O primeiro estágio é o esboço de conceito (Capítulo 5). Um esboço de conceito pode ser definido teoricamente como uma "coleção de pistas visuais suficientes para sugerir um design para um observador informado". É comumente executado a lápis ou caneta de ponta porosa, à medida que o designer estiver explorando as possibilidades e ainda não que se ateve a uma abordagem em particular (Figs. 13, 14).

Desenhos de apresentação

O segundo estágio, um desenho de apresentação (Figs. 15, 16), é algo completamente diferente (Capítulo 6). Aqui a intenção é apresentar para o cliente ou financiador uma seleção de imagens muito benfeitas, com aparência o mais realista possível, de tal forma que a decisão seja a de seguir adiante com o projeto. Estes desenhos já foram feitos com marcadores ou pastel sobre um quadro, mas de maneira crescente serão iniciados à mão, mas acabados usando programas de processamento de imagem, tais como o Adobe Photoshop ou mesmo modelos "sólidos" 3D completamente renderizados em computador (Fig. 17). Os desenhos consistirão em impressões, apresentações na tela ou mesmo animações. Aerógrafo (Airbrush), que já foi

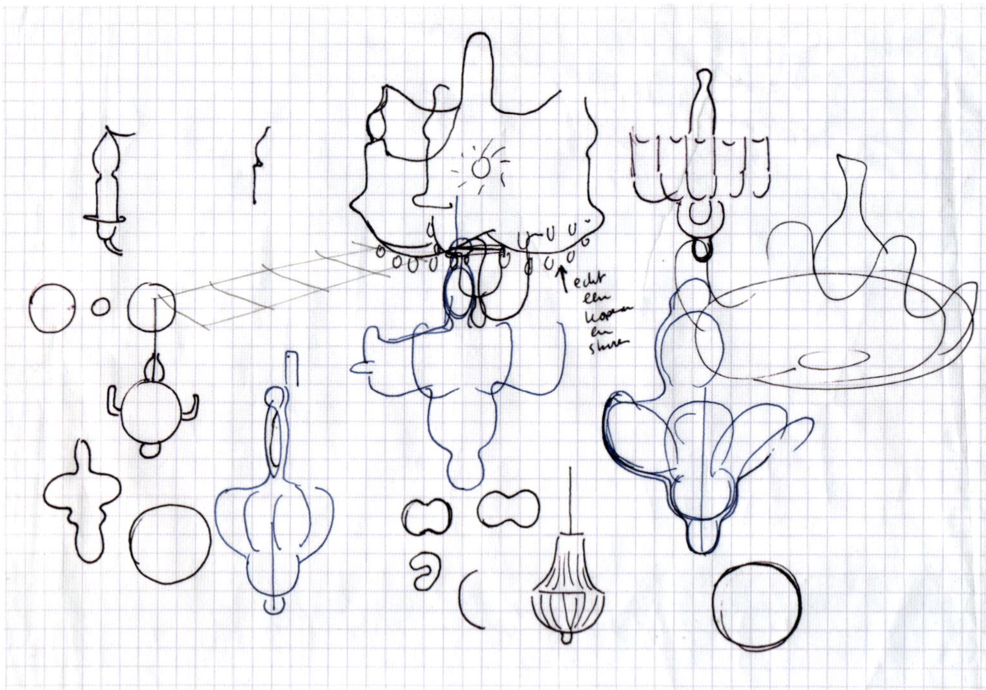

À direita 13. A luminária *Zeppelin*, feita para a Flos pelo designer holandês Marcel Wanders, foi inspirada na luminária Cocoon de 1960, feita por Achile Castiglioni. Aqui Wanders explorou os conceitos iniciais num papel quadriculado. (2005)

Abaixo 14. As formas fluidas e quase abstratas de Alvar Aalto foram desenhadas com crayon sobre cartolina para a Feira Mundial de 1937, em Paris. Estes esboços de conceito para a empresa de vidro finlandesa Iitala são os precursores dos vasos Savoy, ainda em produção, e foram inspirados nas Eskimoerinden Skinnbuxa (as calças de couro das mulheres esquimós). Cortesia: Iitala Group, Helsinki, Finlândia.

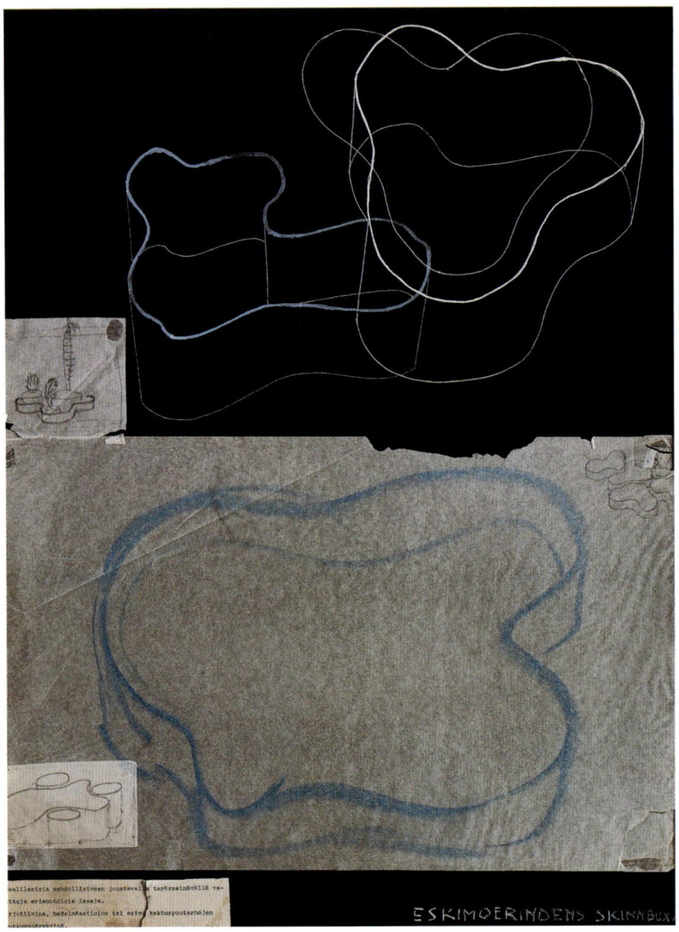

o meio preferido para fazer apresentações especiais, não é mais economicamente viável ou mesmo necessário para projetos com prazos apertados.

O cliente delibera e avalia estas propostas e aceita uma das variações ou uma composição construída de várias porções de duas ou mais propostas. Para alguns designers ou estúdios de design, este é o fim do trabalho e eles repassam a documentação do conceito (e talvez um modelo em computador) para que o cliente avance e finalmente fabrique.

Desenhos de conjunto

O denominado "projeto de engenharia" é algo que acontece após o projeto conceitual, ou é algo concernente ao "funcionamento interno" de objetos e sistemas mais complexos e é incluído aqui como etapa essencial do processo de design – o terceiro estágio (Capítulo 7). Aqueles designers que levam o processo de design adiante após a apresentação, recebem a aprovação para descer aos detalhes – produzindo primeiro um desenho de conjunto (ou desenho de configuração geral) (Fig. 18) e, em seguida, todos os desenhos detalhados com as dimensões para fins de fabricação e montagem (Fig. 19). Estes profissionais terão ligações com o pessoal técnico, que pode ser contratado conforme a necessidade, seja para uma análise de tensões, seja para o uso de novos materiais. Algumas consultorias em design produzirão um protótipo funcional.

No passado, estes desenhos de engenharia eram criados usando canetas para desenho técnico sobre papel velino ou de traçado (Fig. 20). Atualmente, eles são quase que universalmente gerados usando CAD 2D. Empresas

À direita 15. O CC Cruiser, uma colaboração holandesa/americana entre John Kock (Springtime Industrial Design) and Tucker Viemeister (Springtime, USA) é um veículo de entrega de bebidas, movido à bateria, concebido para a Coca-Cola, no qual o motorista fica de pé e guia de modo semelhante a se estivesse sobre skis. O esboço, feito por Michiel Knoppert foi feito usando esferográfica preta e foi colorido e acabado usando Photoshop, 2001.

Abaixo 16. O último Mini Cooper S, um desenho de Frank Stephenson feito por meios mistos, empregando lápis, marcadores, giz e guache, 1998. Cortesia BMW Group.

À direita 17. Uma apresentação em computador usando SolidWorks do suporte de guarda-chuvas Plomb de Karim Rahsid, 2001.

Abaixo 18. Estes desenhos ortográficos de produção (feitos usando SolidWorks) para o suporte de guarda-chuvas *Plomb* de Karim Rahsid (para a companhia italiana Serralunga) mostram três cortes diferentes através da planta no topo do desenho, 2001.

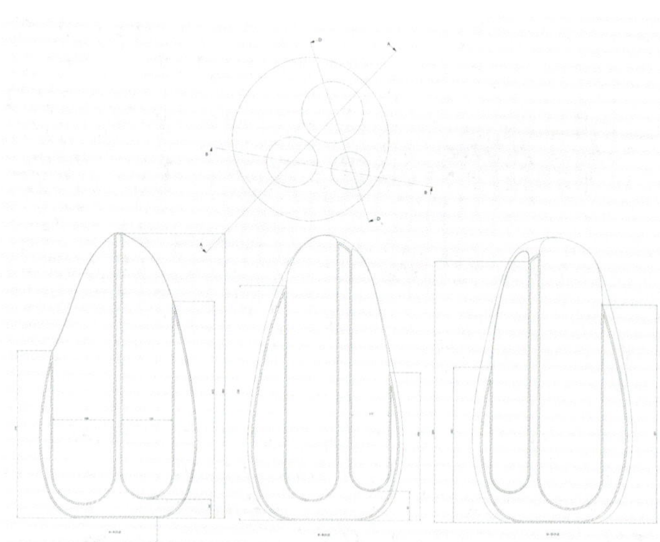

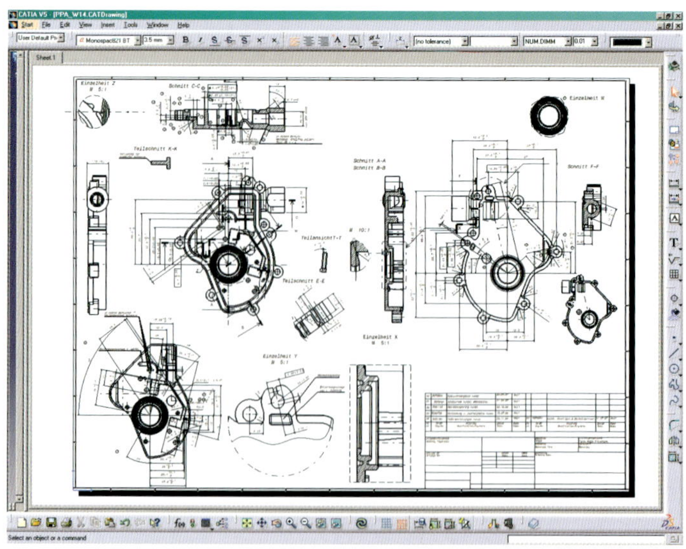

Acima à direita 19. Uma captura de tela mostrando desenhos ortográficos 2D produzidos pela Dassault Systèmes no seu programa de CAD Catia, 2006.

modernas estão usando Modeladores de sólidos 3D, que guardam a geometria completa do produto, até finalmente controlar as máquinas ferramentas que serão usadas para fabricar o produto e todas as suas partes. Produzir um modelo 3D em computador pode ser mais semelhante a esculpir, mas neste livro será tratado como desenhar, só que no espaço 3D.

Ilustrações técnicas

Finalmente, uma vez que o produto esteja em produção e todas as decisões de projeto estejam consolidadas, ilustrações técnicas (Capítulo 8) serão necessárias para as pessoas responsáveis pela montagem, manutenção e uso do produto (Fig. 21). Estes desenhos já foram feitos usando um aerógrafo, mas hoje são quase que inteiramente criados em computador.

À direita 20. Um desenho clássico de engenharia feito à tinta sobre papel vegetal, feito por Sir Giles Gilbert Scott (1880-1960) para a icônica cabine telefônica GPO n.2, de 1924. O desenho mostra uma vista em planta e duas elevações (vistas laterais). Cortesia RIBA Library Drawings and Archives Collection, Londres.

Abaixo 21. Uma ilustração técnica 3D explodida de um motor de aspirador de pó Dyson, criada no Software UGS NX (anteriormente conhecido como Unigraphics). O motor livre de carbono X020 não tem escovas, magnetos e comutador.

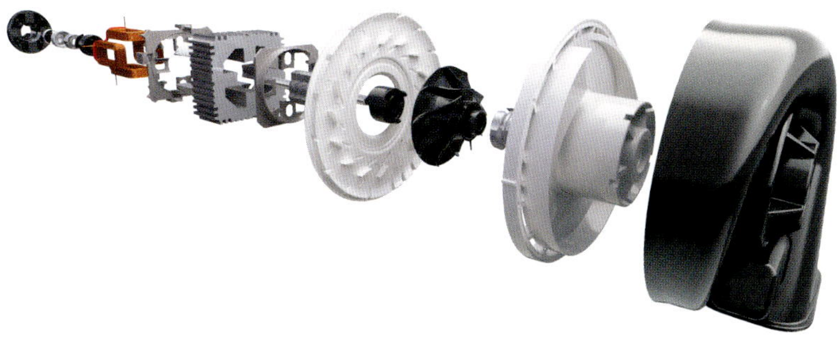

Em uma empresa de um único profissional, todas estas atividades podem ser feitas pela mesma pessoa; num escritório multidisciplinar, o trabalho será distribuído para vários especialistas. O envolvimento do designer pode terminar no modelo de estilo ou os designers podem ser convocados após o objeto ter sido esboçado para fazerem o "packaging" ou trabalho de estilismo. Todas as empresas são diferentes e designers individuais podem trabalhar de maneiras distintas (veja os estudos de caso por todo este livro que olham de maneira mais detalhada para a operação cotidiana de vários estúdios de design).

O design pode ser iniciado com uma folha limpa de papel, produzindo uma gama de soluções que podem ser de qualquer forma, desde que satisfaçam certos critérios funcionais (Figs. 22, 23). Ou o design pode ser iniciado a partir de uma série de produtos já existentes, como no caso de um carro ou aparelho de TV novos, nos quais componentes tais como motor ou tubo de imagem, juntamente com placas de circuito impresso, devem ser combinados e unidos numa forma esteticamente aceitável (Figs. 24, 25).

À direita 22. A cadeira escultura *Slice* (fatia) do designer dinamarquês Mathias Bengston de 1999 combinou tecnologia de corte a laser computadorizado com trabalho manual para criar uma série de cadeiras e *chaise longues* em compensado e alumínio. Este expressivo desenho de conceito foi executado em crayon conté.

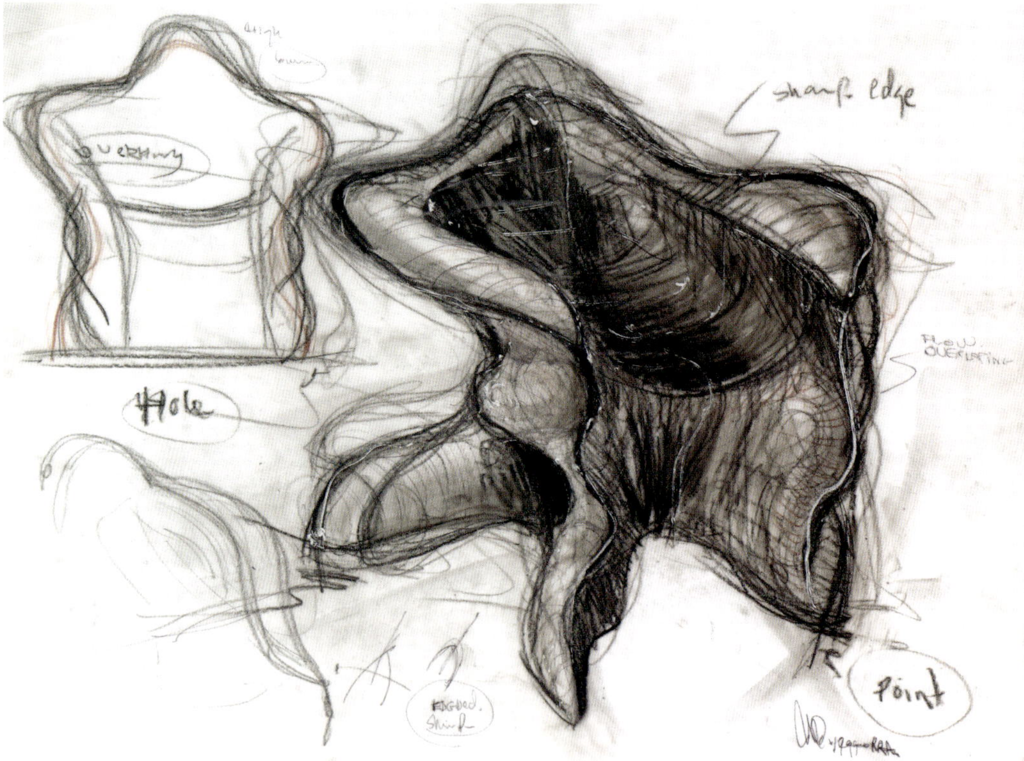

À esquerda 23. A cadeira *Slice* acabada tem aparência orgânica mas só pôde ser realizada com auxílio de computador. Cada camada foi cortada de uma chapa de material segundo formas complexas por um laser controlado por computador. As camadas bidimensionais foram então montadas manualmente em uma forma sólida tridimensional, 1999.

À direita 25. A foto do produto Robot Marie hand mixer da Moulinex, 2004, mostra como George Sowden conseguiu obter uma forma estética e táctil a partir de um esquema pouco promissor.

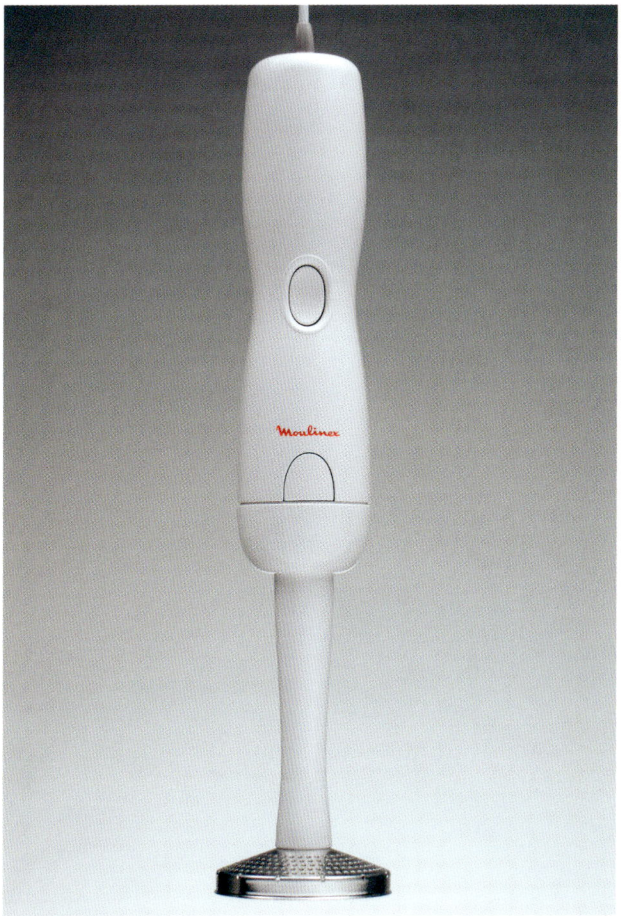

Abaixo 24. O Esboço de conceito, feito pelo designer radicado em Milão, George Sowden, para o Robot Marie hand mixer da Moulinex, 2004, é um bom exemplo de desenho esquemático com as restrições de packaging. Componentes pré-fabricados, tais como um motor e uma caixa de engrenagens, precisam ser espremidos no design antes da definição do estilo da casca externa do produto (ver também Fig. 2.24).

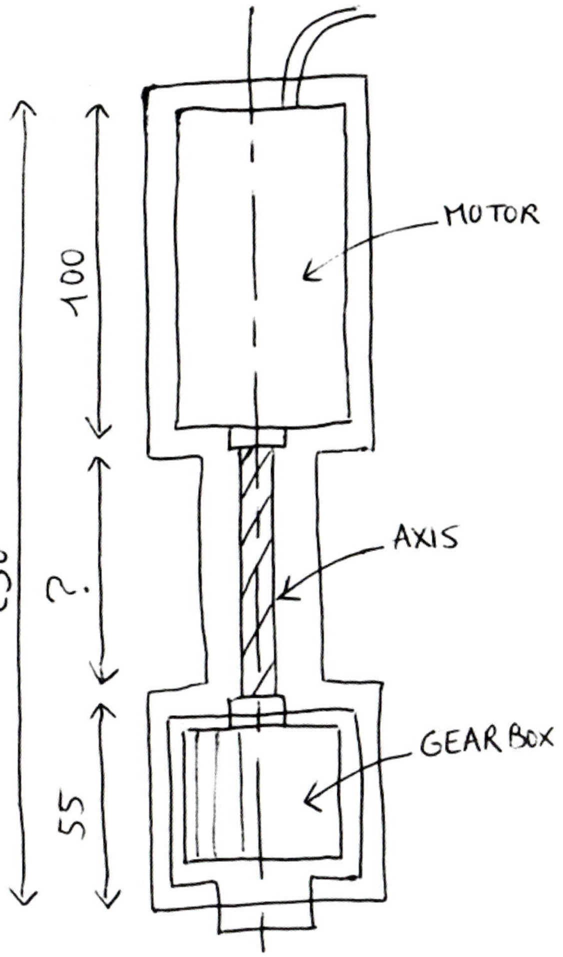

Um produto típico, se é que tal coisa existe, será uma síntese de itens especificados e comprados em catálogos, tais como motores elétricos, molas, porcas, parafusos, combinados com peças conhecidas e peças que precisam ser feitas especialmente para aquele produto em particular que está sendo projetado. O design será restringido pela disponibilidade e propriedades das matérias-primas – chapas de aço, por exemplo, vêm em espessuras padronizadas – e também pelas técnicas de fabricação a serem empregadas – um objeto em plástico, por exemplo, precisará de uma certa conicidade se for para ser liberado facilmente do molde. Tamanho do lote também tem aplicações sobre o design. Para bens de capital, produzidos em, digamos, lotes de dezenas, pode não ser economicamente viável investir em um tipo de ferramental caro, necessário para a produção em massa de produtos de consumo.

Conclusão

Os capítulos a seguir dividem o processo de design e desenho nestas quatro fases distintas. Mas antes são necessários alguns capítulos introdutórios sobre todas as ferramentas e técnicas, tanto manuais quanto computadorizadas, que você precisará para ser capaz de cumprir o seu papel de designer de produtos ou desenhista industrial.

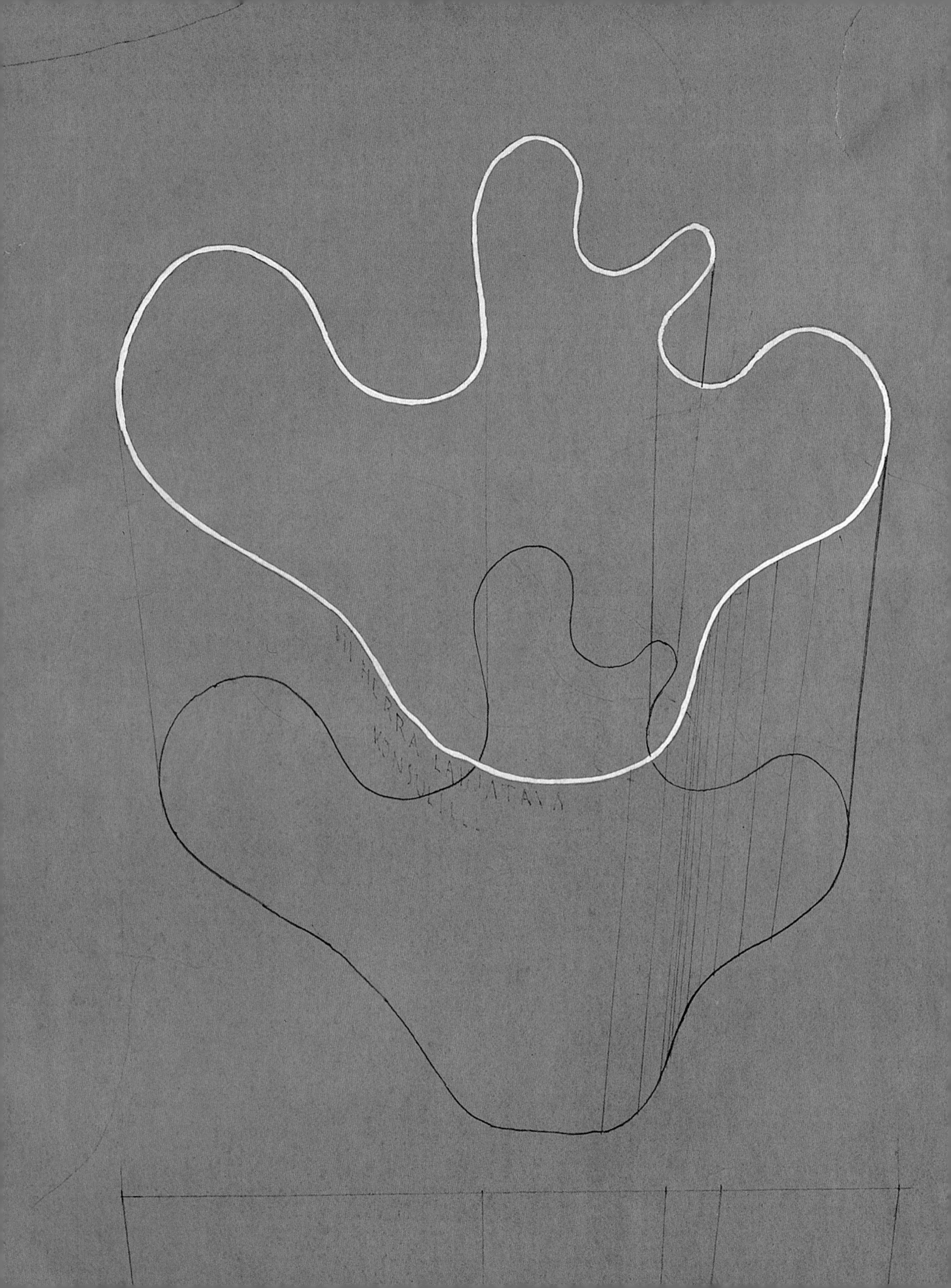

O pensamento modifica a nossa vida e nosso comportamento. Eu também acredito que o desenho atua da mesma maneira. Eu sou um grande defensor do desenho, não apenas para ser um ilustrador, mas porque eu acredito que desenhar modifica o cérebro do mesmo modo que a busca pela nota certa modifica o cérebro de um violinista. Desenhar também te faz ser atento. Faz com que você preste atenção ao que você está olhando, o que não é tão fácil.

Milton Glaser

1 Uma breve história dos desenhos de designers

Página oposta. Alvar Aalto, Vasos de vidro, 1936, Crayon sobre colagem de cartolina. O artista fez estes esboços de conceito para a empresa de vidro finlandesa Iitala, para a Feira Mundial de Paris em 1937. São os precursores dos vasos Savoy, do mesmo autor, e foram inspirados nas Eskimoerinden Skinnbuxa (as calças de couro das mulheres esquimó). Cortesia: Iitala Group, Helsinki, Finlândia (ver também Figs. 13, 5.20, 5.21).

Designers e construtores desenham desde os primórdios da civilização. A primeira ligação entre desenho e manufatura pode remontar à época em que, segundo a lenda grega, Dibutades traçou uma linha ao redor da sombra (uma projeção) de seu amante, seu pai então recortou esta linha e fez uma escultura a partir dela. Desenhos simbólicos e esquemáticos estão em evidência desde a Idade do Bronze – existe uma vista em planta de um arado puxado por bois datado de 1500 a.C. em Fontalba – e esquemas semelhantes podem ser vistos em pinturas egípcias.

À direita 1.1. Paolo Ucello (1395-1475), Cálice, c-1430-40. Pene e tinta sobre papel. Este estudo em perspectiva de um cálice tem fantástica semelhança com um desenho em CAD no modo "wireframe". Cortesia Bridgeman Art Library, Londres.

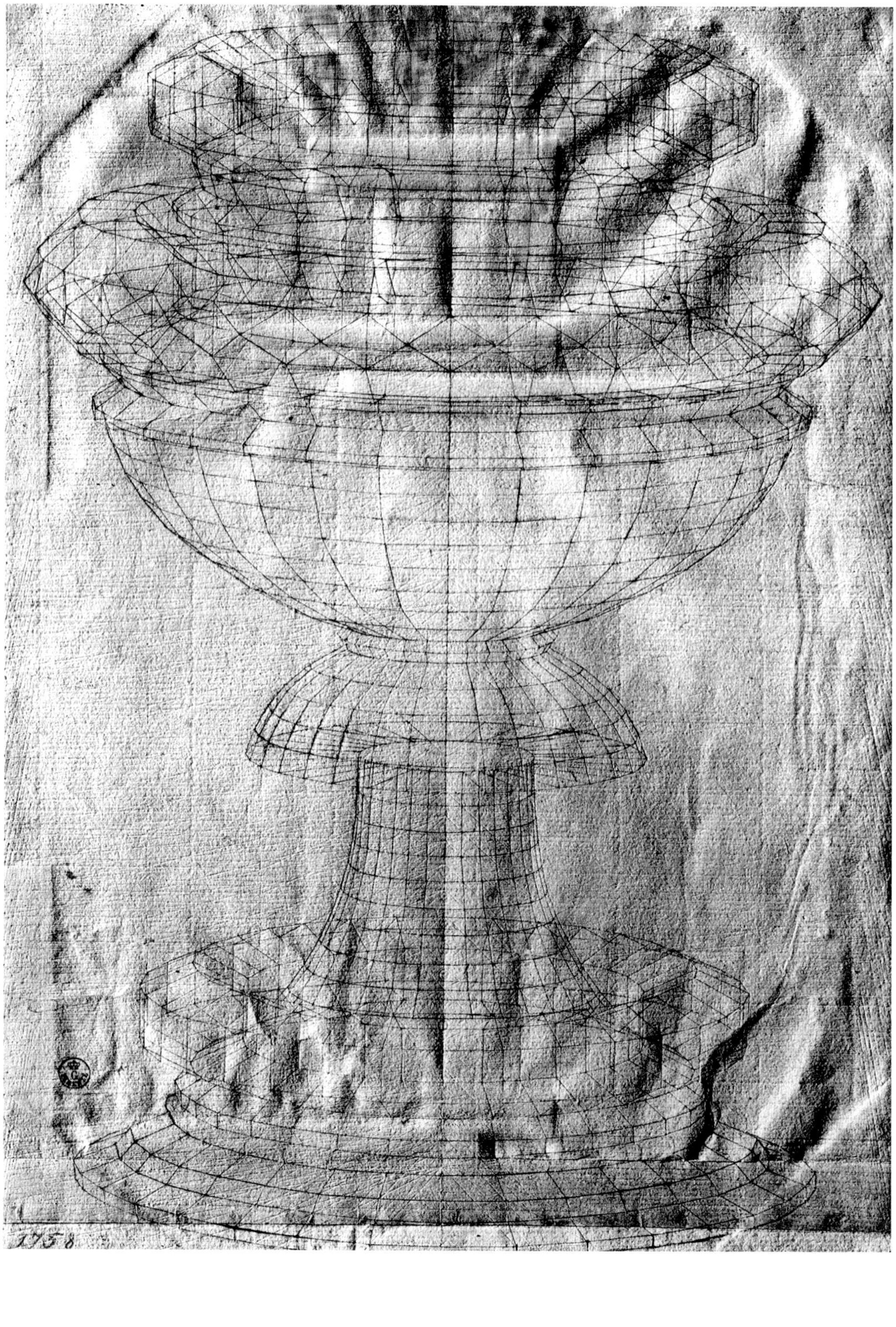

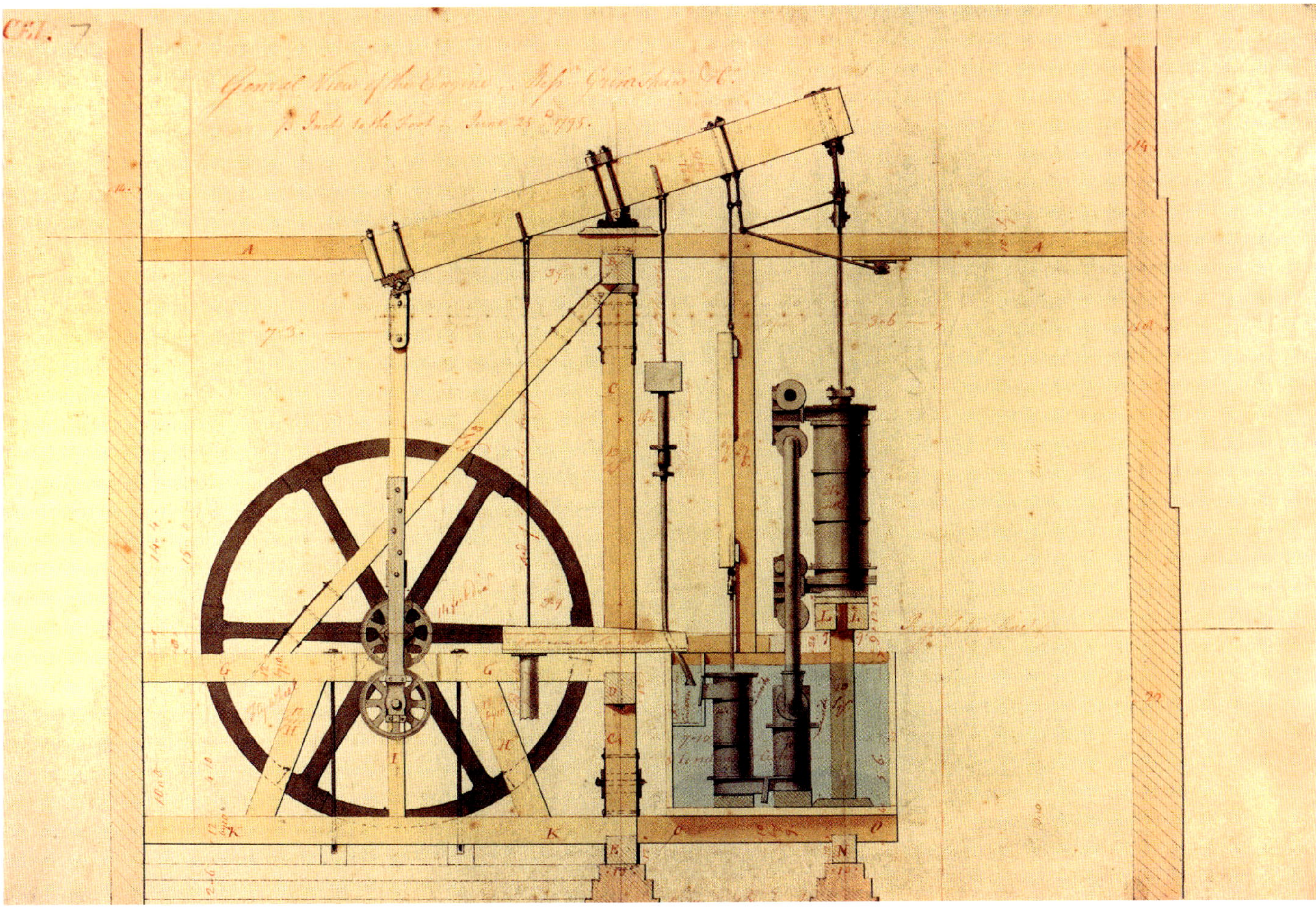

Acima 1.2. Matthew Boulton e James Watt, vista geral de um motor a vapor, 1795. Pena e tinta, lavado e sombreado com aquarela, $11\frac{5}{8}$" x $16\frac{1}{2}$" (29,5 x 41,8 cm). Cortesia Institution of Mechanical Engineers, Londres.

Os antigos gregos fizeram as fundações da geometria e os métodos de Euclides eram ensinados quase exclusivamente até o final do século XIX. Astrônomos gregos, notadamente Apolônio de Perga (c. 262-190 a.C.), conceberam, por volta de 250 a.C., a noção de projeções e entenderam tanto a projeção ortográfica (também conhecida como paralela) quanto a estereográfica (ou cônica), usada em seus mapas planos para os céus semi-esféricos. Um número grande de manuscritos gregos foi perdido ao longo dos séculos, assim é perfeitamente possível que eles conhecessem a perspectiva, especialmente por que a projeção estereográfica pode ser considerada uma forma especial da perspectiva generalizada.

Ambos os renascentistas, o artista Paolo Uccello (1397-1475) e o arquiteto Filippo Brunelleschi (1377-1446), têm o crédito pela invenção da perspectiva, por volta do ano 1420. Isto não significa que, nos desenhos, a terceira dimensão não existisse antes da Renascença, pois vários tipos de projeções oblíquas não convergentes podem ser vistos em desenhos de todas as culturas das épocas mais remotas.

Na Idade Média, o desenho – como aparentam aos nossos olhos modernos – dava mais ênfase às características mecânicas e atributos de uma máquina

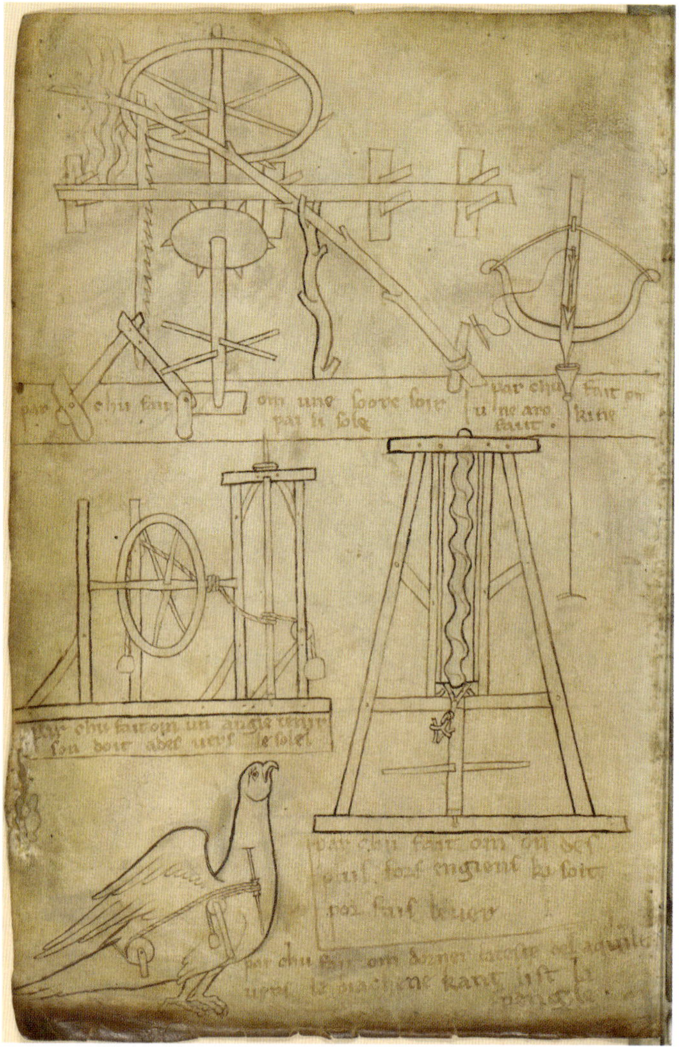

Acima 1.3. Villard de Honnecourt, Máquinas, c.1220-1235, lápis sobre pergaminho com lavagem a sépia. Estas máquinas, desenhadas pelo construtor medieval Villard de Honnecourt (fl. 1190-1235), têm aparência ingênua segundo os padrões modernos, devido à abordagem diagramática do autor da terceira dimensão. Entretanto, elas serviam como lembrete e registro para que o mestre construtor e inspiraram o renascer gótico do século XIX. Cortesia Bibliotèque Nationale de France, Paris.

do que a retratar a realidade física. Por exemplo, a abadessa Herrad de Landsberg (c.1130-1195), em sua *Hortus Deliciarum* (Jardim de Delícias) de 1160 – um compêndio de todas as ciências e ofícios estudados naquele tempo – sacrificou verdades geométricas, tamanhos e posições comparativos em favor de uma descrição, segundo as convenções daquele tempo, de como era realmente o funcionamento de um moinho (ou de qualquer outro assunto tratado). Seus desenhos produzidos empiricamente são tão impenetráveis e difíceis de "ler" como os desenhos em vistas ortográficas dos engenheiros o são para um leigo de hoje.

A Influência da Arte e da Arquitetura

Os muitos tipos de desenhos usados correntemente por designers evoluíram de forma independente entre si em disciplinas distintas durante a Idade Média na Europa. A escola de "um objeto, um desenho" remonta aos perspectivistas, a abordagem multivistas (planta e elevações) veio dos arquitetos.

A mais antiga planta de um edifício que existe documentada está gravada numa estátua de Gudea em Ur (uma cidade no sul da Mesopotâmia, atual Iraque) – e que hoje está no Louvre – e é datada de 2130 a.C. Ela mostra um desenho de um Zigurate – um templo com laterais em degrau – gravado numa mesa de desenho, acompanhado dos instrumentos de desenho. As vistas em planta pareciam ser suficientes para os mestres construtores erguerem as catedrais durante muitos séculos. Amédée-François Frézier (1682-1773) é reconhecido como o primeiro arquiteto que mostrou, em 1738, plantas e elevações juntas, em escala e unidas projecionalmente por meio de linhas de construção.

O método arquitetônico, sendo uma metodologia madura, expandiu-se para a engenharia mecânica no início da Revolução Industrial – os desenhos de motores a vapor de finais do século XVIII feitos por Matthew Boulton e James Watt (Fig. 1.2) são reminescentes dos desenhos arquitetônicos daquela época, acabados com aquarelas e com sombreamento para dar mais realismo.

A história do desenho de design segue de mãos dadas com o desenvolvimento dos instrumentos de desenho. A geometria euclidiana demanda apenas compassos e réguas. Transferidores e jogos de esquadros foram inventados muito mais tarde e derivaram-se das ferramentas dos mestres construtores, tais como aquelas mostradas nos cadernos de esboços de Villard de Honnecourte, por volta de 1220-1235.

Na era Napoleônica, Gaspard Monge (1746-1818) revolucionou em 1795 o pensamento do desenho com suas teorias da geometria descritiva. Em 1868, o inglês A.W. Cunningham escreveu que na Europa continental havia "métodos elegantes de desenho por meio dos quais toda forma de problema tridimensional podia ser resolvida no papel". Artesãos, sem dúvida alguma, faziam desenhos, embora eles provavelmente fossem inscritos nas pedras, feitos com giz num quadro negro ou ainda inscritos nos próprios materiais a serem trabalhados. Mas Cunningham queria ver uma educação sistemática em desenho substituindo costume e prática.

A obscuridade quase recaiu sobre Sir William Farish (1759-1837), outro pioneiro dos métodos de desenho, cujo trabalho de 1820 sobre isométricas (ver Capítulo 2) permaneceu esquecido por muitos anos numa revista acadêmica.

No início do século XIX, quase todos os desenhos de design eram feitos por engenheiros ou artesãos, embora o enorme volume de trabalho demandasse que copiadores e desenhistas menos habilidosos tivessem que ser contratados. Isto fez com que, em 1857, William Binns desenvolvesse o desenho em três vistas ortográficas ou método de desenho da geometria dos sólidos (o método de Monge demandava apenas duas vistas planas), de forma que desenhos muito bem-acabados pudessem ser feitos a partir do esboço do designer.

A Influência da Construção Naval

Os métodos de representação de superfícies complexas, "esculturadas" – geralmente curvadas em duas dimensões – derivam principalmente das práticas de construção naval (Fig. 1.5). Durante fins do século XVI, desenhos de navios eram feitos convencionalmente em três planos: longitudinal, vertical e horizontal.

Ao final do século XVII os desenhos tornaram-se mais estilizados. Seções das cavernas foram simplificadas mostrando apenas as linhas externas e, pelo fato de as cavernas serem simétricas ao longo do comprimento do navio, apenas metade de cada uma era desenhada, da popa à meia-nau, na esquerda; e proa à meia-nau, na direita (Fig. 1.4).

Várias linhas de flutuação também eram desenhadas, para mostrar como o navio ficaria na água conforme as várias cargas. Estas eram abstraídas em planos imaginários, que podiam ser usados para definir a forma do casco: como curvas na vista em planta e retas nas elevações. Um conjunto destes "contornos" poderia ser usado para definir um sólido. Mais usualmente, entretanto, eles seriam tratados como um método adicional, como uma série de seções acompanhando um desenho convencional em três vistas.

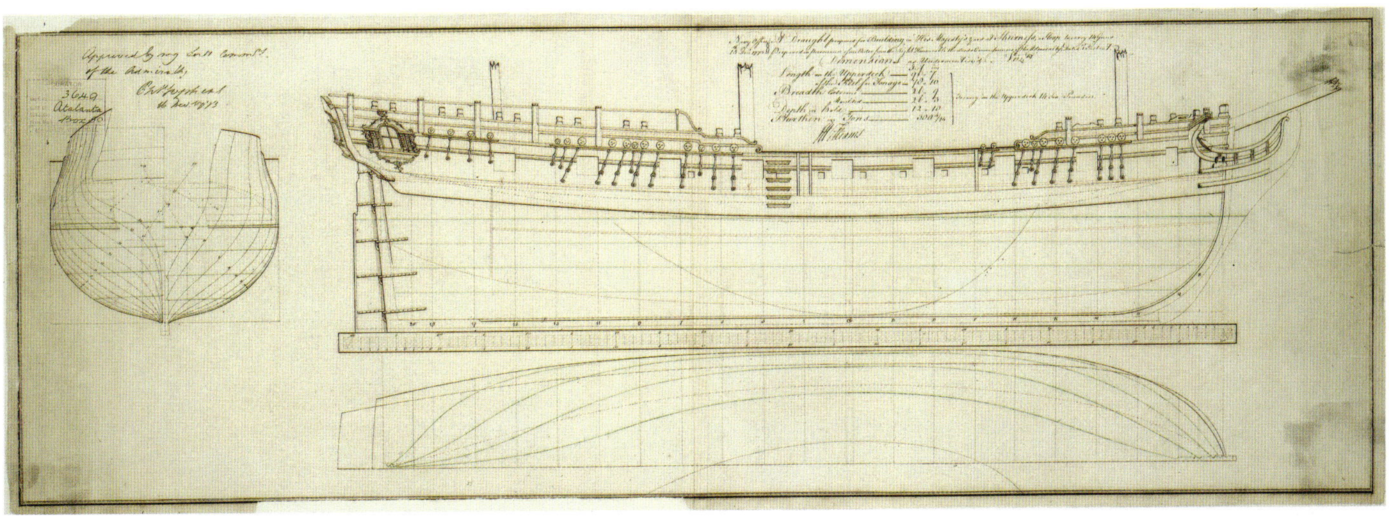

Acima 1.4. A corveta *Atlanta* 1775. Desenho a nanquim e aquarela. O esboço lembra muito um desenho de engenharia do século XX, com seu arranjo contendo meia-planta (o navio é simétrico), vistas lateral e frontal. As convenções já haviam sido implantadas: os contornos das cavernas na vista frontal são mostrados da popa à meia-nau, no lado esquerdo; e de proa à meia-nau; no lado direito. Cortesia National Maritime Museum, Londres.

Direita 1.5. Um navio do século XVI, c. 1586, em *Fragments of Ancient English Shipwrightery*, de Matthew Baker. Desenho em aquarela com o layout esquemático das velas e mastreação. Este precursor do desenho de apresentação foi provavelmente feito como peça de exibição para registrar os detalhes externos do navio. Cortesia Pepys Library, Magdalene College, Cambridge, Inglaterra.

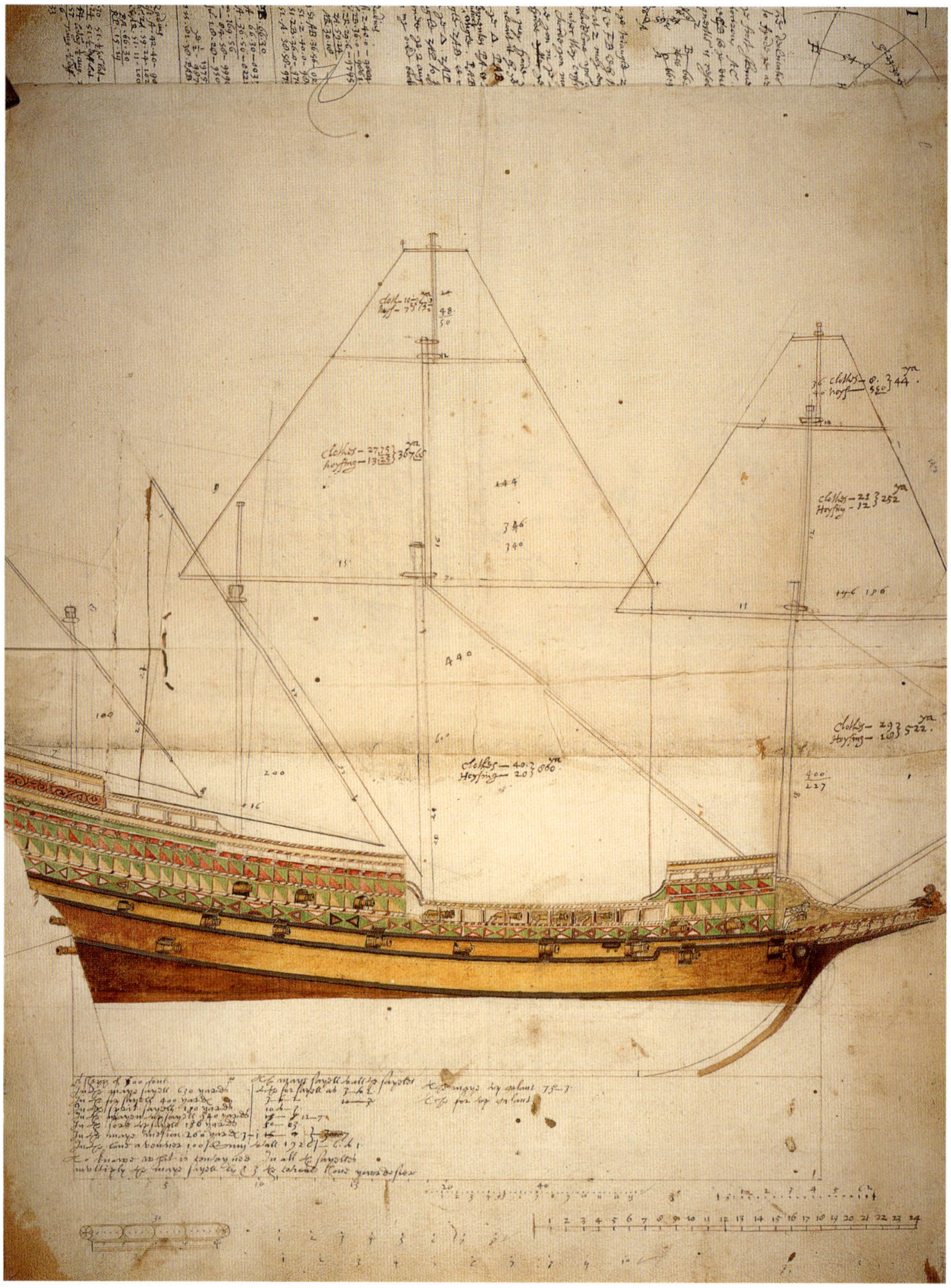

Produção em Massa

Quando todos os produtos eram feitos à mão por uma única oficina, desenhos não eram realmente necessários, mas, quando a produção em massa tornou-se comum, eles passaram a ser muito mais importantes, especialmente se as peças fossem feitas em locais distintos e devessem se ajustar na montagem.

Em 1815 as Forças Armadas dos Estados Unidos decidiram fabricar mosquetes padronizados com peças intercambiáveis. O objetivo era que os mosquetes pudessem ser desmontados, as peças jogadas numa pilha, misturadas com peças de outras armarias, remontadas aleatoriamente e sempre funcionassem no primeiro disparo.

Inicialmente, mosquetes perfeitos eram despachados para serem copiados. Em 1852, um engenheiro alemão, Ferdinand Redtenbacher (1809-1863), imaginou um método melhor. Como um desenho era mais fácil de manusear do que pedaços de metal, este podia ser considerado como um instrumento para o projeto, imitando em papel os objetos reais de forma que fossem avaliados, sendo que quaisquer falhas e incompatibilidades seriam resolvidas antes que um protótipo caro fosse fabricado. O uso de um desenho como representação simbólica de um produto significava que o processo de projeto poderia ser separado da produção e a razão de produção poderia ser aumentada com componentes pequenos, padronizados e produzidos em massa, simultaneamente.

Este foi quase certamente o início da profissão de designer do produto como nós a conhecemos hoje (Fig. 1.6). O designer com o desenho era capaz de uma maior percepção que os antigos artesãos, logo se tornou costumeiro mandar para a oficina um traçado feito à tinta em vez da peça original. A primeira guerra mundial e o surgimento dos métodos de reprografia significaram o final dos códigos de cores, que foram substituídos por matizes mecânicos ou hachurados em branco e preto, bem mais legíveis.

Desde 1927 a prática dos desenhos de engenharia está sujeita a normas nacionais e internacionais. No Reino Unido, a norma apropriada é a da British Standard Institution BS8888 (substituindo a BS308); o padrão

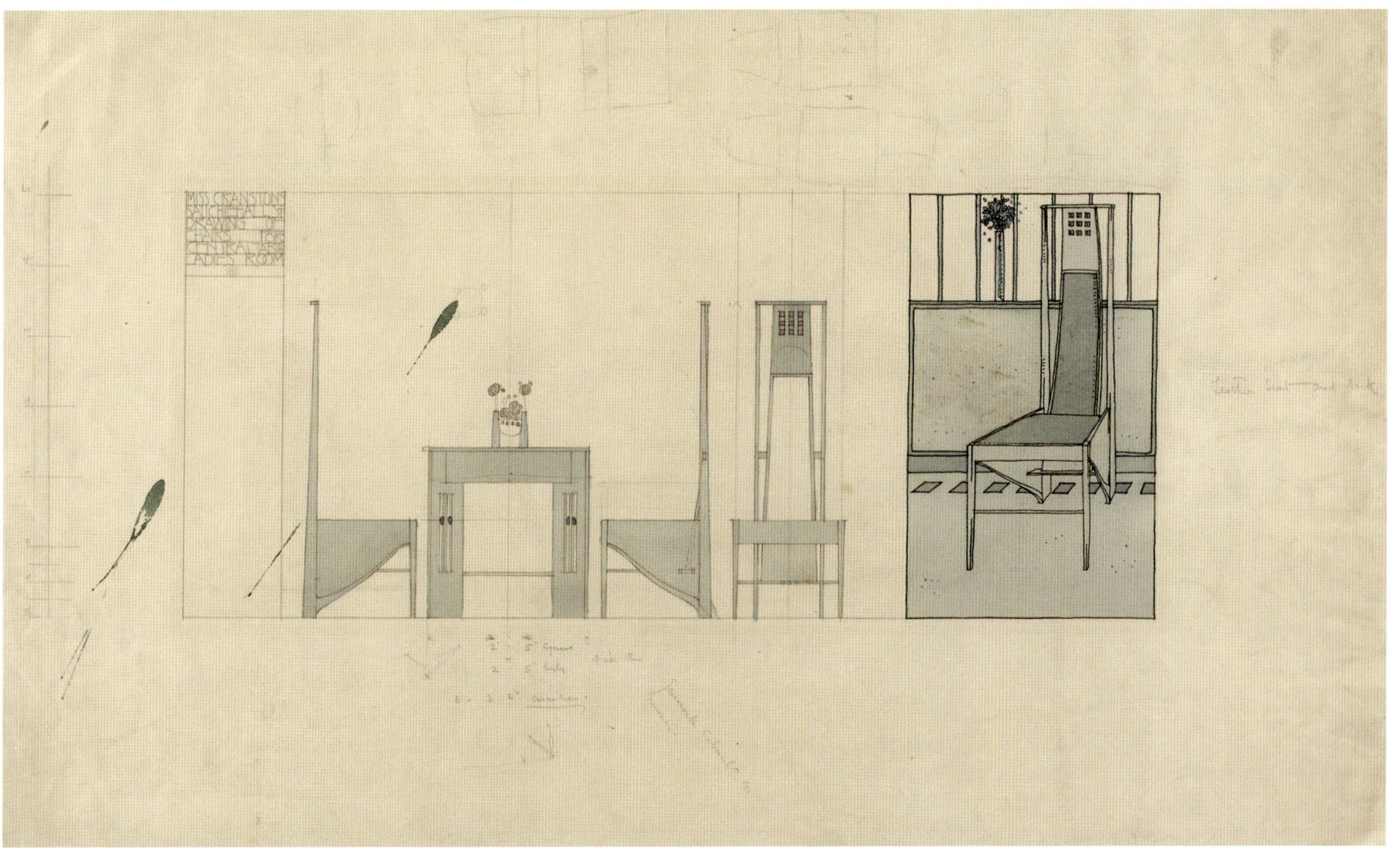

Abaixo 1.6. Charles Rennie Mackintosh, cadeiras para a sala de senhoras na Casa de Chá de Miss Cranston em Glasgow, 1903. Lápis e aquarela sobre papel tecido, 13 x 20 pol (32,8 x 50,6 cm). Estes estudos delicados usam a elevação simples para representar as dimensões e proporções gerais, acrescidos de uma perspectiva mais elaborada para mostrar a cadeira no seu contexto de uso. Photo © Hunterian Museum and Art Gallery, University of Glasgow. Coleção Mackintosh.

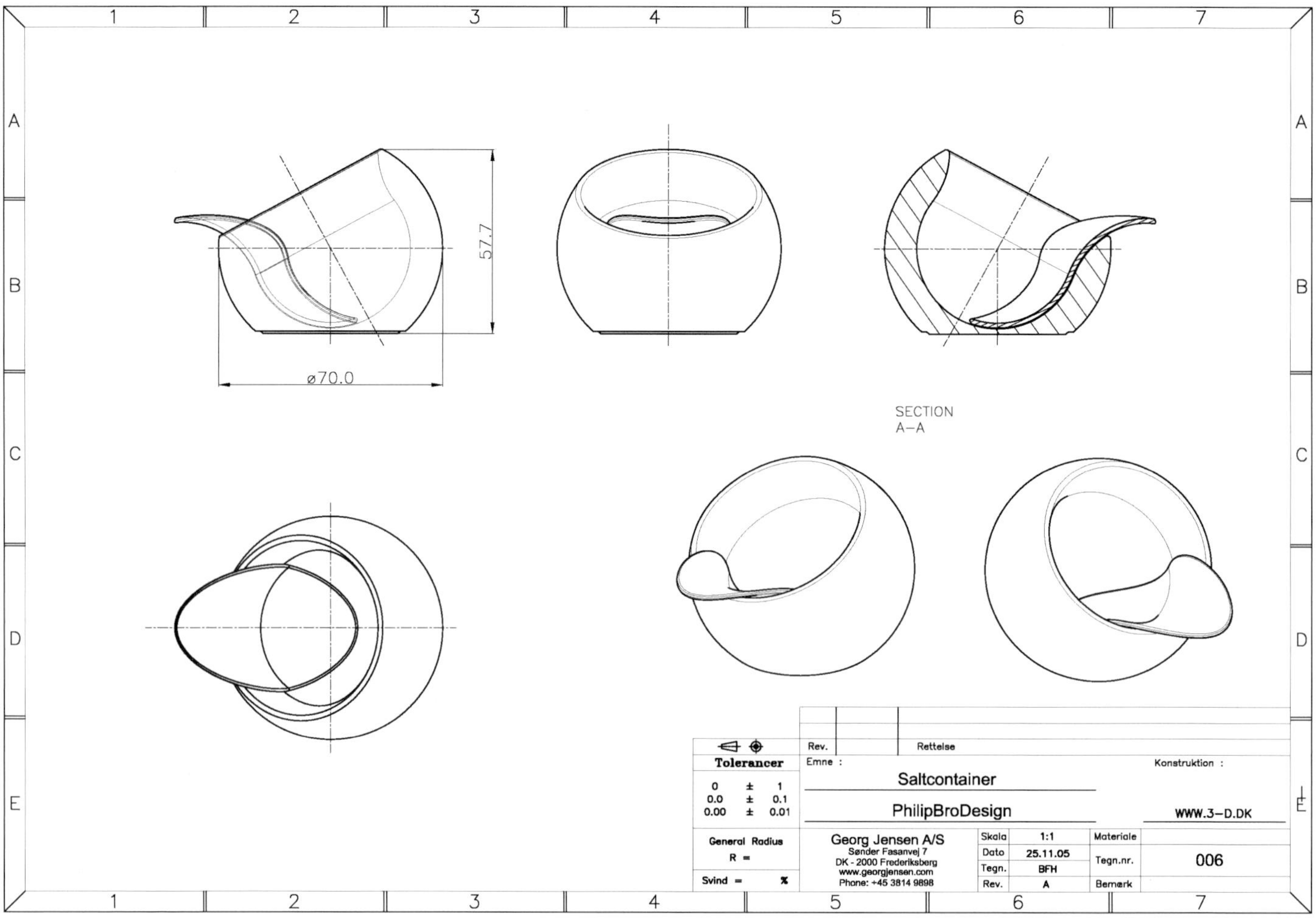

Acima 1.7. Philip Bro Ludvigsen para Georg Jensen, Desenho em CAD Pro/E do saleiro *Twist*. Cortesia Georg Jensen, Dinamarca.

americano é da ASME (Sociedade Americana dos Engenheiros Mecânicos) Y14.5M[1]. Estas normas incluem formatos e tamanhos, tipos de linha, letras, cotas, o modo como o corte deve ser realizado e detalhes como símbolos para representar roscas. Países europeus têm as suas próprias normas – na Alemanha, por exemplo, são estabelecidas pela DIN (Deutsches Institut für Normung) – e há também a normalização internacional, ISO 128. Designers, entretanto, normalmente adotam uma abordagem mais pragmática, usando as convenções com as quais eles se sentem mais confortáveis. A questão das normas é exacerbada por empresas grandes que têm as suas próprias normas internas e práticas de design que podem ser forçadas, por contrato, a se adaptarem ao "estilo doméstico" do cliente.

O desenho de apresentação é uma criação relativamente recente, cujo desenvolvimento segue em paralelo com o crescimento dos grupos de design e seu

1 N.T. No Brasil a normalização é estabelecida pela ABNT – Associação Brasileira de Normas Técnicas e as normas vigentes para desenho técnico são: NBR 10647, NBR 10067, NBR 10068, NBR 10126, NBR 6158, NBR 8196, NBR 6492, NBR 8402, NBR 8403.

relacionamento com a indústria. A perspectiva de "realismo" do desenho de apresentação tem sido questionada por grupos de design, tais como o Memphis, que tem usado projeções axonométricas e oblíquas para comunicar diferentes verdades sobre a forma e função de um produto. Designers e companhias como Also Rossi e Alessi, respectivamente, vão mais adiante, publicando esboços "conceituais" filosóficos e pinturas contextuais para ajudar a vender os produtos que criam.

As Origens do Projeto Auxiliado por Computador (CAD)

Hoje, o CAD tem a possibilidade de fazer com que os designers retornem ao tempo das oficinas, quando tinham total responsabilidade pela realização de seus conceitos originais sem compromisso ou interpretação de outros no chão de fábrica.

Os princípios da repetibilidade automática e da programabilidade em máquinas têm suas origens nos teares operados com cartão perfurado de Falcon (1728) e Jacquard (1800). Os sistemas de CAD mais atuais são derivados de um programa de computador chamado *Sketchpad*, desenvolvido em 1963 e baseado na tese de doutorado (PhD) de Ivan Sutherland, no Instituto de Tecnologia de Massachusetts (MIT). *Sketchpad* tinha muitas das características dos atuais sistemas de desenho em 2D. Por exemplo, era interativo: o designer podia comunicar-se instantaneamente com o computador, ao passo que naquela época os programas eram processados em blocos, enviados do terminal ao computador central e os resultados eram recebidos talvez no dia seguinte. Além disso, os elementos comumente usados podiam ser armazenados em "bibliotecas" e chamados quando necessários em novos desenhos. Nunca seria necessário, Sutherland insistia, fazer a mesma coisa mais de uma vez.

Usando o CAD, os desenhos podem ser feitos em tamanho real na escala 1:1 (lembre que a tela do computador é apenas uma janela dos dados) e depois impressos em todos os diferentes fatores de escala –1:20, 1:200 etc. – requeridos pelos diferentes contratados num projeto multidisciplinar (Fig. 1.7).

O CAD pode acelerar o processo que vai do design até a produção, levando ao mercado produtos melhores, em menos tempo. Pode unificar as várias etapas do ciclo de projeto, suavizando a passagem entre as fases anteriormente distintas de design de conceito, apresentação visual, modelos, desenhos de peças, criando uma transmissão direta de uma ideia única. Com desenhos mais limpos, legíveis e mais precisos, além de modelos 3D, o CAD elimina a ambiguidade de designs e permite uma melhor comunicação entre engenheiros, designers, administração e equipe de vendas.

É discutível se o CAD sufoca ou não a criatividade, mas em mãos experientes ele pode dar tempo ao designer para pensar em outras soluções alternativas. O CAD pode ser integrado a programas de análise, simulação e avaliação – para testar o design segundo resistência e para verificar se atende aos requisitos de desempenho – de forma que falhas potenciais de design sejam detectadas e eliminadas na tela, em vez de mais tarde no chão de fábrica. E, à medida que a legislação a respeito de responsabilidade pelo produto e segurança torna-se mais importante para a indústria manufatureira, o CAD pode auxiliar os designers a evitar erros, prever falhas potenciais e preveni-las e ainda controlar a quantidade crescente de dados complexos.

Com o CAD também é mais fácil precisar exatamente quanto custará para fazer um determinado produto e, assim, a fábrica pode reduzir a quantidade de estoque e peças em processo no chão de fábrica.

Desenhos de engenharia feitos à mão ocupavam uma grande quantidade de espaço físico. Armazenar esta informação num banco de dados computadorizado não só a torna mais acessível e mais provável de ser consultada, como também libera espaço no escritório. Sistemas construídos ao redor do computador pessoal são agora acessíveis mesmo para empresas de uma ou duas pessoas, fazendo com que estas possam concorrer em igualdade de condições com as maiores multinacionais. Gostando ou odiando, o CAD, como o editor de textos, veio para ficar. Um designer ainda usará lápis e papel logo no início do projeto, mas um computador será usado no restante do processo.

Como o Desenho é Ensinado

O desenho pode ser ensinado? Ou é simplesmente uma questão de não aprender? Seria uma habilidade natural, gravada em nossos genes? "Todos são capazes de desenhar até que alguém diga que não" é uma citação atribuída a John Lennon, entre outros. Certamente a prática ajuda. O treinamento formal de muitos estudantes de hoje em dia consiste em uma hora de desenho por semana – e ainda não é compulsório. Mas não foi sempre assim. A maneira como se ensinava desenho no passado e a importância que a sociedade dá ao ensino de desenho têm papel fundamental em como nós encaramos o desenho hoje em dia.

Em meados do século XIX, os comentários de Lorenzo Ghiberti e os tratados sistemáticos de Leon Battista Alberti colocaram a teoria básica e a prática do desenho como princípios unificadores das artes visuais. Para Leonardo da Vinci (Fig. 1.8) desenhar tornou-se "não apenas uma ciência mas uma divindade", permitindo a exploração precisa de áreas onde a linguagem não tinha poder. Ele enxergava a pintura como uma ciência do conhecimento e o desenho como método de investigação. Desenhar, ele dizia, é a forma tangível da ideia, o ato

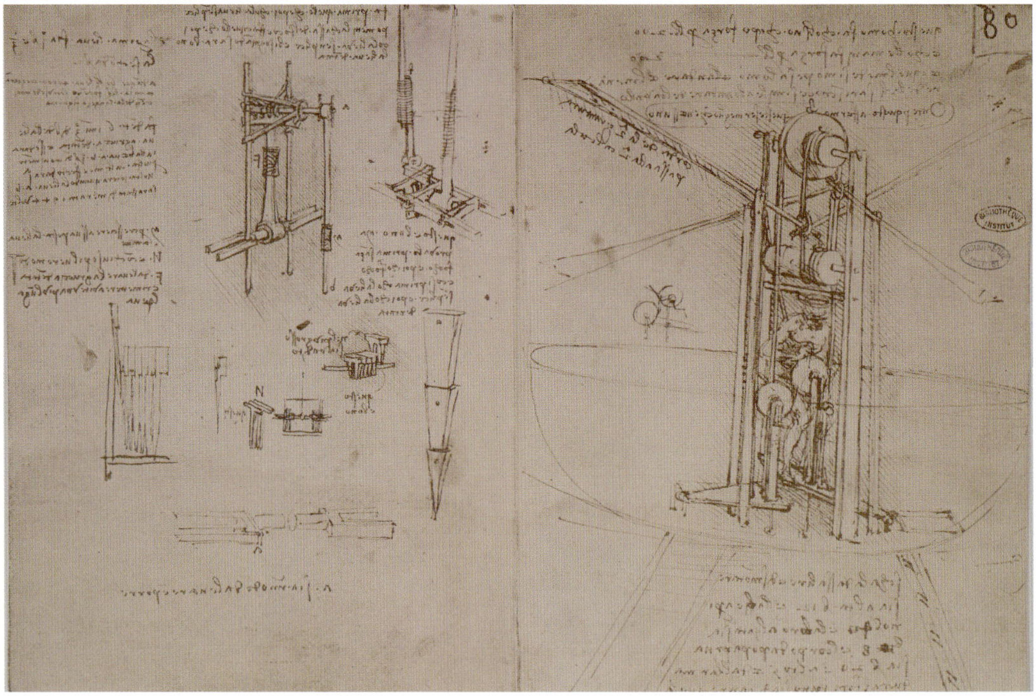

À direita 1.8. Leonardo da Vinci, Máquina Voadora, desenho à tinta. Esta fantástica macchina volante (máquina voadora) é um esboço de concepção pictórica com notas. Leonardo quase sempre usou desenhos explodidos e em corte para auxiliar na explicação do funcionamento interno de suas invenções, e ele quase inventou a projeção ortográfica ao mostrar várias vistas de um mesmo objeto, mas sempre com uma terceira dimensão adicionada. Cortesia Bibliotèque de l'Institute de France, Paris, França. Lauros/Giraudon/ Bridgeman Art Library.

inventivo que produz uma obra de arte. Isto foi ecoado por Giorgio Vasari (1511-1574) que dizia: *O desenho nada mais é do que a expressão visível de um conceito que temos em nossa mente.*

O desenho seria, então, um meio de exteriorizar um conceito, mas é também uma afirmação muito pessoal; é algo muito maior do que um arranjo de marcas num papel. Um desenho é um análogo de algo real: uma coleção estilizada de símbolos, considerações e taquigrafia aprendida que pode ser lida ou mal interpretada, tal como a escrita. David Hockney no prefácio do livro de Jeffrey Hockney, "Draw: how to master the art", diz: *Se você pode desenhar, mesmo só um pouco, você pode expressar todo tipo de ideia que, de outra forma, poderia ser perdida – deleites, frustrações, qualquer coisa que te atormente ou te dê prazer. Desenhar ajuda-o a pôr seus pensamentos em ordem. Pode fazer com que você pense de modos distintos.*

A Codificação do Desenho

O desenho é uma linguagem que foi codificada e formalizada ao longo dos anos e o modo como desenhamos influencia o modo como vemos. Forma e harmonia não são absolutos intuitivos, mas são resultados de métodos sistemáticos de desenhar.

A codificação do desenho começou na renascença, mas foi aperfeiçoada nos livros-textos do século XIX, nos quais axiomas eram apresentados para analisar problemas de design. Muitos destes livros ensinavam desenho num estilo seco, linear. Isto era verdade não apenas para o desenho mecânico, mas também para as artes decorativas, como por exemplo, o design têxtil, que era restrito pela tecnologia dos cada vez mais mecanizados meios de produção.

Um exemplo do dogmatismo pode ser visto no livro "Grammigraphia" (1799), de William Robson, que afirma: *São quatro as linhas; perpendicular, horizontal, oblíqua e curva. Toda a variedade de aparências na natureza é apresentada por uma combinação destas quatro linhas dispostas em harmonia com a proporção e posição. Uma linha é a continuação de um ponto. Um ponto pode mover-se de apenas quatro modos e, destes, nós podemos obter uma expressão matemática de todas as figuras comuns: ângulo, quadrado, círculo, elipse, oval, pirâmide, serpentina, ondulado e espiral. Use linhas de forma distinta e determinada o quanto possível.* Desenho baseado em observação empírica ficou em segundo plano.

No período de ressurgimento nacional, após as guerras napoleônicas, os estados germânicos, especialmente a Prússia, adotaram as ideias do educador suíço Johann Heinrich Pestalozzi (1746-1827) nas escolas de jardim da infância. Este *pedagogische Zeichnen* era bastante distinto do desenho mais expressionista ou *Kunstzeichnen* e estava baseado num "alfabeto" de figuras geométricas simples. A atividade de desenhar, de acordo com Pestalozzi e seus seguidores, inicia-se com exercícios que aumentam e desenvolvem o entendimento da criança a respeito de espaço e forma.

O engenheiro e membro do clube estético de Glasgow, James Nasmyth, escrevendo em 1883, disse: *Vendo as formas abstratas dos vários detalhes dos quais toda máquina é composta, nós descobriremos que eles consistem de certas combinações de seis elementos primitivos ou figuras geométricas elementares, nomeadamente: a linha, o plano, o círculo, o cilindro, o cone e a esfera.* Isto não era somente uma afirmação de um fato e dos problemas práticos da mecânica de precisão, era também uma afirmação de intenção estética. Nasmyth estava desenvolvendo uma gramática visual apropriada à tecnologia.

Esta forma pedagógica de desenho ficou conhecida como "arte convencional" em meados do século XIX. A maneira esperada de execução era um trabalho com lápis sem sombra, duro e claro. O designer Christopher Dresser (1834-1904) escreveu, em 1858, que *desenho para propósitos decorativos deve coincidir com as plantas do arquiteto do edifício. Uma série de desenhos que devem transmitir um conhecimento perfeito de cada parte.*

Desenho Geométrico *versus* Naturalista

A discordância veio do crítico de arte John Ruskin (1819-1900) que, também em 1858, falou da selvageria do desenho geométrico. Na sua promoção do desenho tonal e impressionista, o seu livro "The elements of Drawing" era antilinear e antigeométrico. O desenho pedagógico apontava para um futuro industrial e para o culto à máquina, assim, o desenho naturalista (Fig. 1.9) apontava para um passado feito à mão e para o culto do vernacular.

A despeito dos protestos de Ruskin, o desenho pedagógico foi adotado quase que universalmente nas escolas de design. Era factual, positivo e moderno.

Ao final do século XIX a arte era considerada um impulso criativo espontâneo. Paul Cézanne (1839-1906) argumentava que *concepção não pode preceder a execução, uma vez que as expressões nunca podem ser as traduções de pensamentos claros. Desenhos e pinturas não são mais fatores distintos: quando alguém pinta, desenha. Quanto mais harmonia há nas cores, mais preciso se torna o desenho.* Desenhar mesclou-se à arte de pintar. E, no mundo do artista, o desenho é cada vez mais visto como um ramo da arte separado da pintura.

Forma Segue o Método de Desenho

Uma tentativa de ensinar arte e design juntos foi feita na Bauhaus (Fig. 1.10). Este movimento alemão tinha muitas fontes, que incluíam os ensinamentos da educação pela arte da educadora italiana Maria Montessori. A Bauhaus foi precedida e influenciada pela Deutscher Werkbund de 1903, um movimento no qual Lothar von Kunowski (1866-?) encorajava os estudantes a "revelar a essência em vez da aparência da natureza e dos materiais para obter a verdadeira expressão". Peter Behrens (1868-1940) formou-se como pintor e ensinou em Nuremberg antes

À direita 1.9. Soren Georg Jensen (1917-1982), Castiçal de prata no. 1085, 1960. Não importando as suas escalas, o peso e a densidade de suas formas são mantidos num balanço delicado com os espaços intermediários, avivando suas formalidades modernistas com um toque leve e lírico. O par de colunas não comprometedoramente simples é realçado pelo contorno externo semivazado. O design foi revivido, em aço inox, em 2006. Cortesia Georg Jensen, Dinamarca.

de ser apontado "orientador artístico" da companhia elétrica AEG, onde projetou luminárias, posters e o primeiro edifício modernista. Ele escreveu em 1907 "Leis interiores determinam a forma na arquitetura, desenho industrial e artesanato". Seus estudantes eram encorajados a considerar os princípios intelectuais de todo trabalho de criação de formas e tentar descobrir e reconciliar as leis da arte com aquelas da técnica e dos materiais.

Em 1919, Walter Gropius (1883-1969) lançou o manifesto de fundação da Bauhaus. Ele acreditava que a arte não podia ser ensinada, mas que a habilidade manual sim, então ele estabeleceu que seis categorias de treinamento seriam oferecidas: escultura, trabalho com metal, fabricação de móveis, pintura e decoração, impressão e tecelagem. O desenho foi listado em separado e incluia paisagem, natureza morta, composição, esboço à mão livre a partir de memória e imaginação, além de "design de móveis e artigos práticos".

Em Weimar, o desenho era ensinado por Johannes Itten (1888-1967), que encorajava a autoexpressão entre os estudantes. Ele rejeitava "convenções mortas" e também ensinava que as leis da forma e da cor podiam ser interpretadas e entendidas tanto intuitiva quanto objetivamente. Antes de desenhar um círculo, os estudantes tinham que experimentar um círculo euritimicamente ao sacudirem seus braços no ar. As três formas básicas – quadrado, triângulo e círculo – eram experimentadas em forma de gestos, modelagem em argila e, então, representadas graficamente num plano 2D. Os estudantes tinham que absorver as qualidades dos materiais através do toque, manuseio e desenho de memória, além de criar novas texturas por meio de montagem e colagem. Isto daria uma apreciação sensorial da qualidade dos materiais que levaria a um entendimento, tanto intelectual quanto emocional, de seus potenciais para propósitos de design.

Entretanto, o desenho nos anos iniciais da Bauhaus tinha pouco a ver com projeto. Em 1923, Lazló Moholy-Nagy (1895-1946) foi fundamental na transformação das oficinas baseadas em trabalhos manuais em "laboratórios para evoluir novos tipos formas e normas para a produção em massa". A preocupação era com a criação de protótipos que serviriam como guias para artesãos e indústria, em vez de com desenhos.

Em 1925, em Dessau, desenho analítico era ensinado por Wassily Kandinsky (1866-1944) como "uma educação em observação não da aparência externa de um objeto, mas dos elementos construtivos, das leis que governam as forças (= tensões) que podem ser descobertas em dados objetos, e de suas construções lógicas. Uma educação em observar e reproduzir claramente relações em que fenômenos 2D são um passo introdutório para o tridimensional".

Abaixo 1.10. Hebert Bayer, Capa de revista, 1928. Como esta imagem mostra que a Bauhaus ensinava que as formas dos produtos podiam ser montadas a partir de formas geométricas simples, "primitivas" – o cone, a esfera e assim por diante. Sistemas atuais de modelamento de sólidos em computador usam os mesmos princípios.

Design Modernista

O pintor como um criador de formas foi fundamental para a teoria do design do início do século XX. No movimento holandês, De Stijk, a pintura abstrata demonstrava as leis universais da forma. O carro retumbante (*baby wagon*) de Gerrit Rietveld (1888-1964) era uma demonstração de que um objeto belo poderia ser fabricado quase que totalmente de peças usinadas retas. (Fig. 1.11).

Gropius esperava que a habilidade e visão do pintor pudessem ser empregadas diretamente na produção industrial. Mas as atividades de arte e design provaram ser fundamentalmente diferentes para se misturarem com sucesso, conforme admitiu em 1926 Georg Muche (1895-1986), que escreveu: *As formas dos produtos industriais, em contraste com as formas de arte, são superindividuais, no que tange a elas como resultado de uma investigação objetiva a respeito de um problema... Os limites da tecnologia são determinados pela realidade, mas a arte somente chega às alturas se coloca seus objetivos no domínio do ideal.*

Ao assunto desenho em design foi dada pouca atenção durante o século XX, sendo seu papel relegado a algo necessário, mas relativamente pouco importante no processo de projeto. O modernismo e seu princípio fundamental de que "forma sempre segue a função" (um aforismo atribuído ao arquiteto americano Louis Sullivan, 1856-1924) levaram à sistematização do design através dos anos 1960, com uma ênfase em habilidades de resolver problemas em jogo de palavras. Desenhar parecia ser óbvio e intuitivo demais para ser de alguma ajuda. Desenhos de designers tornaram-se invisíveis, eles sempre estiveram lá, mas nunca vinham a público.

A Alegria de Desenhar

O pós-modernismo, com o seu algumas vezes irrelevante choque entre arte e design, novamente traz a exibição dos desenhos de designer. Desenho é raramente discutido nos manifestos de grupos como o sediado em Milão, Memphis, liderado por Ettore Sottass (1917-) (Fig. 1.12), mas eles estão lá para serem vistos, em glorioso technicolor, entre as

A direita 1.11. Gerrit Rietveld, Carrinho de bebê (carro retumbante), 1923. Estes esboços mostram uma forma desenvolvida a partir de pedaços retos de madeira usados na famosa cadeira vermelha/azul. O desenho usa uma projeção isométrica, com detalhes em elevação; desenhos arquitetônicos do movimento De Stijl eram executados normalmente em projeção axonométrica. Cortesia Arquivo Rietveld Schroder, Utrecht.

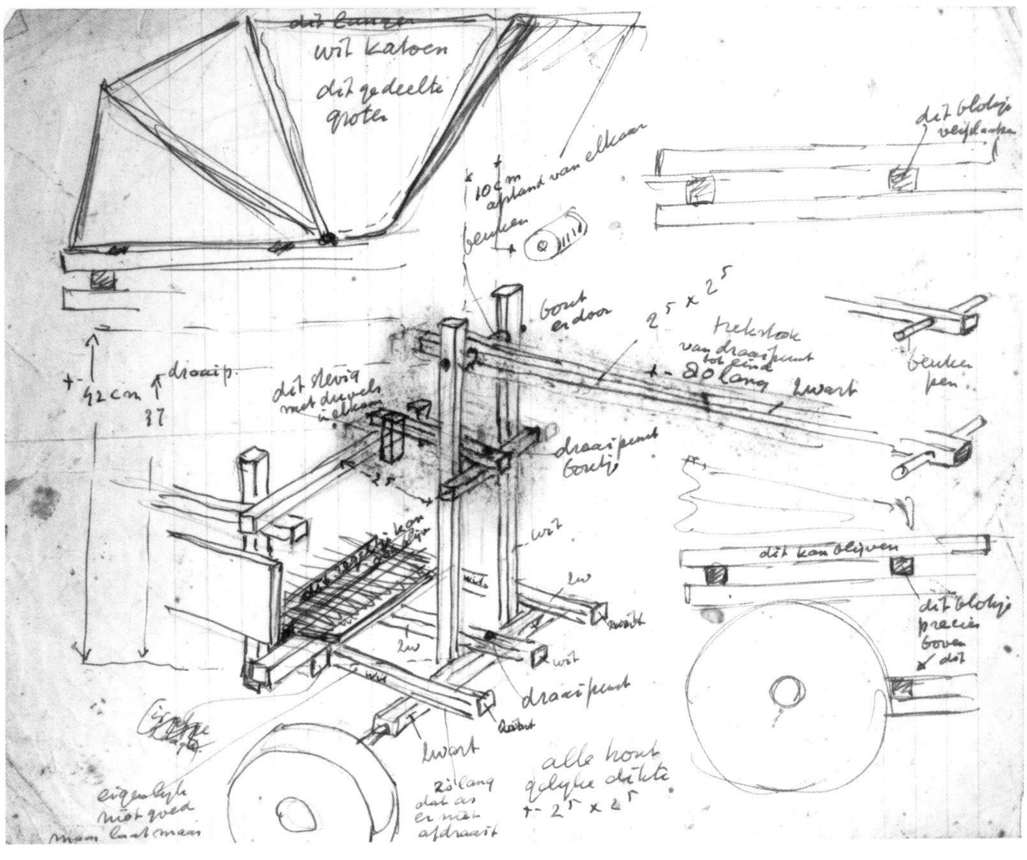

Abaixo 1.12. Ettore Sottsass, mesa de canto Casablanca, 1981. Desenho oblíquo, nanquim e guache. Esta era a peça central da primeira coleção do grupo Memphis. A mesa de canto é feita com laminados brilhantes e com padrões projetados por Sottsass para a empresa Abet Laminati. Cortesia Sottsass Associati EEIG, Milão.

Página oposta 1.13. Henry Dreyfuss (1904-1972), Trator, 1959. Desenho sobre papel amarelo para traçado. O desenho é um dramático estudo em perspectiva para a companhia John Deere. Cortesia Cooper-Hewitt. National Design Museum, Smithsonian Institution.

fotografias de produtos nos catálogos do grupo e no material publicitário.

Sottass e outros designers, como Michele de Lucchi e George Sowden, foram inspirados na criação do grupo Memphis por um verso numa canção de Bob Dylan entitulada "Stuck inside of Mobile with the Memphis blues again": "Ah mas a sua debutante sabe do que você precisa, mas eu sei o que você quer". Design nunca é a solução para um problema, diz Sottass, porque nenhum problema na era da moda e do consumismo é um evento imóvel que pode ser isolado e seguro. Os designs da Memphis não desejam convencer, mas seduzir, inventando funções e criando demandas.

Deste modo, ele ecoa o coro dos designers industriais americanos "antimodernistas" dos anos 40, como Harold van Doren (1895-1957) e Walter Dowin Teague (1883-1960), que, confrontados com a dificuldade de encontrar uma forma "honesta" ou "natural" para novos produtos de consumo como o aspirador de pó, enclausuram-nos em cascas simples, polidas e aerodinâmicas deliberadamente intencionadas para ter apelo junto ao consumidor e aumentar as vendas (Fig. 1.13).

No fim, as conquistas do Memphis e de outros grupos pós-modernistas foram reintroduzir cor, padronagens e ornamentos no design. Design, hoje, não é somente resolver necessidades funcionais, mas criar alegria, excitação e expectativa.

Poderia ser argumentado que no passado os objetos eram mais retilíneos porque formas quadradas eram mais fácies de desenhar em projeções ortográficas. Os programas de CAD fazem com que padrões repetidos, tais como séries de linhas paralelas, sejam facilmente incorporados. Agora os sistemas de modelagem 3D tornam possível projetar e fabricar formas livres, orgânicas e curvilíneas.

Os designers do grupo Memphis atualizaram os meios convencionais de representação em três dimensões pelo emprego de formas pouco usuais das projeções oblíquas e axonométricas (que também são indicadores do treinamento deles em arquitetura) e, geralmente, preferem apresentações planas, semelhantes a quadrinhos, em vez de uma realização "realista", para estimular uma reação emocional no usuário potencial dos produtos, que foi ensinado a igualar "design" a "bom gosto".

Conclusão

Nas duas últimas décadas, a maior influência no desenho tem sido o computador. Não somente o computador é usado rotineiramente no acabamento e melhoria de um desenho iniciado à mão e escaneado para manipulação posterior em programas como o Adobe Photoshop, mas a aparência das imagens feitas no computador tem tido uma influência nos desenhos feitos à mão. A onipresente sombra do design gráfico e dos logotipos sombreados e gravados em relevo, tão fáceis de se conseguir no computador, começaram a aparecer em desenhos feitos a lápis e marcador.

O designer nova-iorquino Tucker Viemeister acredita que o meio escolhido para o designer tem grande e direta influência nas formas e formatos dos produtos criados. *É análogo ao papel que as palavras têm no desenvolvimento de ideias. Os Inuit têm algo como 137 palavras diferentes para a neve. Pantone dita o número de cores que podemos usar, a técnica de usar Magic Marker sugere formas aguçadas; pastéis, formas suaves; fome-cor, caixas onduladas; CAD, intersecções complicadas, aberturas repetitivas e texturas. Você pode enxergar um paralelo óbvio entre os estilos modernos e os médios do design.*

Sottsass afirmou que o design deveria ser *uma atividade em tempo real.* Somente o ato de desenhar, em oposição ao de construir modelos, pode oferecer a espontaneidade para que se acompanhe uma mente tão prolífica, fértil e criativa. Sotsass em seu prefácio para a monografia de Penny Sparke, de 1982, lamenta-se a respeito da vida real: *a labuta diária, a ansiedade, a confusão, as desculpas de uma dor de cabeça ou o rádio que não te deixa trabalhar em paz, os milhares de cartões cobertos com esboços que pareciam tão brilhantes porque você nunca se arriscou a terminá-los...* A despeito desta (irônica) melancolia, com designers com o Sottsass e os do grupo New American, o futuro de design está assegurado.

Oh! Che dolce cosa é questa oerspectiva
(Oh! Que coisa doce é a perspectiva!)
Paolo Uccello

2 Habilidades básicas de desenho

Página Oposta Achille Castiglioni, Conjunto para óleo e vinagre (galheteiro), 1984.
Neste design para a Alesi o designer usou uma paleta restrita de lápis de cores sobre um papel rugoso de aquarela. Ele mostra não só a forma do produto mas também a maneira como deve ser usado.
Cortesia Alesi.

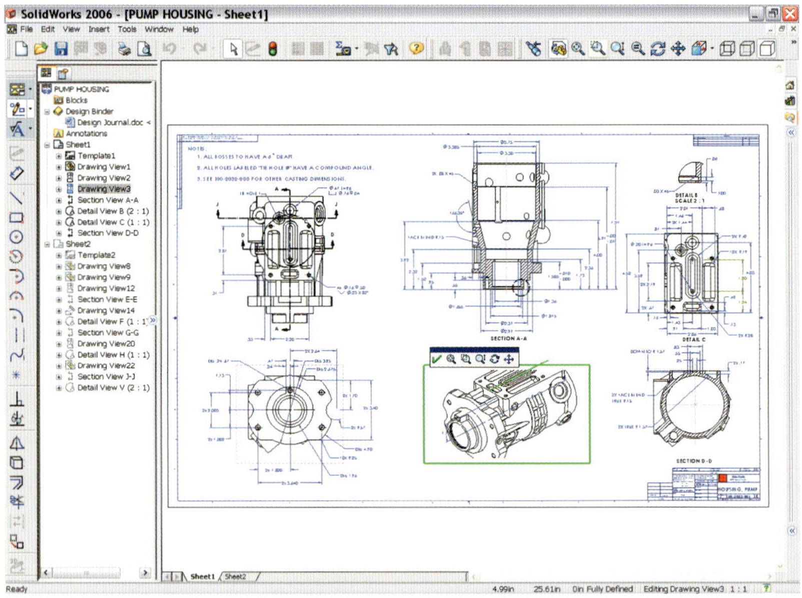

À direita 2.1. Captura de tela mostrando um desenho 3D (um isométrico) da carcaça de uma bomba juntamente com desenhos ortográficos 2D, 2006. Cortesia SolidWorks Corporation.

Abaixo 2.2. Escritório de um construtor naval, do livro de Matthew Baker *Fragments of Ancient English Shipwrightery*, 1586. Mostra designers trabalhando na planta de um navio. O desenho é mostrado como uma planta real nesta aquarela "naïve" e não, como o restante da figura, em perspectiva. Cortesia Pepys Library, Magdalene College, Cambridge, Inglaterra.

A maioria das pessoas, e isto também quer dizer a maioria dos designers, desenhará intuitivamente, ainda que inconscientemente, informados pela história da arte. Eles desenham "a olho", da mesma forma que um músico autodidata toca "de ouvido". Qualquer desenho formal na escola ou faculdade será através do desenho vivo, ou talvez aprendendo a desenhar uma natureza morta analisando como os objetos se aproximam das formas geométricas. A você podem ter sido apresentadas as regras da perspectiva, desenhando fileiras de postes telegráficos ou de árvores, nas margens de uma estrada ou ferrovia retas, diminuindo em direção ao infinito, todos se juntando por linhas invisíveis e convergentes a um ponto de fuga teórico.

No estágio de conceito inicial, seus rabiscos são somente para os seus próprios olhos e pouca atenção será dada a qualquer meio formal de representação; a questão principal é colocar a ideia fresca no papel antes que ela desapareça. Mais tarde, no processo de projeto, você precisará apresentar estes conceitos de forma mais refinada aos seus clientes ou colegas, e o desenho terá de parecer mais realista. Finalmente, comunicar o design detalhado para aqueles que o fabricarão exige precisão para criar um desenho que seja claro e cheio de informação.

O objetivo do desenho de um designer de produtos é fazer a representação de um objeto tridimensional, real ou imaginário, numa folha de papel ou numa tela de computador (Fig. 2.1), ambas bidimensionais. Se as intenções do designer devem ser comunicadas fielmente a outros na equipe de projeto ou aos responsáveis pela fabricação, então este desenho deve ser uma representação completa e sem ambiguidades do objeto projetado, e várias convenções surgiram ao longo dos anos para acelerar este processo (Fig. 2.2). Enquanto o esboço pictórico pode ser adequado para os estágios

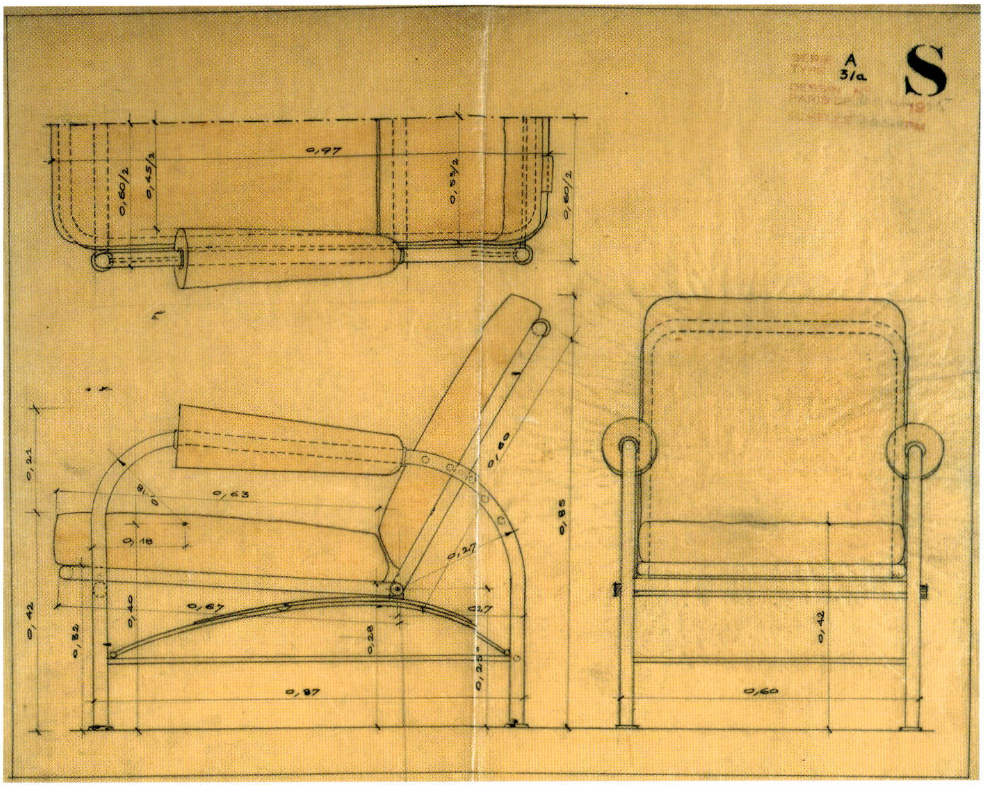

À direita 2.3. Erno Goldfinger, Cadeira Metálica com Assento de Mola, 1925. Um conjunto clássico de desenhos ortográficos feitos em papel de traçado arquitetônico amarelecido. Notar que como a cadeira toda é simétrica, ele teve que desenhar somente metade dela na vista em planta. Cortesia RIBA Library Drawings and Archives Collection, Londres.

iniciais do desenvolvimento do design, a projeção ortográfica 2D – uma planta e duas elevações (ver capítulo 8) são o modo convencional de comunicar a forma e geometria de um produto do design para a produção (Fig. 2.3).

Mas um conjunto de desenhos ortográficos pode não ser suficiente para explicar um detalhe tridimensional complexo e vistas auxiliares podem ser necessárias. Desenhos ortográficos também são difíceis de visualizar e "ler" por um leigo. Então, quando um designer apresenta propostas para um cliente ou administrador espera-se que estejam em formato representação pictórica 3D, geralmente um desenho em perspectiva. Perspectivas estão de tal maneira integradas à consciência coletiva que a maioria dos designers é capaz de desenhá-las inconscientemente. Aqui, para o designer mais rigoroso, um método formal mas simplificado foi incluído. Outras projeções, não em perspectiva, usadas majoritariamente por designers com origem na arquitetura, como as projeções métricas de um isométrico, axonométricas e outra – também conhecidas como paralinha – são também descritas.

Perspectivas

Perspectiva é um modo de introduzir distorções sistemáticas nos desenhos para representar a realidade. Objetos aparentam diminuir e seus lados convergirem como se a distância do observador aumentasse. Linhas traçadas do objeto do observador interceptarão o plano da figura (ou o plano da folha de papel, que aqui se considera estar na vertical, à frente do observador e normal para a linha de vista) em vários pontos (Fig. 2.4.). Um desenho em perspectivas é feito assinalando estes pontos e ligando-os. Considera-se que o horizonte está infinitamente distante de tal forma que linhas paralelas irão convergir para o que se denomina *pontos de fuga*.

É preciso lembrar que a perspectiva é um simulacro de realidade – na vida real, muitos pontos de fuga mudam à medida que os olhos e a cabeça movem-se percorrendo a cena.

É provável que as regras da perspectiva fossem conhecidas por gregos e romanos. Mas esta se tornou uma ciência na Renascença, com artistas e arquitetos tais como Pietro della Francesca, Leonardo da Vinci e Albrecht Dürer que escreveram tratados e criaram cenários elaborados para mostrar suas habilidades na construção de vistas cientificamente precisas do ambiente retratado.

Auxílios à perspectiva (os descendentes da câmera escura) começaram a aparecer no século XVIII, notadamente o aparato de perspectiva de James Watt, o telescópio gráfico de Cornelius Varney, o delineador de perspectivas de Peter Nicholson (um instrumento para desenhar linhas até pontos de fuga inacessíveis) e a câmera clara (*camera lucida*) de William Hyde (modelos similares baseados em prismas são disponíveis até hoje). Muitos dos programas de computador para modelamento 3D contêm rotinas interativas de perspectiva.

À direita 2.4. Alan Pipes. Linhas de perspectivas dirigidas entre o objeto e o observador irão interceptar uma janela imaginária conhecida como plano da figura (ou folha de desenho, que aqui é admitida estar na vertical, na frente do observador), normal para a linha de visada. 2003.

Desenhos em perspectivas transmitem mais ou menos a aparência física real de um objeto, de modo que eles têm um valor considerável ao permitirem que um leigo, cliente ou usuário final aprecie a visão do designer. As teorias por trás da perspectiva são complexas e sebos estão cheios de livros, antigos e modernos, descrevendo sistemas e métodos para construir perspectivas, normalmente a partir de projeções ortográficas que, para o ponto de vista do design, é colocar o carro adiante dos bois, e são mais úteis ao ilustrador técnico, que inicia o trabalho quando o design já está terminado.

Um designer, quase sempre, gerará uma perspectiva mais acabada a partir de um esboço à mão-livre. A única vez em que um designer pode trabalhar fazendo uma perspectiva a partir de desenhos 2D seria no caso de uma série de propostas de design precisar conter componentes obtidos de outras fontes.

Construindo uma Perspectiva

A arte de construção de uma perspectiva crível está na escolha do ponto de vista e, assim, da posição do horizonte e dos pontos de fuga. Um ponto de vista bem escolhido dará uma impressão de tamanho e escala, mostrará o objeto no melhor ângulo e trará para o primeiro plano suas características mais importantes. Objetos pequenos, como os telefones celulares, são geralmente vistos de cima. Um objeto estreito e longo, tal como uma locomotiva, pode precisar de uma elevada quantidade de perspectivas para mostrar o comprimento, à medida que se afasta em direção ao horizonte. O ponto de fuga estará próximo ao objeto. Um objeto curto e quadrado, como uma máquina de lavar, estará mais próximo do isométrico, com arestas quase paralelas e pontos de fuga infinitamente distantes.

Considere também a composição do desenho e o posicionamento do objeto no papel. Na maioria das aplicações industriais é mais vantajoso desenhar a perspectiva no tamanho real ou próximo dele. Obviamente, isto nem sempre é possível para mobiliário e máquinas industriais de grande porte, e designers de automóveis normalmente se contentam com apenas uma visão em elevação grudada na parede. Antes dos computadores, modelos em escala real para peças de navio, por exemplo, eram desenhados em enormes galpões, quase sempre acima das oficinas onde estas peças seriam fabricadas.

Designers vão usar, na maioria das vezes, uma perspectiva de dois pontos, isto é, com dois pontos de fuga. A perspectiva de um ponto – com um único ponto de fuga para o qual todas as linhas, com exceção da normal para a linha de vista do observador, convergem – é adequada para o desenho de linhas férreas, ou estradas longas e retas com postes telegráficos de cada lado, mas não é de muita valia no desenho de produtos comuns. É mais apropriada para desenho de interiores ou vistas, embora possa ser usada para mostrar a disposição interna dos componentes em, digamos, computadores ou em um equipamento elétrico. (A altura do poste pode ser deduzida a partir da sua proporção com a distância entre o horizonte e o solo, que corresponde à altura do olho do observador; ver abaixo)

As linhas imaginárias que, digamos, unem as linhas horizontais de um edifício ao ponto de fuga são chamadas de linha de vista, linhas guia ou ortogonais – afastando-se segundo linhas paralelas em ângulo reto com o campo de visão. Um eixo vertical através do ponto de fuga é chamado de ponto de localização do observador. A perspectiva com um ponto de fuga admite que o observador está em um ponto fixo, olhando por uma "janela" no papel para outro

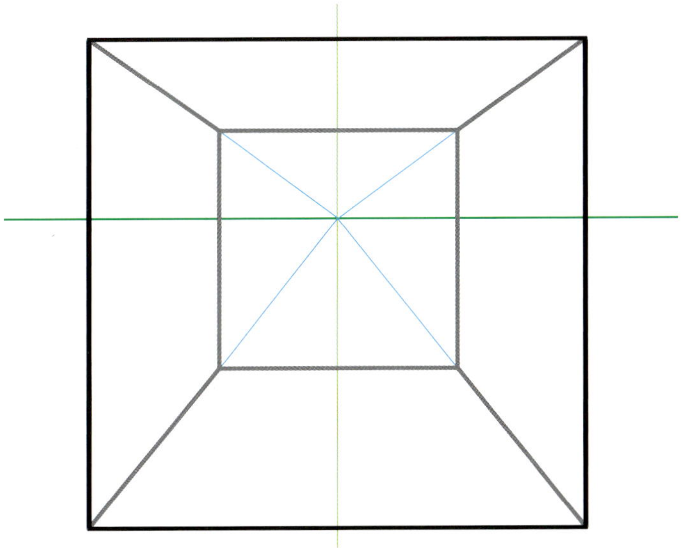

Acima 2.5. Perspectiva de um ponto, com um único ponto de fuga para onde todas as linhas convergirão, exceto aquelas normais à linha de visada do observador. É adequada para desenhar linhas férreas e interiores, mas não tem muita utilidade para o caso de um produto comum.

Abaixo 2.6. A perspesctiva de dois pontos tem dois pontos de fuga, localizados no horizonte à esquerda e à direita do objeto. Um eixo vertical através do ponto de fuga é chamado de ponto de localização do obervador.

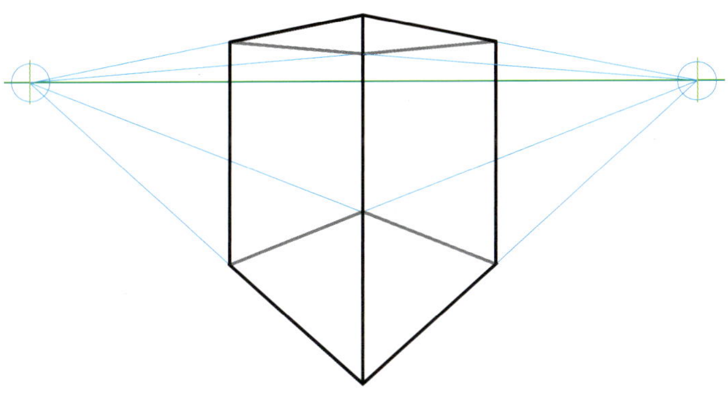

mundo tridimensional, e artistas como Dürer usavam instrumentos e olhavam através de grelhas como auxílios para criar perspectivas de ponto fixo (Fig. 2.5).

O Cubo como Unidade Básica da Perspectiva

A perspectiva de dois pontos possui dois pontos de fuga, localizados à direita e à esquerda do objeto (Fig. 2.6). Quanto mais próximos estiverem os pontos de fuga, mais distorcida e exagerada é a perspectiva. Linhas verticais, entretanto, permanecerão paralelas. O campo de visão de nossos olhos é, normalmente, de 60 graus, com alguma percepção para mais outros 30 graus. Dentro destes limites, a perspectiva de dois pontos funciona bem. Sistemas tradicionais para construir uma perspectiva podem ser imprecisos, complicados e demorados de se executar, mas, mais importante, os métodos precisam que você tenha em mãos uma planta e elevações antes de construir a perspectiva.

O sistema proposto por Jay Doblin, em 1956, é um método simplificado, adequado às necessidades dos designers. Utiliza um cubo como unidade básica de perspectiva pare medir altura, largura e profundidade ao mesmo tempo. Se você pode desenhar um cubo em perspectiva, então ele poderá ser multiplicado e subdividido para criar a referência para escrever qualquer forma de um objeto.

O sistema de Doblin imagina o observador em pé sobre um piso horizontal de lajotas, infinito, composto de lajotas perfeitamente quadradas (Fig. 2.7). Se a linha de visada estiver a 45 graus com as arestas das lajotas, ao longo da diagonal, ela encontrará o horizonte no ponto de fuga diagonal (PFD). Linhas projetando-se das arestas das lajotas encontrarão o horizonte nos pontos de fuga da esquerda e da direita, que serão equidistantes ao PFD. As diagonais de lado a lado serão horizontais e paralelas ao horizonte. Elas não convergirão e, assim, fornecem uma unidade de medida constante. Usando esta grelha, um cubo em qualquer posição poderá ser construído e, desde que esteja posicionado entre o centro e por volta de meia distância entre os pontos de fuga e que o seu ângulo mais próximo seja maior que 90 graus, ele aparentará estar adequadamente não distorcido.

Este cubo pode ser subdividido primeiramente interceptando as diagonais para encontrar o ponto médio. Um círculo no interior de um quadrado terá seu centro na intersecção das diagonais e será tangente aos pontos médios dos lados do quadrado. Um círculo em perspectiva é, de fato, uma elipse, embora aparente ser axissimétrico – a metade mais próxima do observador é obviamente menos escorçada e aparenta ser mais cheia. Isto não é uma anomalia. O que aconteceu foi que o eixo maior da elipse (a linha que divide a elipse em duas partes iguais ao longo

Passo a Passo 1:
Construindo uma perspectiva Doblin a 30°/60°
por *James Wright*

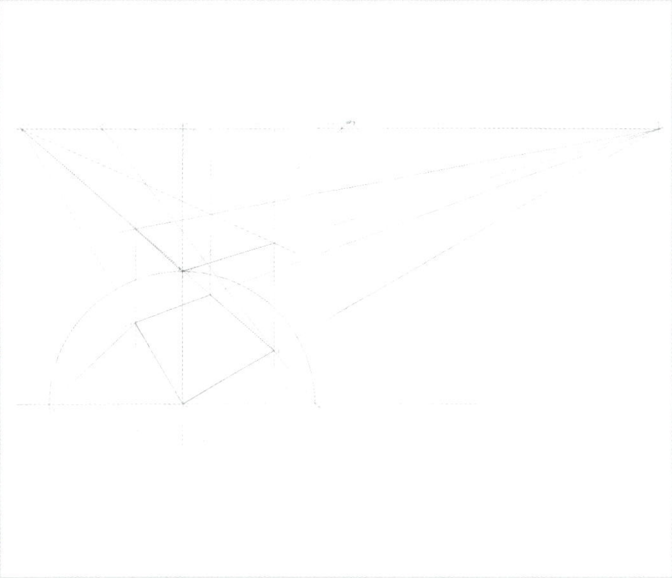

SS 1.1 James Wright desenha primeiro um Doblin cube. Isto é particularmente importante, uma vez que o objeto que ele está desenhando tem um formato predominantemente cúbico.

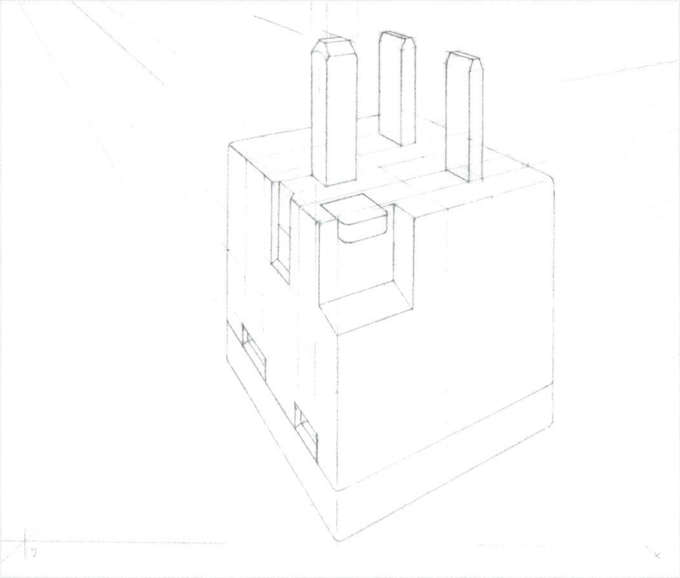

SS 1.2 Ele desenha de forma precisa peças e detalhes usando, se possível, o objeto real como guia. Ele presta atenção à escala, proporção e perspectiva. Ele adiciona mais linhas de perspectiva para auxiliar.
Ele corrige o desenho à medida que avança. Ele tem que ser o mais preciso possível; isto significará menos ajustes mais tarde.

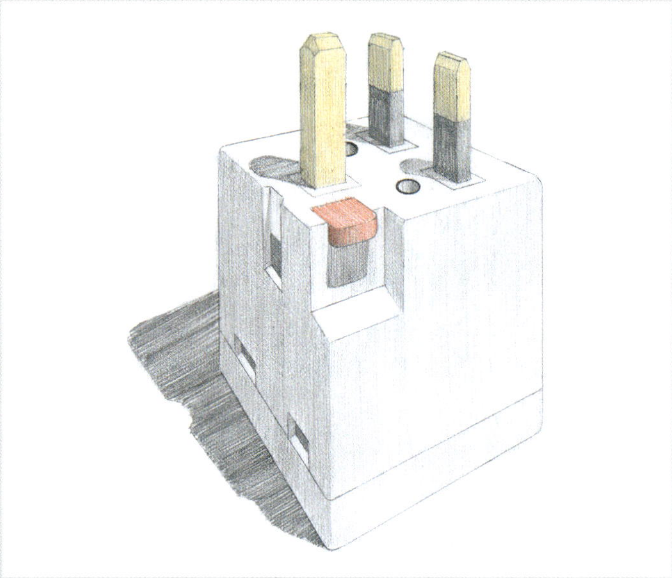

SS 1.3 Com o desenho correto, James o copia para uma folha limpa. Ele decide como quer que o objeto apareça, onde as áreas iluminadas estarão, onde as sombras estarão, etc. Ele tenta ser realista com sombras e luz de acordo com o objeto, mas ele manipula levemente o objeto se for necessário para criar o desenho que ele quer, desde que ainda aparente ser realista.

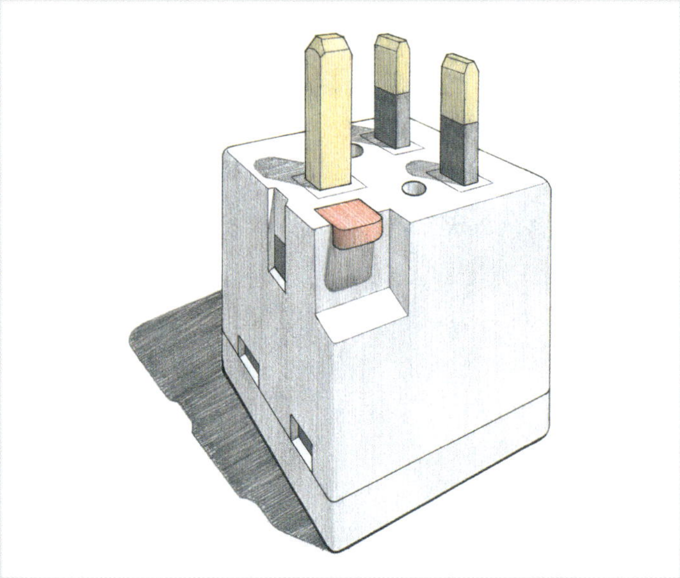

SS 1.4 Ele usa canetas de desenho com diferentes espessuras de linhas e uma caneta esferográfica para desenhar ao redor das arestas para realçar a imagem, prestando atenção ao peso da linha. Ele ajusta as áreas de luz e sombra até que a imagem tenha o impacto que ele deseja. Ele finalmente limpa a imagem.

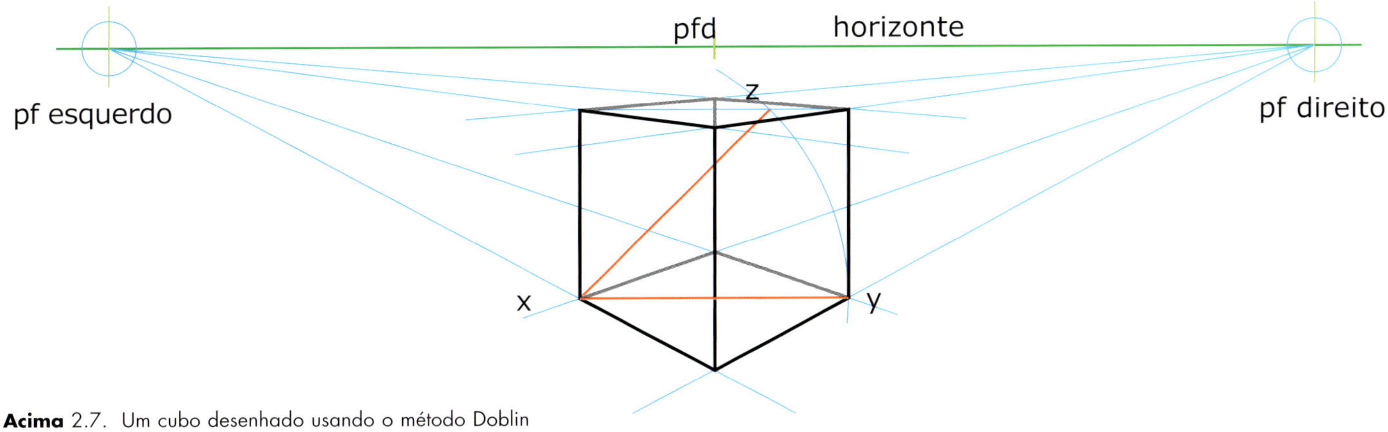

Acima 2.7. Um cubo desenhado usando o método Doblin a 45º. Desenhe um horizonte e marque os pontos de fuga, (pf) esquerdo e direito. Divida ao meio a horizontal entre eles e marque o ponto de fuga diagonal (pfd). Uma vertical por este ponto será a diagonal de um quadrado horizontal em perspectiva; a outra diagonal será uma linha horizontal. Desenhe linhas a partir dos pontos de fuga para interceptar estas diagonais. Complete o cubo girando a linha XY 450 para cima e desenhando uma linha horizontal através do ponto Z para interceptar as verticais dos vértices X e Y. Os outros lados podem ser completados desenhando as linhas de perspectivas através dos pontos de fuga.

Abaixo 2.8. Um cubo usando uma perspectiva Doblin mais convincente a 30º/60º. Desenhe o horizonte e marque os pontos de fuga (pf), esquerdo e direito. Divida ao meio o segmento do horizonte entre estes pontos e marque o ponto médio (pm) y. Divida ao meio a distância entre o ponto de fuga esquerdo e ponto médio y e marque o ponto a. Divida o segmento entre a e o ponto de fuga esquerdo e marque o ponto médio x. Desenhe uma vertical passando por a e marque o vértice mais próximo do cubo, n, onde for desejado. Desenhe uma linha horizontal passando por n e desenhe as linhas de perspectiva para localizar duas arestas. Desenhe a vertical nz e então gire esta linha para encontrar os pontos x e y. Desenhe uma linha de mp y até y para encontrar o ponto 1 na intersecção. Repita para mp z e z para localizar o ponto 2. Desenhe as linhas de perspectiva passando por 1 e 2 para completar o quadrado horizontal. Desenha as verticais a partir de cada vértice e, depois, as linhas de perspectiva passando por z para completar o cubo.

de sua maior dimensão) está inclinado em relação à vertical. Círculos concêntricos em perspectivas, como você acharia quando desenha a roda de um automóvel, por exemplo, teriam deslocado os eixos maiores. Entretanto, o eixo menor (a linha que divide a elipse em duas partes iguais, ao longo de sua menor dimensão) coincidirá com uma linha perpendicular à perspectiva do círculo (o eixo da roda). O eixo maior, logo a maior dimensão das elipses, deverá ficar em ângulo reto com a sua linha do eixo. Uma elipse guia, ou modelo, pode ser usada para desenhar um círculo em perspectiva se for tangente aos pontos médios de todos os quatros lados do quadrado em perspectiva e seu eixo menor coincidir com a perspectiva perpendicular (ver Dica Quente, p. 65).

Do cubo e do círculo/elipse é possível construir outras formas geométricas "primitivas": cilindros, cones e esferas (a esfera é única na perspectiva, pois seu contorno permanece um círculo!). Esta vista obliqua a 45 graus é útil para desenhar objetos com dois lados interessantes, mas pode parecer monótona se os lados têm dimensões semelhantes, como, por exemplo, em um refrigerador. Uma configuração semelhante usando uma orientação de 30/60 graus (e com um ponto de fuga duas vezes mais distante do PFD que o outro) resultaria numa composição assimétrica mais agradável (Fig. 2.8).

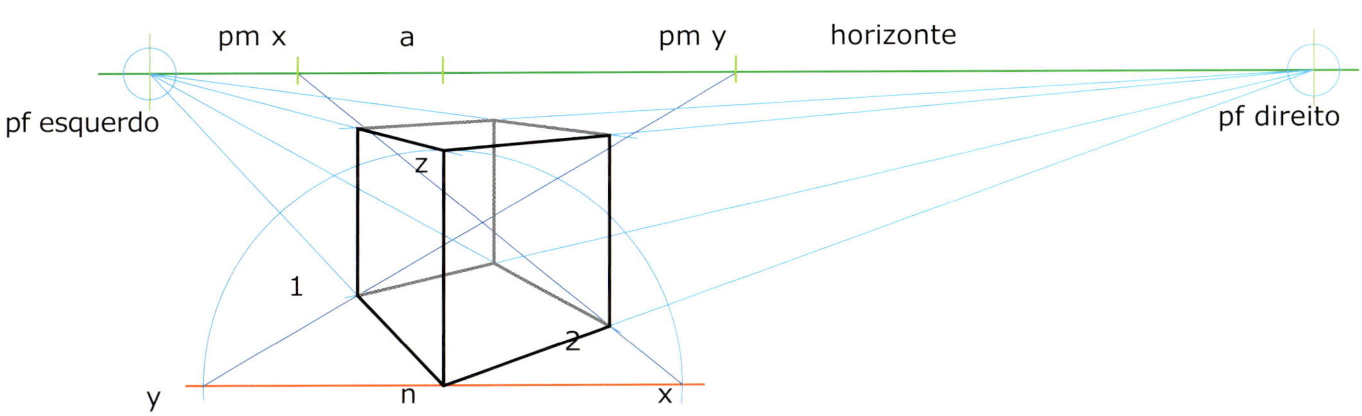

Perspectiva de Três Pontos

A perspectiva de dois pontos é um caso particular da perspectiva de três pontos, no qual as linhas verticais são paralelas ao plano da figura. Uma melhor representação, embora alguns designers prefiram a pureza da perspectivas de dois pontos, teria as linhas verticais de um objeto pequeno (situado abaixo do nível dos olhos) convergindo em direção a um terceiro ponto de fuga, diretamente abaixo do objeto. Os lados de um objeto grande, tal como um edifício de escritórios visto do solo, convergiriam para cima, em direção de um ponto de fuga no céu (Fig. 2.9).

A perspectiva de três pontos admite três horizontes formando os lados de um triângulo agudo. Simplificações na construção podem ser feitas quando o cubo for simétrico, com os cantos frontal e traseiro sobre a linha de vista e, para um composição menos monótona, com as faces inclinadas de 45 graus em relação a um horizonte e 30⁄60 graus em relação às outras. A maioria dos designers usará o seu bom-senso para introduzir a convergência nas linhas verticais (Fig. 2.10). A redução das distâncias verticais para objetos pequenos próximos do nível dos olhos é, grosso modo, proporcional à quantidade de convergência.

Alguns livros sobre perspectiva insistem que a perspectiva de três pontos é desnecessária, uma vez que o desenho está sujeito às mesmas leis da óptica que o objeto. Se um objeto alto for desenhado com as linhas verticais paralelas e visto da mesma posição fixa que o objeto original, as linhas no desenho representando as verticais deveriam convergir do mesmo modo e quantidade. Lembre, entretanto, que a perspectiva não é necessariamente de todo verdadeira – é uma convenção com muitas hipóteses, não um meio explícito de representar o modo como as pessoas percebem o mundo real.

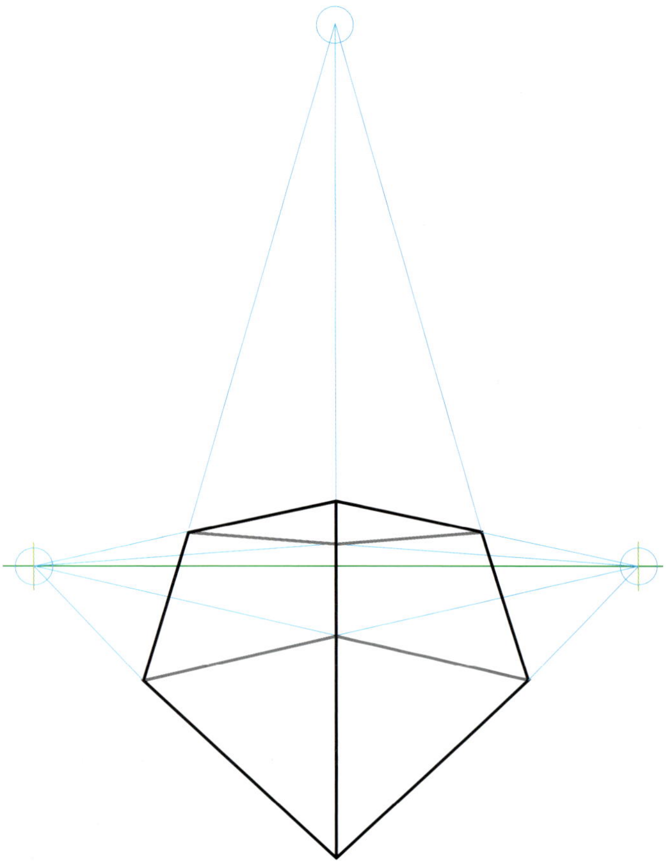

Acima 2.9. Uma perspectiva de três pontos tem as linhas verticais de um objeto convergindo para um terceiro ponto de fuga diretamente acima dele – ou no caso de um objeto grande, acima dele.

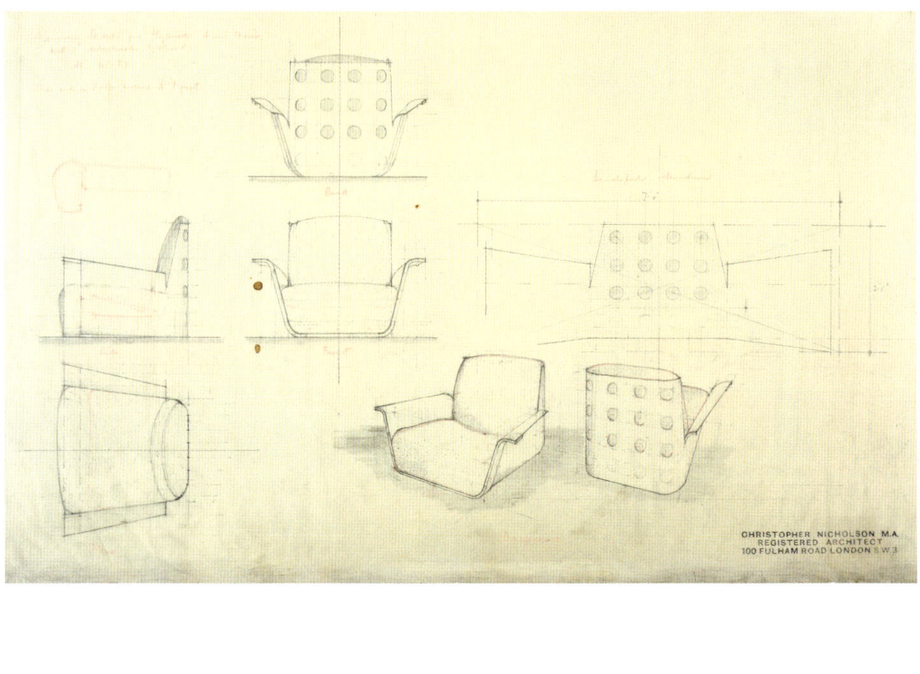

À direita 2.10. Christopher Nicholson, Cadeira de compensado, 1937.
O design preliminar para a Isokon inclui um par de perspectivas, de frente e trás, junto com a representação ortográfica 2D. Cortesia RIBA library drawings and Archives collections, Londres.

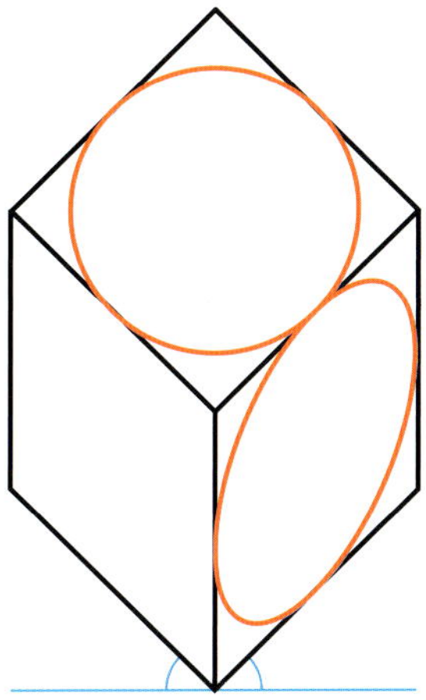

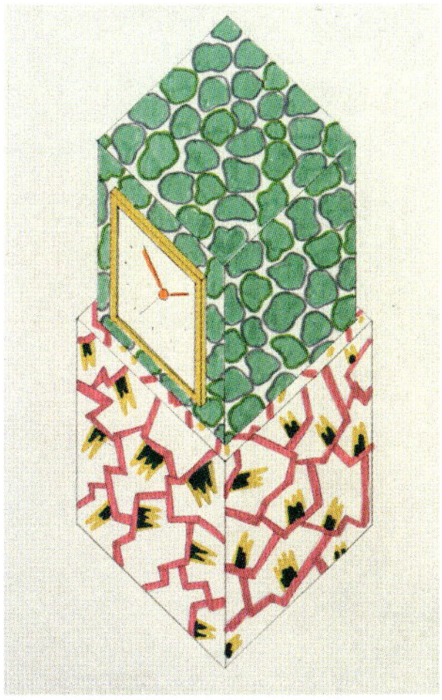

Acima à esquerda 2.11. Uma perspectiva axonométrica tem a planta real com os outros planos em ângulos de 45 graus. Círculos na planta permanecem como tal, mas nas laterais estes se tornam elipses.

Acima à direita 2.12. George Sowden, Relógio Acapulco, 1981. O grupo pós-moderno Memphis reviveu o uso de projeções métricas, como neste desenho axonométrico. Esta era uma convenção comum em arquitetura, mas, até o surgimento do grupo Memphis, era rara em desenhos de apresentação em Design.

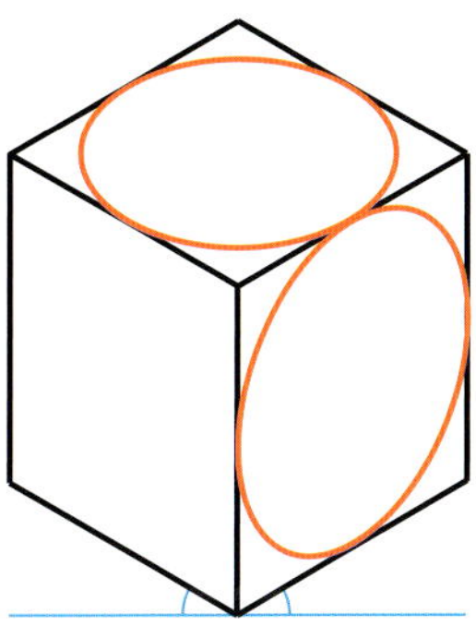

Acima 2.13. Uma projeção isométrica produz um desenho menos extremo e "não realista" do que uma axonométrica. As vistas laterais são feitas usando uma grelha inclinada de 30 graus e, como resultado, a "planta" é distorcida. Círculos aparecem como elipses tanto na planta quanto nas vistas laterais.

Projeções Métricas

As projeções métricas – isométrica, axonométrica etc. – são métodos pictóricos simples para desenhar objetos dando a impressão de tridimensionalidade. Elas são, muitas vezes, desprezadas pelos designers que as consideram substitutas "de segunda" para as perspectivas "verdadeiras", embora tenham sido usadas com sucesso pelo grupo De Stijl, nos anos 1920 e no trabalho do grupo de designers Memphis, nos anos 1980, entre outros. Elas podem ser construídas a partir de projeções ortográficas e desenhadas em várias escalas usando blocos próprios de papel impresso com grelhas e, desta forma, são mais um item útil na caixa de ferramentas do designer. Elas têm outra vantagem importante em relação às perspectivas: as dimensões de comprimento, largura e altura permanecem mensuráveis nas projeções métricas.

As projeções axonométricas contêm uma planta real e são os desenhos mais simples de construir (Fig. 2.11). Como meio de representação, elas são geralmente mais associadas ao design de interiores e à arquitetura (Fig. 2.12). Os desenhos são normalmente feitos com o auxílio de uma régua-T e esquadro de 45 graus, entretanto, desde que a planta permaneça real, o ângulo no qual é inclinado em relação à horizontal pode ser variado para se produzir o melhor efeito. Círculos na planta permanecem como tais nas projeções axonométricas, mas os círculos nas vistas laterais tornam-se elipses.

Há algum conflito entre arquitetos e engenheiros a respeito do termo "axonométrico". Esta palavra tem sido usada pelos arquitetos por centenas de anos para descrever o que os engenheiros chamam atualmente de planométrica. Os engenheiros usam a palavra axonométrica como termo genérico que inclui os desenhos isométricos, dimétricos e trimétricos. Um compromisso estaria no uso de uma palavra nova, axométrica, que ajudaria a acabar com a confusão, mas até o momento esta palavra não se popularizou. Outro nome para as projeções não perspectivas é paralinha.

Projeções isométricas (Fig. 2.13) foram desenvolvidas por Sir Ian Farish em, 1820, como uma forma e derivadas das projeções ortográficas. Isometria significa "medidas iguais" porque a mesma escala é usada para altura, largura e profundidade. Uma projeção isométrica produz um desenho menos extremo e "não realista" do que uma projeção axonométrica. As vistas laterais são feitas usando uma referência inclinada de 30 graus e, como resultado, a "planta" é distorcida. Círculos aparecem na forma de elipse, tanto na planta, quanto nas vistas laterais. Linhas verticais têm as medidas reais; as medidas ao longo dos eixos isométricos podem ser tomadas do desenho usando uma escala isométrica (medidas ao longo dos eixos isométricos são equivalentes a 0,816 vezes a medida real) (Fig. 2.14).

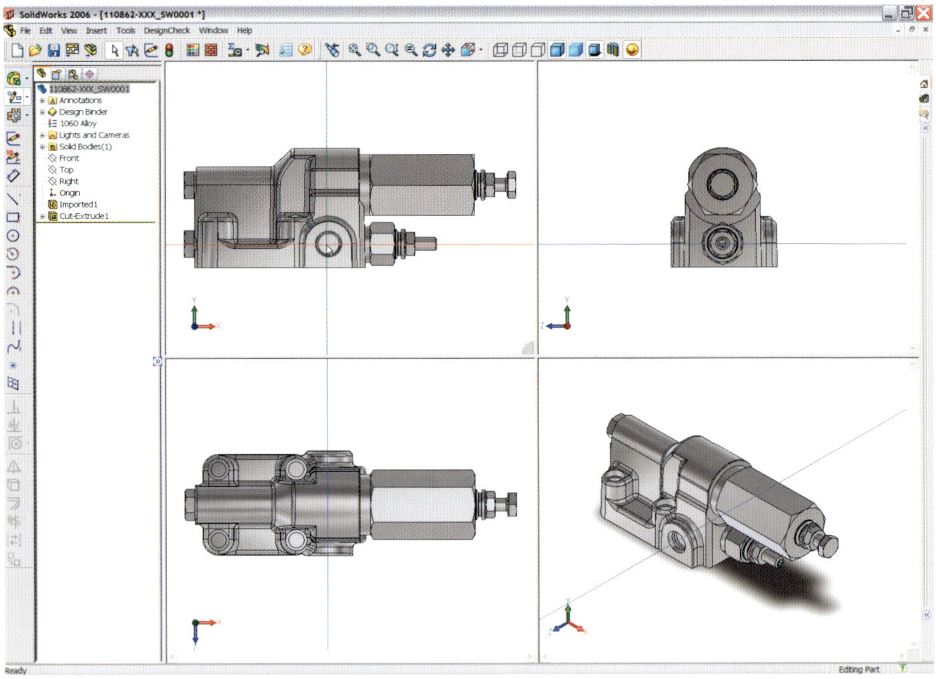

À direita 2.14. Uma captura de tela do SolidWorks mostrando um desenho isométrico de uma peça com as representações ortográficas, 2005. Cortesia SolidWorks Corporation.

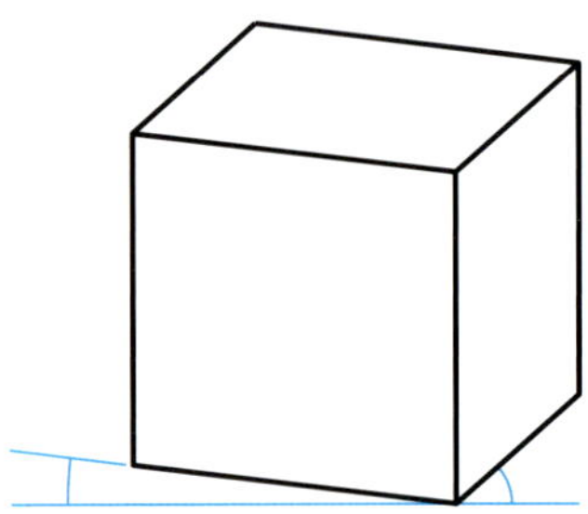

Acima 2.15. Projeções trimétricas necessitam do uso de escala ou modelos para cada eixo; a dimétrica é um caso especial no qual as escalas de dois dos eixos são as mesmas. Projeções dimétricas usam ângulos idealizados de 7º e 42º com a horizontal para os eixos x e y.

Abaixo 2.16. Projeções oblíquas são usadas quando a vista frontal de um objeto for de particular importância. O ângulo oblíquo é geralmente de 45º e as linhas oblíquas podem ter qualquer comprimento. Em uma projeção (em português se usa também o termo perspectiva) do tipo cavaleira (abaixo, à esquerda) eles são comprimentos verdadeiros; numa projeção de gabinete (abaixo, à direita) elas são metade do comprimento real.

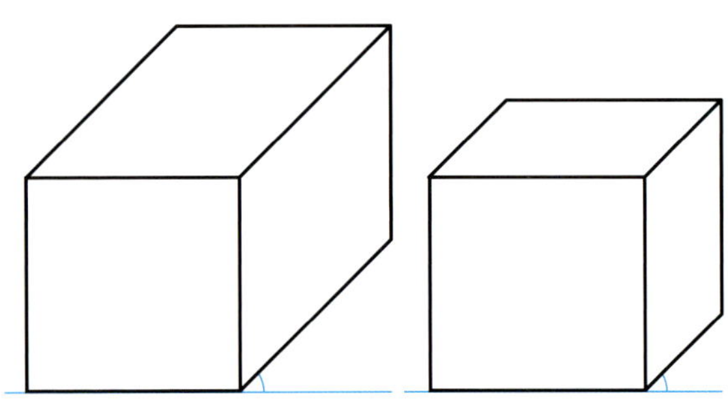

Dois sistemas pictóricos populares durante a segunda guerra mundial, baseados nos isométricos, são as projeções trimétricas e dimétricas mais generalizadas. Projeções trimétricas requerem o uso de escalas e modelos para cada eixo (Fig. 2.15); a dimétrica é um caso particular onde as escalas nos dois eixos são as mesmas. Projeções dimétricas usam ângulos "idealizados" de 7 e 42 graus em relação à horizontal para os eixos x e y. Aproximações convencionais são usadas para esboços à mão, mas escalas e ângulos precisos podem ser feitos em sistemas CAD.

Para recaptular, em termos gerais: os tipos de projeção pictórica isométrica, dimétrica e trimétrica requerem a aplicação de uma, duas e três escalas, respectivamente. Vistas explodidas (ver capítulo 8) são quase sempre executadas em isométrica ou perspectiva.

Projeções oblíquas (Fig. 2.16) são usadas quando a vista frontal de objeto é de particular importância, por exemplo, em design de mobiliário (Fig. 2.17); as vistas laterais e de superior são unidas nas arestas da face frontal. Para fazer com que as faces laterais e superior se juntem, elas são distorcidas e a linha representando a aresta comum segue em ângulo oblíquo através da superfície da figura. As linhas das faces laterais e superior são normalmente paralelas, embora elas possam convergir para dar uma perspectiva normal. Projeções oblíquas são as precursoras da perspectiva e, a despeito de serem logicamente impossíveis, são encontradas em decorações de vasos gregos do século quarto a.C. e foram usadas em pinturas chinesas até o século XVIII da era cristã.

Acima 2.17. George Sowden, Cômoda, 1992. Este desenho para a Artifort (para a sala louca de Murphy, um tributo a Samuel Beckett) emprega uma projeção oblíqua do tipo cavaleira.

As linhas oblíquas saindo da vista frontal podem ser de qualquer comprimento. Numa projeção cavaleira[2] elas têm a medida real; num gabinete de projeção elas têm metade da medida real.

O ângulo oblíquo é normalmente de 45 graus. A projeção oblíqua horizontal, na qual somente a frente e a lateral do objeto são visíveis; e a projeção oblíqua vertical, na qual somente a frente e o topo do objeto são visíveis, são casos especiais onde este ângulo vale, respectivamente, o grau e 90 graus. Na projeção oblíqua, objetos cilíndricos com o eixo de cilindro na vertical parecerão distorcidos.

Qualquer sombra projetada num plano é uma projeção oblíqua; a incorporação de sombras no desenho para dar mais realismo, prática comum no século XIX (e era chamada sciagrafia em arquitetura), é a sobreposição de uma projeção oblíqua numa projeção ortográfica.

Projeções Esféricas

Projeções esféricas, mas reconhecíveis em mapas múndi, são algumas vezes encontradas por designers. Elas servem como auxílio de designers de, digamos, cabines de caminhões e ônibus, sujeitas à regulamentação quanto à visibilidade (Fig. 2.18). As regulamentações da união europeia, por exemplo, estipulam o plano-base de visão do motorista desde o para-brisa e através dos espelhos retrovisores (Fig. 2.19). Na Austrália, a coluna B da cabine não pode estar dentro de 130 graus do ângulo de visão do motorista. (As peças metálicas que sustentam o teto da cabine são chamadas colunas. Aquela na frente é denominada coluna A, a próxima coluna B e assim por diante.)

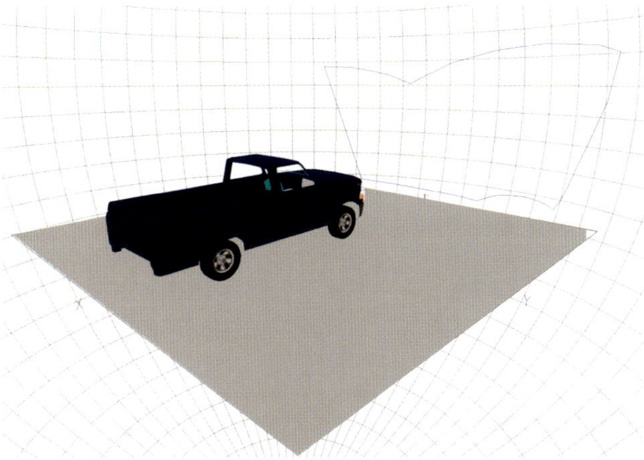

[2] N.T. Em português também se usa o termo "perspectiva cavaleira".

Acima 2.18. Esta projeção esférica gerada pelo programa de ergonomia SAMMIE (sigla em inglês para Sistema de auxílio à avaliação da interação homem máquina) da universidade de Loughbourough mostra o campo de visão através de um para-brisa sujo (a área varrida pelos limpadores), que é importante para testes de segurança, 2006.

À direita 2.19. Uma captura de tela do programa Catia V da Dassault-systèmes, no qual uma DMU (sigla em inglês para maquete digital) permite que equipes de desenvolvimento criem digitalmente um produto – um manequim de usuário e seu ambiente – e depois o analisem, neste caso para estudar a visibilidade através de um para-brisa, 2006.

Uma projeção Mercator, na qual um campo de visão esférico de 360 graus é mapeado num cilindro e depois planificado, pode ser usada para verificar se a legislação está sendo atendida, embora fosse trabalhoso e demorado construir manualmente esta projeção. Programas de modelagem ergonômica podem – uma vez que a cena tridimensional tenha sido criada – gerar vistas segundo projeções diferentes através dos "olhos" do motorista olhando no para-brisa e janelas ou por espelhos, planos, côncavos e convexos, e ainda podem visualizar qualquer reflexo interno capaz de provocar distração. As projeções elípticas de Aitoff são usadas na análise de visibilidade de *cockpit* de aviões.

Projeções Ortográficas: planta e elevações

Dos muitos modos de representar em um papel um objeto tridimensional, a projeção ortográfica em planta, elevações e cortes é a mais abstrata e comum. Sua rigidez tem sido provavelmente responsável pelo aspecto dos produtos de hoje – em forma de caixa e, com efeito, tendo apenas duas dimensões e meia, pois são simplesmente a extrusão de um perfil 2D com alguns poucos cantos arredondados e detalhes adicionados no acabamento. Formas mais "orgânicas" são quase impossíveis de serem comunicadas ortograficamente, e designers tradicionais de superfícies com dupla curvatura (formas que são curvadas suavemente em duas dimensões, tais como pás de turbinas e carrocerias de automóveis) têm a tarefa tortuosa de precisar desenhar uma série de seções 2D, com a interpolação entre elas deixada a cargo do ferramenteiro.

O método das projeções ortográficas, aperfeiçoado por William Binns, em 1857, e baseado no método de Dürer, de 1525, é notoriamente ambíguo e centenas de normas surgiram (por exemplo BS 8888 e ASME Y14.5M) para tentar dar algum sentido ao método – descrevendo o que deve ser visto, e o que está oculto, mas deve ser indicado, digamos, por uma linha tracejada. É preciso certa experiência para ser capaz de lê-los, de modo que um leigo, seja um cliente ou usuário final de um produto, está em grande desvantagem.

Um designer poderia ter em mente uma forma que poderia ser descrita parametricamente – por exemplo, um cilindro de certa altura e diâmetro, fabricado em latão – mas o departamento de produção ainda esperaria por desenhos de "engenharia" com as dimensões. Exceto pelas formas mais simples, é quase sempre necessário que as vistas ortográficas estejam acompanhadas por uma isométrica "auxiliar" ou um esboço em perspectiva para completar a descrição. Felizmente, o CAD e, em particular, o modelamento de sólidos 3D, estão eliminando a necessidade de uma "planta", fornecendo todas as informações necessárias num único modelo coerente em computador.

O princípio da projeção ortográfica consiste em colocar o objeto desenhado no interior de uma caixa imaginária compostas por planos em ângulos retos, ou ortogonais, em relação uns aos outros (Fig. 2.20). Se as laterais da caixa forem entendidas como janelas e, caso se olhe através delas, então a silhueta ou projeção do objeto no plano horizontal inferior é chamada de vista em planta, a projeção do mesmo objeto na janela vertical da frente é chamada de elevação 1 (ou vista frontal, ou ainda elevação frontal) e, numa janela vertical adjacente, elevação 2 (ou vista lateral ou elevação lateral). Agora imagine que a caixa é articulada. O plano horizontal (a planta) é virado para baixo num ângulo de 90 graus e a elevação 2 (ou vista lateral) é também virada de 90 graus, de forma que todas

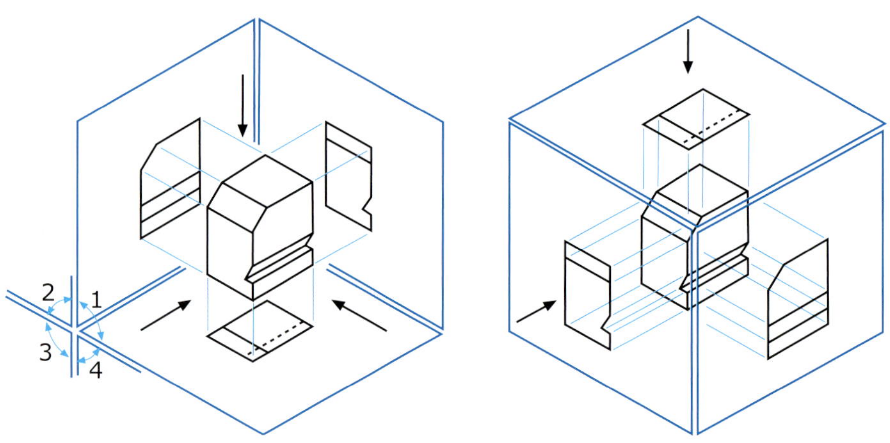

À direita 2.20. A projeção ortográfica de uma planta, elevações e cortes são a representação mais abstrata de um objeto, mas também a mais comum. O objeto desenhado flutua no centro de uma caixa imaginária composta de planos em ângulos retos, em outras palavras, ortogonais uns aos outros. Se os lados desta caixa forem imaginados como janela por onde se pode olhar em sequência, então a silhueta, ou projeção, do mesmo objeto na janela horizontal de baixo é chamada vista em planta; a projeção do mesmo objeto na janela vertical frontal é chamada elevação 1 (ou vista frontal); e na janela vertical adjacente, elevação 2 (ou vista lateral).

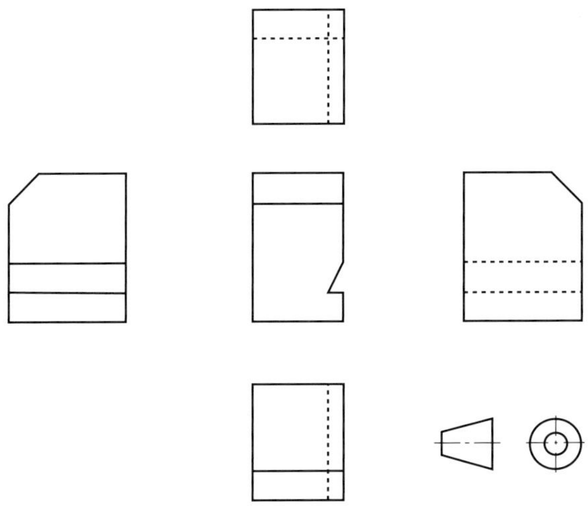

Acima 2.21. Para projeção em primeiro diedro, imagine o objeto numa superfície. Da vista frontal, ao centro, é rolado à direita para revelar seu lado esquerdo, rolado à esquerda para mostrar o lado direito, rolado para cima – sobre seu dorso – para mostrar a base e rolado com a face para baixo para mostrar o topo.

Abaixo 2.22. Para a projeção em terceiro diedro, considere que o objeto é uma caixa a ser desdobrada e como se estivesse atrás de uma superfície de vidro. A imagem da esquerda mostra o lado esquerdo do objeto, a da direita mostra o lado direito, a de cima mostra o topo e a de baixo mostra a base.

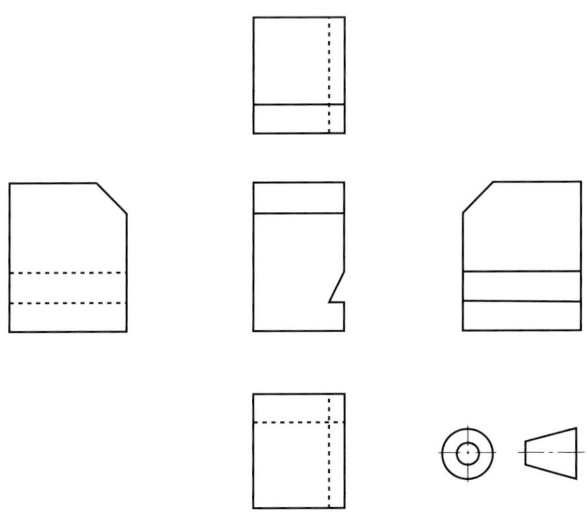

as três projeções fiquem no mesmo plano do papel. Removendo o objeto, permanece uma projeção ortográfica com a planta e duas elevações.*

Na prática, a planta seria desenhada primeiramente e, então, a vista frontal desenhada imediatamente acima dela e a vista lateral esquerda, à direta da frontal, todas alinhadas e em escala de modo que as dimensões comuns possam ser tomadas. Este arranjo é chamado de projeção no primeiro diedro (Fig. 2.21). A projeção no terceiro diedro (Fig. 2.22) tem as vistas dispostas de modo que a vista frontal está abaixo da planta (vista superior), com a elevação 2 à esquerda da frontal. Esta disposição tem a vantagem de colocar características de vistas adjacentes em justaposição, tornando mais fácil projetar uma vista a partir da outra quando se está desenhando e, ao associar estas características, quando se cota e lê o desenho.
O termo "terceiro diedro" é usado porque, comparado com a projeção no "primeiro diedro", as direções da projeção foram giradas duas vezes de um ângulo reto ao redor do objeto. Projeções no segundo e quarto diedros são também possíveis, mas não resultam em imagens úteis.

Para a projeção no primeiro diedro, imagine o objeto numa superfície. Do centro da vista frontal é rolado à direita para revelar seu lado esquerdo, rolado à esquerda para mostrar o lado direito, rolado para cima – sobre seu dorso – para mostrar a base e rolado com a face para baixo para mostrar o topo.

Para a projeção no terceiro diedro, considere que o objeto é uma caixa a ser desdobrada e como se estivesse atrás de uma superfície de vidro. A imagem da esquerda mostra o lado esquerdo do objeto, a da direita mostra o lado direito, a de cima mostra o topo e a de baixo mostra a base.

Uma combinação dos dois sistemas, denominada projeção mista, tem a planta abaixo da elevação – a localização das características principais de um objeto sempre vai determinar o tipo de disposição a ser usada. Embora a prática inglesa e europeia favoreça o primeiro diedro e, a americana, o terceiro.

Diz-se que a preferência europeia pela projeção em primeiro diedro vem das convenções contidas na Geometria Descritiva de Gaspard Monge, de 1795; a prática americana rompeu esta tradição em finais do século XIX, uma vez que os desenhistas americanos tendiam a ser formados em faculdades e, assim, serem mais influenciados pelos educacionalistas que postulavam o desenho enquanto linguagem gráfica.

Em 1953, a norma de desenho do Reino Unido BS308 (precursora da BS8888) pôs em pé de igualdade as

* NT. No Brasil os termos "planta" e "elevação" são mais comuns em desenho arquitetônico. Em desenho técnico mecânico e industrial usa-se mais o termo "vista". Sendo a planta chamada de "vista superior", a elevação frontal de "vista frontal" e assim por diante.

projeções em primeiro e terceiro diedros. A projeção no terceiro diedro é, agora, usada comumente tanto nos EUA quanto no Reino Unido, embora a projeção no primeiro diedro ainda seja o método preferido na Europa Continental[3]. Designers tendem a usar a forma de projeção mais apropriada para cada aplicação. Para desenhar um objeto longo e estreito, tal como um trem, a projeção no terceiro diedro seria mais fácil de ler: a vista frontal, por exemplo, seria colocada à direita da elevação lateral e adjacente a ela.

Seções e Vistas Auxiliares

Uma seção é um corte por todo o objeto, projetado ortogonalmente, para mostrar os detalhes internos ou as mudanças de perfil para formas complexas (Fig. 2.23)[4]. O sólido cortado é mostrado hachurado e o ponto onde a seção é tomada é indicado em uma das vistas de acordo com o padrão nacional ou internacional adotado. Diferentemente de um corte real, cortes num desenho ortográfico vão sempre mostrar o que é impossível de ser visto a olho nu.

Algumas vezes, as três vistas ortogonais convencionais não serão suficientes para mostrar um detalhe interessante do produto em seu melhor ângulo (Fig. 2.24). Uma projeção auxiliar é uma vista tomada a partir de uma direção incomum, ao invés de em ângulo reto com o objeto (e, assim, não ortogonal a ele). Esta vista pode ser

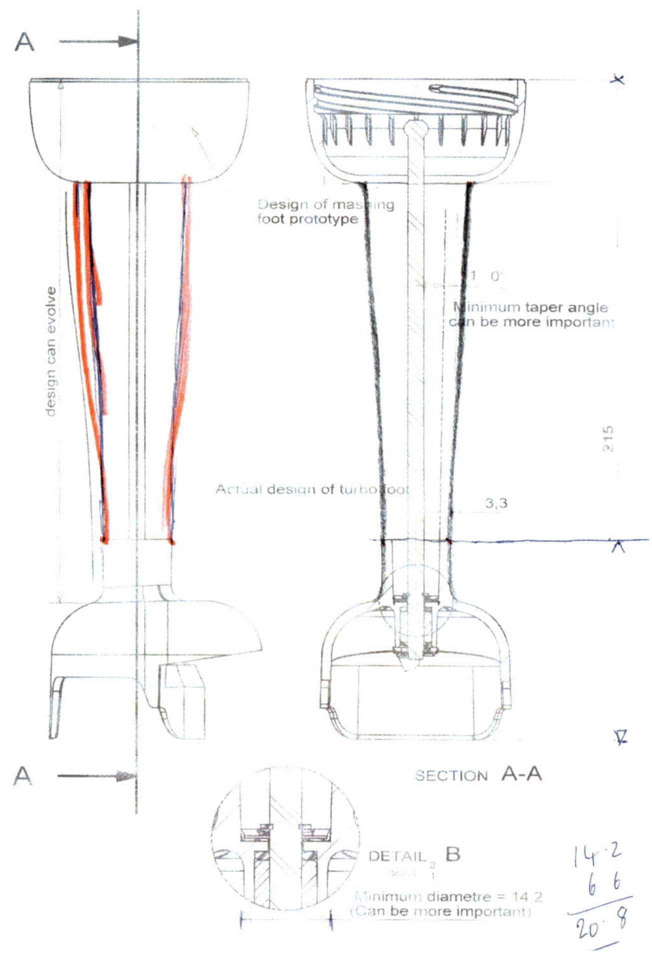

Acima 2.24. George Sowden, Robot Marie Hand Mixer, 2004. Esta impressão do desenho do Robot Marie hand mixer da Moulinex foi modificada à mão numa etapa do ciclo de desenvolvimento do projeto (veja também a Fig. 25). Notar o corte e o detalhe. Não há vista em planta.

[3] N.T. No Brasil, em desenho técnico mecânico e industrial, o corrente é usar a projeção no primeiro diedro.

[4] N.T. Em português é comum usar dois termos: corte, para o desenho que apresenta o interior de um objeto, e seção, para o desenho que mostra o perfil.

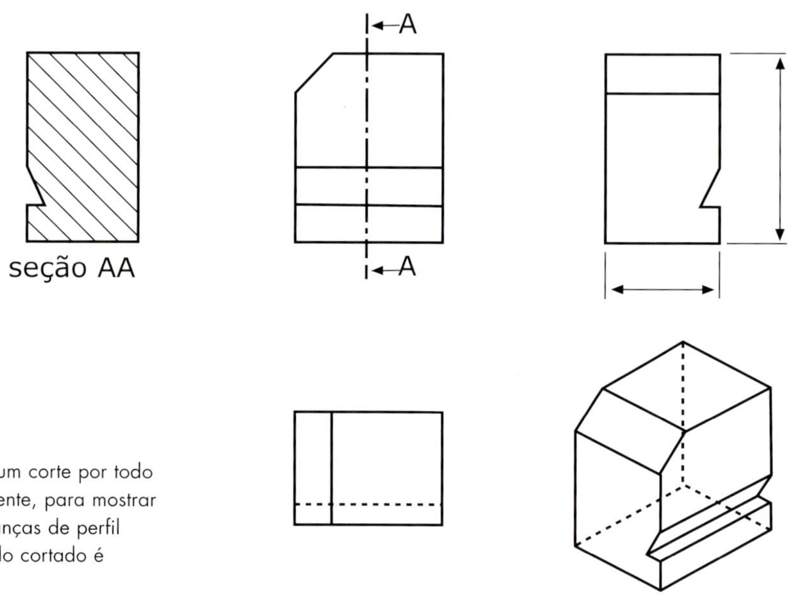

À direita 2.23. Uma seção é um corte por todo o objeto, projetado ortogonalmente, para mostrar os detalhes internos ou as mudanças de perfil para formas complexas. O sólido cortado é mostrado hachurado.

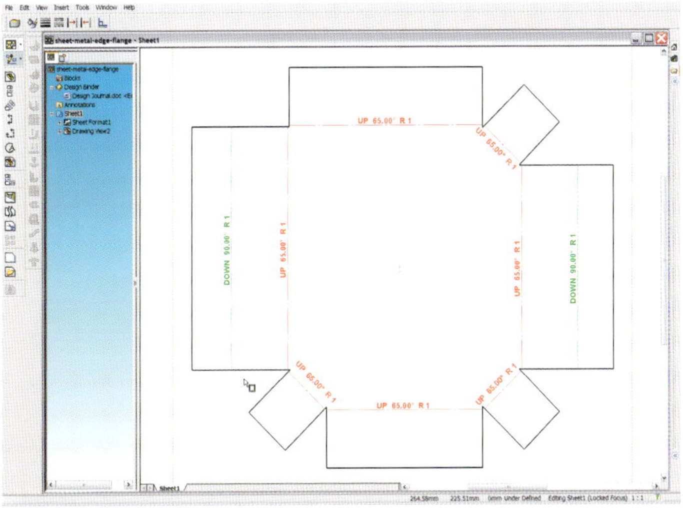

Acima 2.25. O desenvolvimento plano desdobra um objeto 3D, como uma caixa de papelão ou um objeto feito em chapa metálica, em uma figura 2D que pode ser cortada a partir de uma chapa e fabricada.
Cortesia SolidWorks Corporation.

Acima 2.26. Ron Arad, Cadeira da série MT, 2005. Superfícies com dupla curvatura, como esta mostrada em vista lateral cortada para a Driade, são notoriamente difíceis de explicar em desenhos 2D; modelos 3D em computador, tal como este feito usando Autodesk Maya, são muito mais claros.

adicionada ao conjunto de projeções ortogonais de modo a tornar mais fácil o entendimento. Um detalhe é uma vista ampliada de uma parte do objeto, talvez desenhado desde um ponto de vista ligeiramente diferente, para realçar uma particularidade importante ou uma possível área problemática.

Os desenvolvimentos de plano ou superfície são usados quando é necessário para a fabricação "desdobrar" um objeto, se este tiver que ser feito, digamos, de chapa metálica ou papelão (Fig. 2.25). As técnicas para desenvolver uma superfície graficamente num plano são similares àquelas usadas em projeção ortográfica.

Modelamento de Sólido e Superfície 3D

Desenho, para designers, é o meio para se atingir um fim. Desenhar não é apenas fazer figuras bonitinhas: o objetivo é produzir um produto físico que possa ser fabricado. Ser capaz de trabalhar em três dimensões tem vantagens óbvias sobre fazer marcas em duas. Tradicionalmente, caso um designer quisesse trabalhar em três dimensões, a única maneira seria com construção de modelos – em argila, papelão ou isopor. Com computadores, entretanto, o designer agora pode "desenhar" num mundo virtual tridimensional.

É ridículo supor que designers de produtos com formas complexas duplamente curvadas, como as encontradas em carrocerias de automóveis e pás de turbina, pudessem mesmo ter esperança – sem admitir certo grau de telepatia – em manter o controle de seus designs do conceito até a produção com apenas uma planta, uma elevação, um par de cortes e talvez um isométrico esboçado para definir a peça completamente e sem ambiguidades. Um cilindro, por exemplo, curva-se apenas numa única direção e uma superfície com dupla curvatura o faz em duas direções simultaneamente (Fig. 2.26). Não é exagero dizer que a maioria dos carros, antes do computador, era realmente "projetada" pelos fabricantes de modelos e dobradores de chapas e ainda não eram sempre perfeitamente simétricos.

Com auxílios computadorizados, entretanto, não há desculpa. Mas métodos tradicionais custam a desaparecer e apesar de existirem sistemas 3D desde os primórdios do CAD, sistemas de desenho 2D – que apenas emulam os métodos tradicionais de desenho – mantêm uma posição predominante no mercado (Fig. 2.27). Um sistema de modelamento sólido 3D requer mais poder computacional e memória, mas o maior obstáculo era fundamental – ser capaz de colocar de lado centenas de anos de "tradição" e voltar ao básico, aprendendo a entalhar e esculpir objetos "sólidos", desta feita simulados em computador.

Um modelador sólido é um tipo de máquina de realidade virtual que cria modelos em computador que parecem ser objetos reais num espaço 3D. As aplicações mais conhecidas são as animações para filmes e jogos, mas

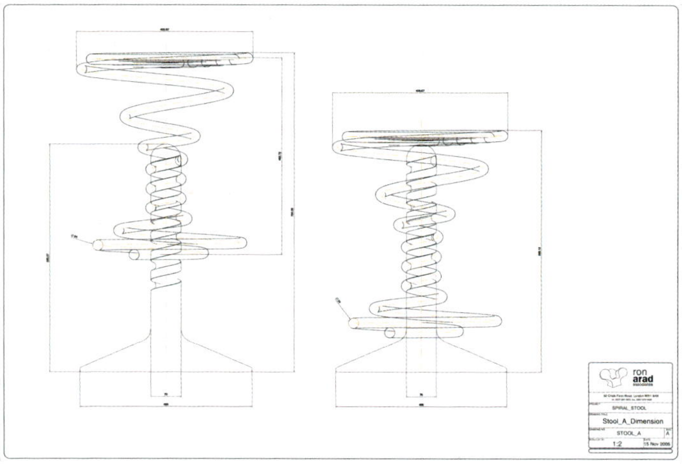

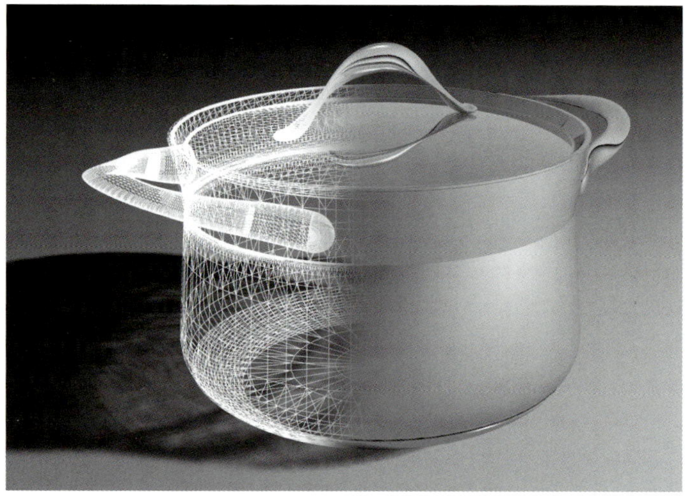

Acima à esquerda 2.27. Ron Arad, Banco parafuso, 2006. Um desenho ortográfico tradicional 2D para a Driade, 2006, foi criado usando o programa de desenho 2D Microstation da Bentley.

Acima à direita 2.28. Mario e Claudio Bellini, Panela de aço "My Lady", 2003. Esta é uma apresentação de uma peça em wireframe feita em Rhinoceros para a Barazzoni SpA.

Abaixo à esquerda 2.29. Raysan Al-Kubaisi, Vidro, 2006. Objetos que são axissimétricos podem ser criados girando-se ao redor de um eixo um perfil 2D complexo, como demonstrado neste vidro criado em 3D Studio Max. O perfil é mostrado na esquerda, com a apresentação em wireframe no centro e o objeto renderizado na direita. Esta operação também é chamada torno, por analogia à máquina ferramenta.

Abaixo à direita 2.30. Hector Serrano, Luminária à prova d'água, 2003. O designer usou um comando de rotação no programa Cinema 4D para criar esta forma para a Matalarte.

também existe um lado sério em design e fabricação do produto. Há dois tipos diferentes de modelador 3D em CAD/CAM (projeto e fabricação auxiliados por computador): modeladores de superfície e modeladores de sólidos reais (também conhecidos como modeladores geométricos ou volumétricos). Modeladores de superfície foram desenvolvidos para atender às necessidades específicas das indústrias aeroespacial e automotiva com suas formas livres "regulares". Modeladores sólidos tiveram mais sucesso com formas regulares encorpadas, feitas a partir de unidades mais simples, entretanto, os dois tipos estão convergindo. Tem sido o desejo das empresas de software introduzir a funcionalidade dos modeladores de superfície e suas capacidades de acionar máquinas ferramentas de controle numérico, tais como fresadoras, nos seus modeladores sólidos mais generalizados.

A maioria dos modeladores é capaz de "varrer" um perfil complexo 2D pelo espaço (Figs. 2.29, 2.30), seja em

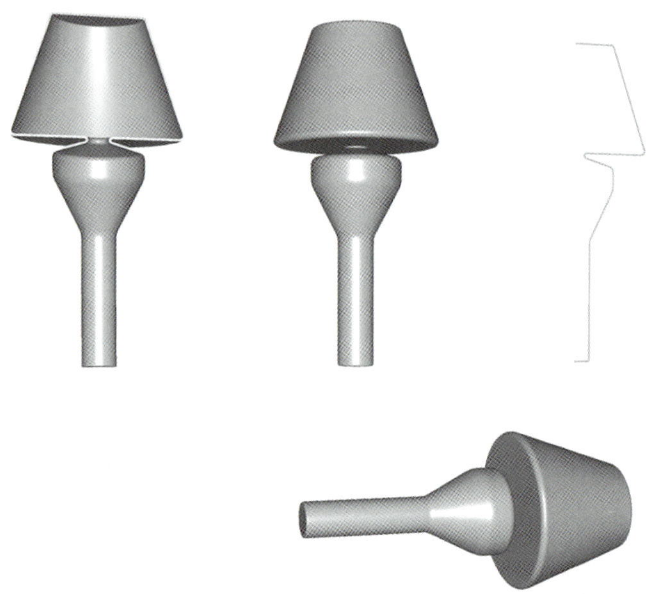

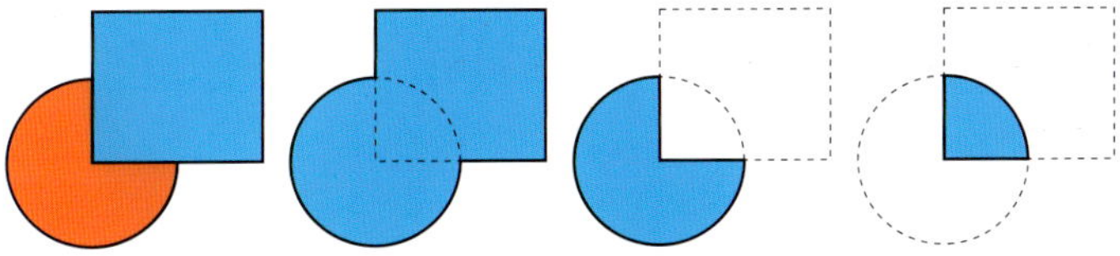

Acima 2.31. As operações booleanas de união, diferença e intersecção podem ser usadas para criar formas complexas a partir de primitivas geométricas simples, tais como esferas, cubos e cilindros. Esta é uma explicação simples em 2D.

uma dimensão extrudada, ou girada ao redor de um eixo, e o sólido resultante poderá ser manipulado posteriormente usando as operações booleanas de união, diferença e intersecção (Figs. 2.31-2.35). Isto é análogo aos processos de fabricação por extrusão, fresamento e torneamento. Outros programas atingem a integração ao adotarem uma representação matemática comum tal como o NURBS (B-Spline racional não uniforme), para os dois tipos de modelador.

O tipo mais rudimentar de representação 3D é o perfil 2D (x,y) extrudado linearmente na direção do eixo z, o tipo de forma que pode ser feita por uma plaina ou fresadora com movimentos retos de ir e vir e sem reentrâncias. Este tipo de modelo é denominado 2 ½D. É possível para um desenhista habilidoso desenhar projeções paralelas com aparência 3D usando um sistema supostamente apenas 2D.

Para ambos os tipos de modelador sólido, um modelo 3D em wireframe (aramado) é criado inicialmente (Fig. 2.36). Arestas e vértices, construídos com linhas de espessura nula, formam uma sequência de polígonos na superfície do modelo. Embora cada vértice e linha existam no espaço 3D, uma figura wireframe pode ser confusa e ambígua ao observador. Impressão de profundidade – tornar mais brilhantes e/ou mais espessas as partes da

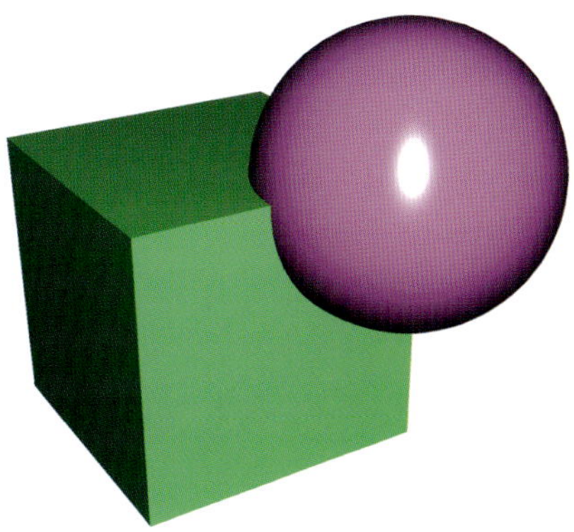

Primitivas

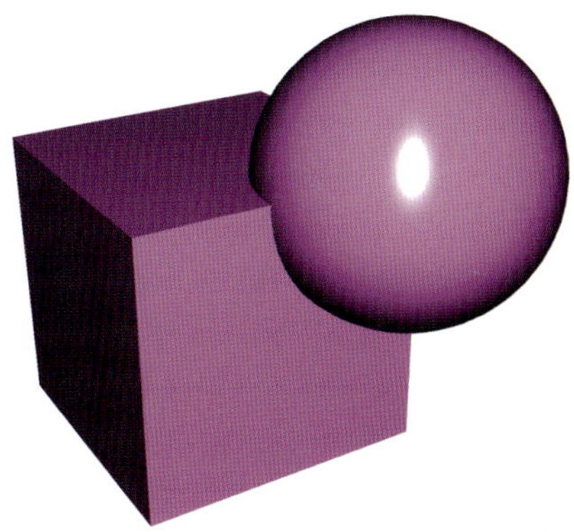

União

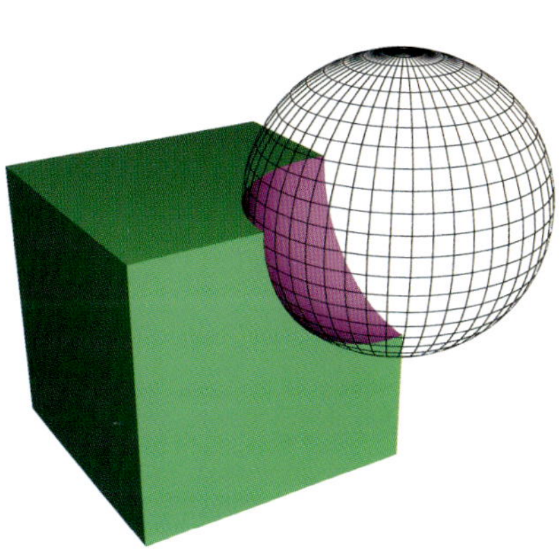

Differença

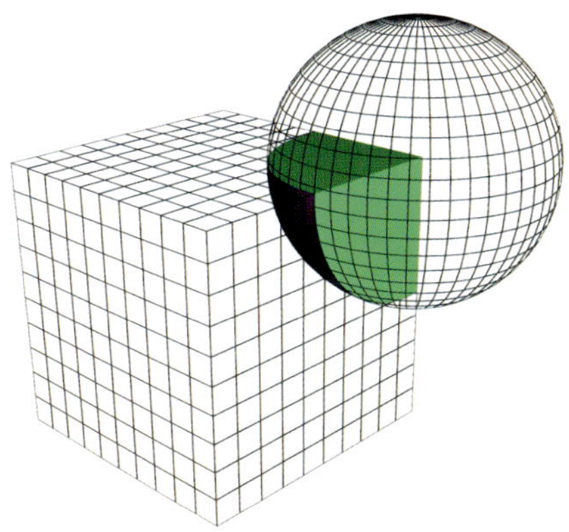

Intersecção

Em cima à esquerda 2.32. Raysan Al-Kubaisi, Duas primitivas geométricas, 2006. O designer demonstra operações booleanas em 3D usando 3D Studio Max. Primeiro, ele põe um cubo e uma esfera de cores diferentes (para maior clareza) em um espaço 3D de modo a que eles se sobreponham. Cortesia Raysan Al-Kubaisi.

Em cima à direita 2.33. Raysan Al-Kubaisi, União booleana, 2006. Aqui a operação booleana de união é aplicada. A imagem não aparenta ser muito diferente, mas agora as duas primitivas estão unidas e "fundidas" e uma combinação pode ser aplicada entre elas para suavizar a transição. Cortesia Raysan Al-Kubaisi.

Em baixo à esquerda 2.34. Raysan Al-Kubaisi, Diferença (subtração) booleana, 2006. Aqui a operação booleana de diferença é aplicada para subtrair a esfera do cubo. Por clareza, o restante da esfera removida foi mantido em wireframe. Cortesia Raysan Al-Kubaisi.

Em baixo à direita 2.35. Raysan Al-Kubaisi, Intersecção booleana, 2006. Aqui a operação booleana de intersecção é usada para manter somente aquelas porções das duas primitivas que se sobrepõem. Novamente, por clareza, as porções removidas de cubo e esfera são mostradas em wireframe. Cortesia Raysan Al-Kubaisi.

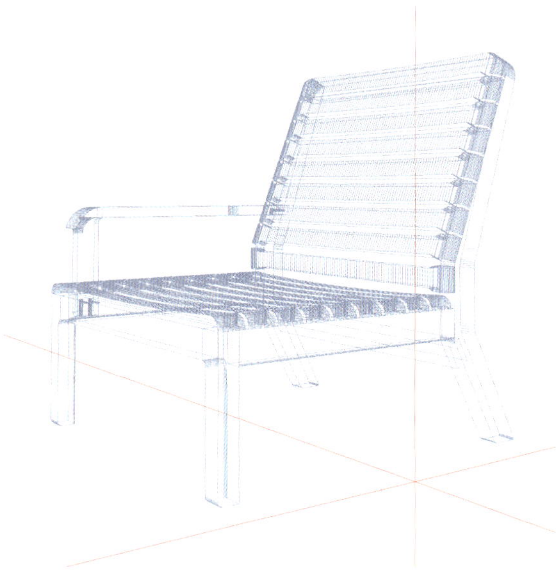

Acima 2.36. Stuart Lawson, Cadeira de pátio, 2003. Este é um desenho em wireframe de uma cadeira projetada para a Marks&Spencer usando o software FormZ.

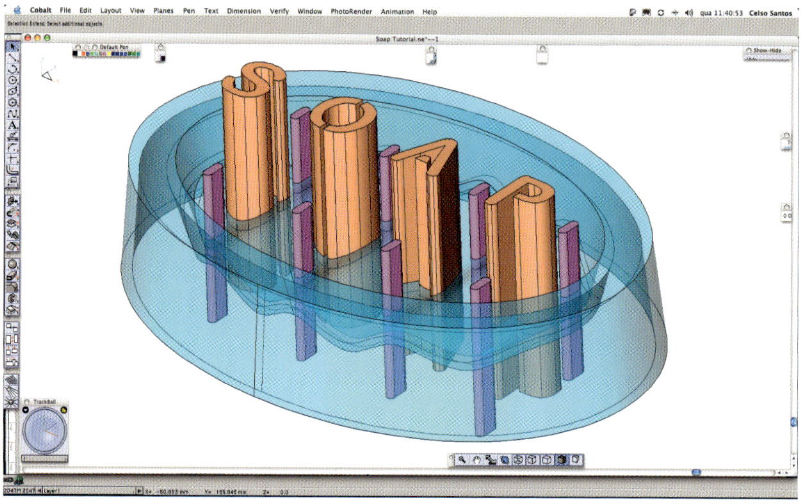

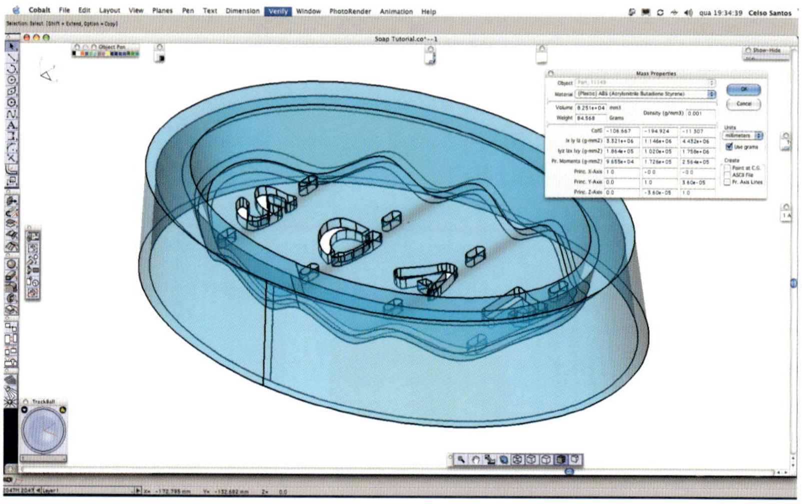

À direita 2.38 e 2.39. Celso Santos, saboneteira, 2004. Rio21 usou operações booleanas para modelar esta saboneteira no software Cobalt da Ashlar-Vellum. As letras foram extrudadas e depois subtraídas da saboneteira usando diferença booleana para estampar cavidades em forma de letras através da superfície em curva.

Abaixo 2.37. Esta ilustração de 2006 do jaguar XK, revelando seus detalhes mais internos é uma renderização 3D em computador feita usando o software Lightwave 3D. Cortesia Jaguar cars, Coventry, Inglaterra.

figura mais próximas do usuário – pode ajudar, mas, para imagens de linha oculta serem geradas, as faces devem ser "coladas" a esses polígonos.

Um modelo de superfície pode ser sombreado (e assim parecer sólido o bastante) e pode ser usado para gerar caminhos de ferramenta de máquinas ferramentas de comando numérico, mas um modelador sólido tem embutido um sentido de identidade. O modelo sabe diferenciar seu interior do exterior – o que é sólido e o que não é – um furo, por exemplo. Molelamento sólido promete ao designer uma simulação do que seria um protótipo real.

O modelo pode ser visto de qualquer ângulo em cores fotorrealistas, o interior pode até ser exibido de maneira transparente (ver Capítulo 8) tal que interiores complicados sejam revelados (Fig. 2.37), montagens podem ser explodidas em componentes, seções em corte e objetos podem ser desmaterializados e virados do avesso – fazendo com que furos, vazios, canais de alimentação (para aplicações em moldagem de plásticos, por exemplo) pareçam sólidos, enquanto o material de que havia em seu lugar é apresentado como um espaço vazio (Figs. 2.38, 2.39).

Um modelo sólido pode ser pesado, conhece o seu volume, centro de gravidade e momentos de inércia, e ainda pode detectar conflitos e interferências com outros componentes, fixações e máquinas ferramentas. O modelo pode ser usado para produzir as malhas necessárias para análise de tensões, validar trajetórias de ferramentas antes da usinagem e fornecer diagramas usados nos manuais técnicos. Pode vir com dados para planejamento de processo e para inspeção automatizada auxiliada por computador, e ainda teste e controle de qualidade.

Tipos de modelador sólido

Existem dois tipos principais de modelador sólido; CSG (geometria sólida construtiva) e B-rep (representação de contorno). A maioria dos modeladores remonta a um dos dois esforços de pesquisa de meados dos anos 1960: o sistema Build da Universidade de Cambridge, no Reino Unido; e o projeto Padl na Universidade de Rochester nos EUA. A maioria dos programas comerciais incorpora um "motor" padrão, chamado *kernel* ou núcleo, feito por terceiros, tais como ACIS (Sistema de Alan, Charles e Ian), um programa B-rep baseado no Sharp Data da Romulus e agora da Dassault-Systèmes Spatial, que é usado no TurboCAD. Parasolid, outro kernel B-rep da UGS (antes conhecida como Unigraphics), é usado no SolidWorks. Note que esses usam diferentes formatos de arquivo para importar e exportar dados, o que pode ser um problema. A norma ISO 10303, também conhecida como STEP (sigla em inglês para Padrão para a Troca de Dados de Modelos de Produto) é um padrão internacional a que todos os modeladores aspiram (mais a respeito no Capítulo 7).

Modeladores sólidos são classificados pelo modo como eles armazenam a descrição da geometria da forma. Em um sistema CSG, a forma final é descrita e mantida internamente por uma estrutura em árvore contendo as primitivas de construção (formas simples tais como cubos, cilindros e esferas) (Fig. 2.40) mais as operações booleanas (união, diferença e intersecção) usadas nestas para se chegar ao modelo – uma história passo a passo do processo de design. Imagine um brinquedo infantil de construir – não apenas com cubos, mas também cilindros, cones, pirâmides, etc. Por eles serem virtuais, você pode não só empilhá-los, mas também uní-los ou subtraí-los, removendo um cilindro de um cubo para fazer um furo, por exemplo.

Um modelador B-rep mantém uma lista de todas as faces, arestas e vértices do modelo, com as relações topológicas Eulerianas entre estes (assim previne-se que qualquer objeto impossível seja criado). Modelos B-rep são construídos seja por conversão de um wireframe existente ou modelos de superfície por acrescentar faces, ou por varrer contornos 2D ao longo de caminhos retos ou circulares para fechar um objeto sólido. Estes podem ser,

Abaixo 2.40. Primitivas geométricas são os elementos básicos de construção e incluem formas tais como cubos, esferas, cones e cilindros, que podem ser combinados usando operações booleanas para criam formas complexas.

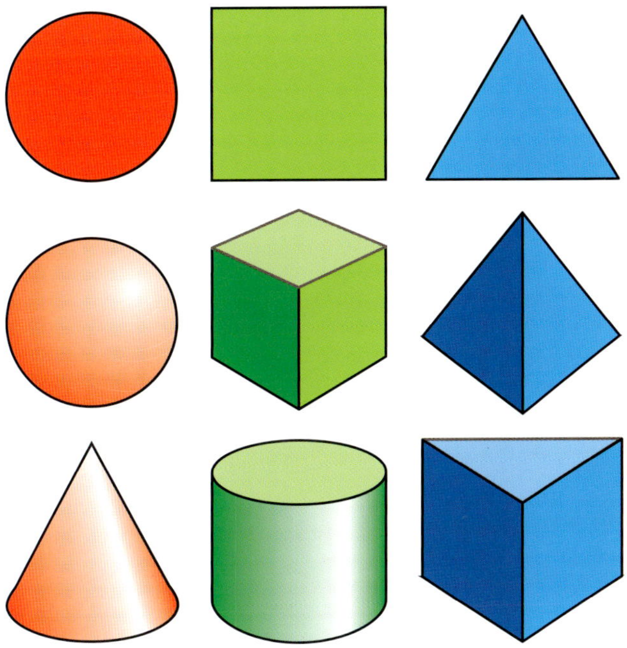

Passo a Passo 2: Modelando um mouse de jogador por *Thomas Parel*

Nesta sequência, Thomas Parel mostra como modelar e renderizar um mouse de jogador um programa modelador 3D, SolidWorks, e programas de "pintura" 2D Corel Painter e Photoshop.

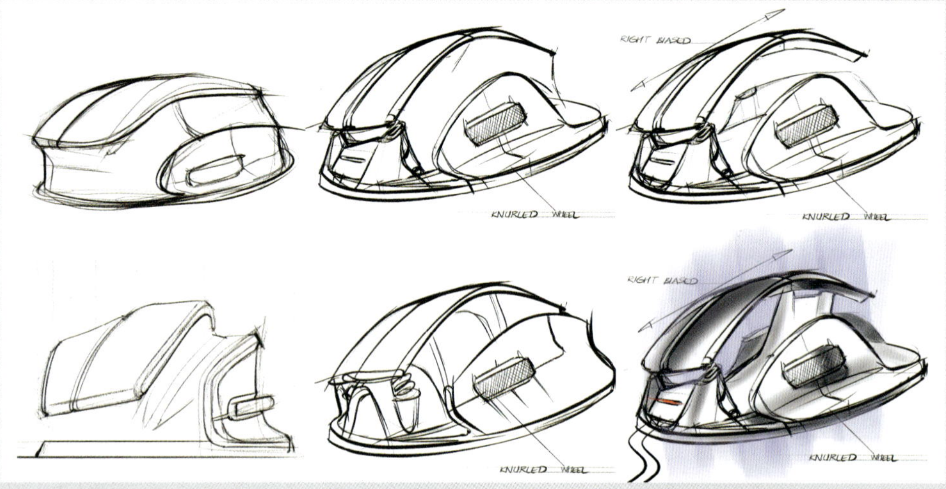

SS 2.1 Ele começa gerando repetidamente conceitos no Corel Painter usando o pincel Thick'n'thin 5 e um documento de 11 x 17 polegadas, 150 dpi. Estes são desenhos tipicamente livres que dependem de linhas brutas e fundos rápidos para inspirar formas novas. Thomas esboça num dispositivo Wacon intuos 2 de 10 x 12 polegadas.

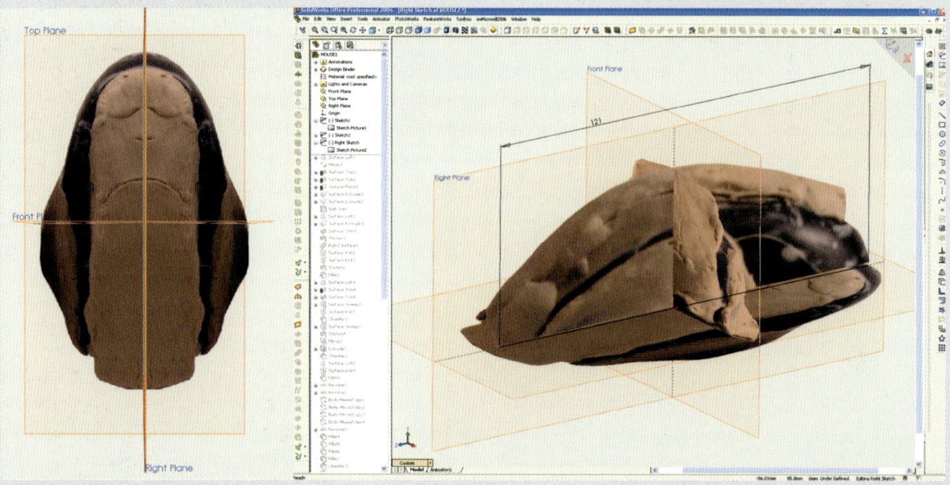

SS 2.2 De modo a rapidamente avaliar algumas das novas ideias e marcar áreas ergonômicas, Thomas faz um modelo grosseiro em argila. Ele fotografa digitalmente o modelo e importa as imagens para o programa. Ele apaga o fundo das fotos usando Photoshop e as salva como arquivos bitmap para uso posterior no SolidWorks.

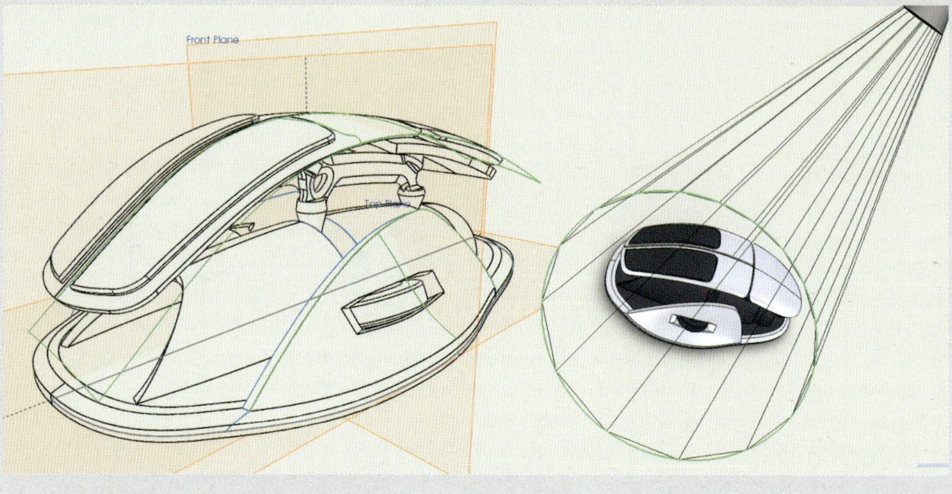

SS 2.3 Usando vistas ortográficas, ele pode desenhar sobre as imagens como se criasse curvas 3D no espaço. Essas curvas então criam superfícies em CAD 3D grosseiras. Ele acrescenta detalhes às imagens em 2D. Modeladores sólidos se sobressaem na criação de componentes mecânicos, tais como rodas de rolagem e peças internas. Thomas pode economizar tempo ao desenhar sobre capturas de tela mais tarde no processo de design para criar conceitos mais precisos.

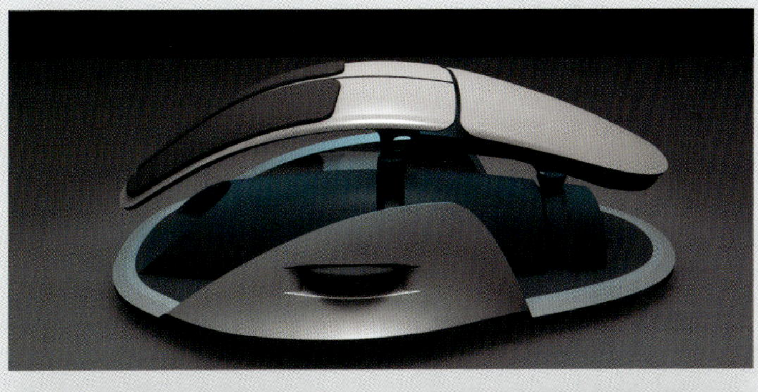

SS 2.4 Apresentações de design do produto ficam melhores com esquemas simples de luz. Thomas usa uma luz focada nesta apresentação com uma luz plana e difusa. Ele passa para uma iluminação indireta para criar interações sutis de luz entre o piso e o mouse. Ele faz as faces internas num sombreado constante que é colorido em verde-azulado. Isto realça alguns dos detalhes internos.

SS 2.5 Usando um pincel largo na Photoshp, Thomas colore de preto o fundo. Ele estende os realces nas partes metálicas para imitar os brilhos na vida real. Ele pinta uma camada nova e então usa a varinha mágica (outro comando do software) para apagar o excesso sobre o mouse. Ele então faz duas pinceladas largas na nova camada para reesculpir a área da roda de rolagem em 2D. Ele usa o aerógrafo digital para criar as pinceladas largas e a borracha para apagar cantos suaves.

SS 2.6 Pinceladas largas geralmente indicam transição lisa de supefícies, enquanto uma pincelada pequena indica uma mudança mais abrupta na superfície. Thomas usa esta técnica para criar incisões ao redor da roda de rolagem. Pinceladas pequenas em branco indicam arredondamentos com face para baixo. Ele usa a caneta Thick'n'thin para criar traços afiados e uma borracha retangular 20 para criar cantos afiados.

SS 2.7 Thomas desenha um tubo grande de luz vermelha na lateral do mouse usando o comando lápis quadrado 8. Para incrementar a atmosfera, ele adiciona um halo nas sombras no chão. O sobre molde nos botões do mouse é combinado com o fundo, assim ele coloca um pequeno friso de luz com um pequeno traço ao redor da aresta. Ele adiciona um toque sutil de aerógrafo escuro na sombra do topo do mouse para acentuar o contraste. Ele agora pode desenhar os detalhes pequenos, tais como o mostrador nos componente internos deslizantes.

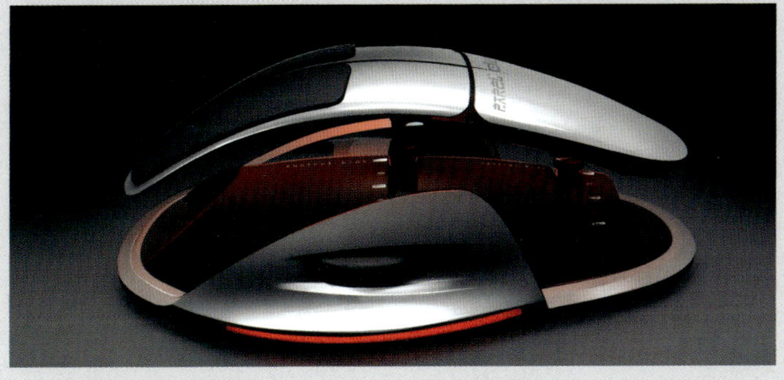

SS 2.8 Thomas coloca o texto no Photoshop. Ele usa a transformação livre para distorcer e cortar o texto de modo que ele pareça correto na perspectiva. O halo verde parecia bom, mas ele decide modificar o halo interno para a cor vermelha para que o plano de cores do mouse seja coesivo. Ele faz isto selecionando um faixa de cor (select>Color Range) e, então, varia matiz e saturação (ctrl+U). Finalmente, quando os valores da renderização parecem certos, ele coloca um toque extra ao mudar os níveis de cor (ctrl+L) para aumentar o contraste entre sombras e realces.

então, posteriormente, combinados ou subtraídos a outras formas intermediárias usando operações booleanas. Isto é análogo aos processos de fabricação por injeção, fundição, forjamento e termoconformação. Modeladores B-rep são também úteis no desenvolvimento de chapas em caldeiraria.

Muitos modeladores modernos usam uma abordagem híbrida: iniciando com CSG e, depois, convertendo o modelo em trabalho para uma definição B-rep e armazenando ambos. O modelo CSG pode, então, ser usado no cálculo de propriedades de massa, tais como momento de inércia e área; e os dados de aresta do arquivo B-rep são baixados para outro programa para produzir os dados de ferramental e os desenhos 2D de engenharia que muitos fabricantes ainda insistem em usar.

Outro tipo de modelador é chamado de modelador facetado, usado mais comumente para a reprodução de rostos humanos nos filmes em CGI (Imagens de Computação Gráfica) ou na engenharia reversa de modelos físicos, nos quais todas as superfícies curvas difíceis de computar são aproximadas e substituídas por pequenas facetas planas, normalmente triângulos, como na superfície de uma pedra lapidada. Quanto maiores forem as facetas, mais rápido será o processamento; mas quanto menores forem as facetas, mais próximo do real será a aproximação. Além da velocidade, outro atrativo é que modeladores facetados podem reproduzir superfícies muito complexas. A subdivisão é usada para criar superfícies mais lisas a partir de malhas arbitrárias, mais ou menos como um carpinteiro faz uma curva arredondada suave primeiramente serrando um pedaço do canto num ângulo de 45 graus e, repetidamente, cortando pedaços retos até que o canto esteja relativamente liso.

Modeladores paramétricos

A maioria dos modeladores agora é paramétrica, usando características e vínculos para definir o modelo, dando rótulos às dimensões em vez de valores fixos. Se um parâmetro for modificado mais tarde, o modelo pode, então, adaptar-se de modo a refletir a atualização. Isto é adequado ao designer no estágio de conceito (ver Capítulo 5), pois nenhuma decisão foi até então tomada a respeito das dimensões precisas e, naquele momento, o designer gostaria de manter as coisas "nebulosas". Entretanto, o modelamento paramétrico requer mais cuidado na criação do modelo. Uma peça feita por injeção pode ter milhares de características, e modificar uma característica inicial pode fazer com que características posteriores falhem.

Por exemplo, considere um eixo criado pela extrusão de um círculo em 100 mm. Um cubo pode ser montado na extremidade do eixo. Mais tarde, se o eixo for modificado para um comprimento de 200 mm, o cubo será reposicionado para a extremidade do eixo e os desenhos de engenharia e as propriedades de massa automaticamente refletirão as mudanças. Pro/Engineer (ou Pro/E) e SolidWorks são exemplos de modeladores sólidos iterativos, paramétricos, baseados em características.

O modelamento paramétrico também se presta ao reúso de dados. Uma família completa de peças semelhantes pode ser contida num único modelo, por exemplo. Um exemplo de modelagem paramétrica está na criação de personagens em filmes de computação gráfica ou jogos de computador. Um personagem é descrito por parâmetros que localizam posições chaves do corpo. O modelo destas localizações é, então, construído e, quando os parâmetros são modificados, o modelo é refeito, criando os quadros para a animação.

Fabricação automatizada, sem nenhuma intervenção manual, é a promessa mais provocante de modelamento sólido, mas restringe a escolha e pode tornar as peças mais caras de produzir. Entretanto, existem sinais de esperança. Usinar blanks, em uma tela, pela subtração do volume varrido pela ferramenta verificará a eficácia do trajeto da ferramenta e checará interferências com quaisquer fixações

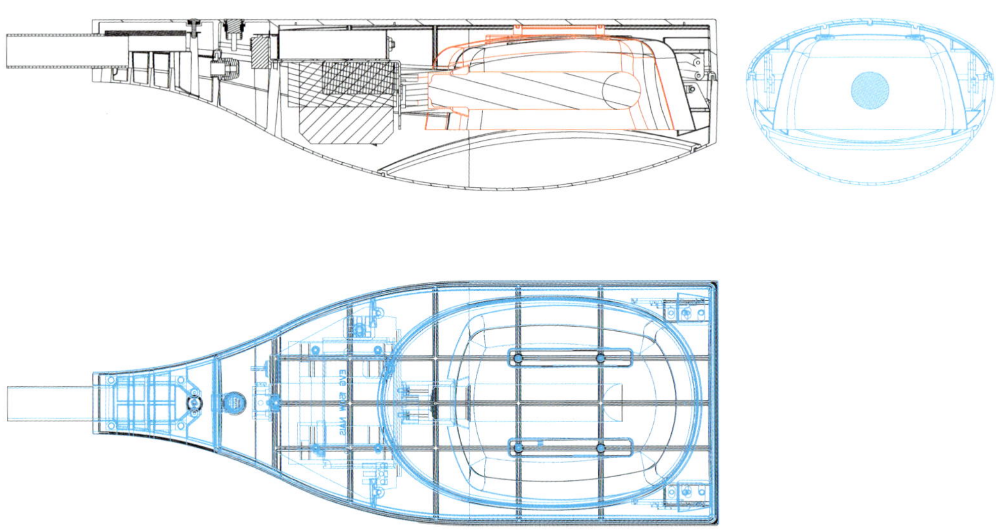

À direita 2.41. Pearson Lloyd, Cabeçote da Luminária de Rua Millenium, 2004. Os designers usaram Pro/E (juntamente com Cobalt, Photoshop e Cinema 4D) para desenvolver a visualização em CAD para a Cidade de Westminster, Londres.

Página oposta 2.42. Desenhando uma roda em perspectiva: o eixo menor da elipse deve se alinhar ao eixo do carro, como no desenho da direita.

e dispositivos. Além disso, novas técnicas de software, tais como OOP (Sigla em inglês para Programação Orientada por Objeto), trarão consigo os sistemas especialistas para aplicações "fáceis", como desenvolvimento de chapas e projeto de moldes de injeção de plásticos.

Renderização fotorrealista e efeitos de iluminação (descritos de forma mais completa no Capítulo 6), além de geração automática de perspectivas (ou qualquer outro tipo de projeção métrica) a partir de modeladores sólidos, são esforços para produzir "modelos" que, aos olhos e cérebro do observador, sejam indistinguíveis de um propósito físico real. Se um desenho em perspectiva é somente uma simulação visual da realidade, um modelo sólido em computador é um desenho que existe em três dimensões (e que, portanto, poder ser girado e transladado no espaço 3D) e que também possui quase tantos atributos fisicamente mensuráveis quanto o objeto real.

Conclusão

No futuro próximo, o designer totalmente computadorizado pode não precisar mais construir perspectivas precisas e projeções métricas usando métodos manuais, mas ao menos deveria ser capaz de distinguir entre, digamos, uma perspectiva de dois pontos e uma de três pontos, e de reconhecer os nomes de todas as projeções exóticas que podem ser escolhidas para se comunicar efetivamente, por meio de esboços intuitivos, a intenção do design para outros na equipe de projeto e na manufatura. Construir um modelo sólido 3D no computador pode parecer, a princípio, intimidador mas, como aprender qualquer software novo, tornar-se-á natural com a prática e as vantagens de englobar a geometria e outros atributos do novo produto em um único arquivo trarão dividendos ao longo do tempo. E, com as habilidades aprendidas aqui, se a execução do desenho em computador não parecer como deveria, você saberá o que deu errado!

Dica Quente: Como desenhar rodas de automóvel em perspectiva

Uma roda consiste em vários círculos concêntricos e, quando um círculo é observado em ângulo, nós vemos uma elipse. Este ângulo de visão é chamado de grau da elipse. Um círculo perfeito está a 90 graus; uma elipse a zero grau é uma linha reta. Uma elipse tem dois eixos; o eixo menor e o eixo maior. O menor divide a elipse em duas partes iguais através de uma dimensão mais estreita e o maior divide a elipse na sua dimensão maior. Os eixos se cruzam a 90 graus. Em perspectiva, o eixo menor passa pelo centro do quadrado que contém a elipse, mas o eixo maior, não (Fig. 2.42). Quando se põe rodas em carros, o eixo menor está sempre alinhado com a direção do eixo do carro.

A menos que as rodas frontais estejam viradas ou se as rodas têm uma cambagem extrema, este eixo sempre será perpendicular à linha do centro do carro. Admitindo que o eixo menor de sua elipse esteja corretamente desenhado, mas aparenta estar errado, seu grau pode precisar de algum ajuste. Desenhe uma caixa ao redor da elipse seguindo suas linhas de perspectiva. Se sua elipse não tangenciar os pontos médios de cada lado da caixa então o grau está errado. Ajuste o grau de sua elipse fazendo esta mais larga ou mais estreita até que você possa desenhar uma caixa ao redor da elipse e que esta tangencie a caixa exatamente nos pontos médios de cada lado.

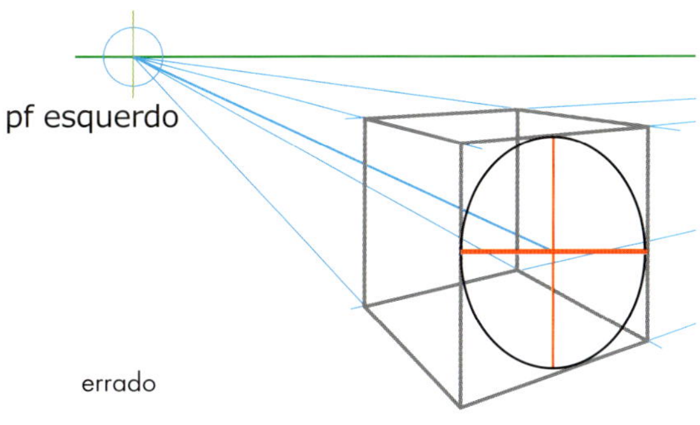

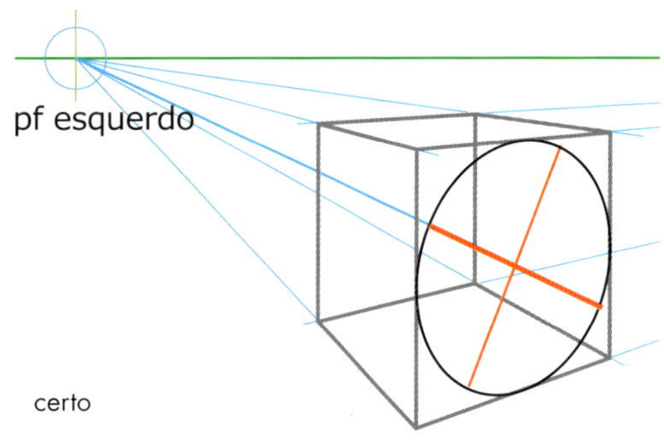

Estudo de Caso 1:
Seymourpowell

Seymourpowell foi fundada em 1984 por Richard Seymour e Dick Powell, ambos proponentes apaixonados do design. Graduados pelo Royal College of Arts, encontraram-se quando lecionavam na St. Albans School of Arts. Dick Powell também é o autor do influente livro Presentation Tecniques (Ed. Little Brown, 1990) e insiste que todos os que desejem trabalhar com ele passem por um teste de desenho. A companhia, com sede no oeste londrino, é gerida por um time de seis diretores, com uma equipe de 45 pessoas no total.

Sua lista de clientes inclui Ford, Nokia, Jaguar, BMW, Minolta Yamaha, Tefal, Hewlett-Packard e Casio. SPF (Seymoupowell Foresight) faz pesquisa associada a produtos para os clientes, seja como parte do desenvolvimento de um produto novo, seja como um serviço independente.

Seymourpowell acredita que o design é o elemento integrador que define um produto, ao invés de simplesmente definir o estilo externo do produto. Design é mais a evolução e inovação da arquitetura do produto de acordo com sua função, uso, apelo, engenharia e qualidade de construção – além de sua aparência, que obviamente permanece como um componente chave. A companhia acredita que tem um papel fundamental a desempenhar em todo o ciclo de vida do produto, incluindo a sua comercialização e o posicionamento, bem como suas implicações estratégicas para a empresa cliente. O produto projetado é a incorporação final deste processo.

O Ferro de Passar Calor Aquaspeed

"Inovação requer uma visão muito bem articulada do que você está tentando obter – uma em que todos os envolvidos, de engenheiros ao consumidor final, possam acreditar", diz Dick Powell. "Inovação requer ao menos uma pessoa que entenda plenamente todas as ramificações daquela visão e que esteja armada com a autoridade e os meios para fazer com que ela aconteça".

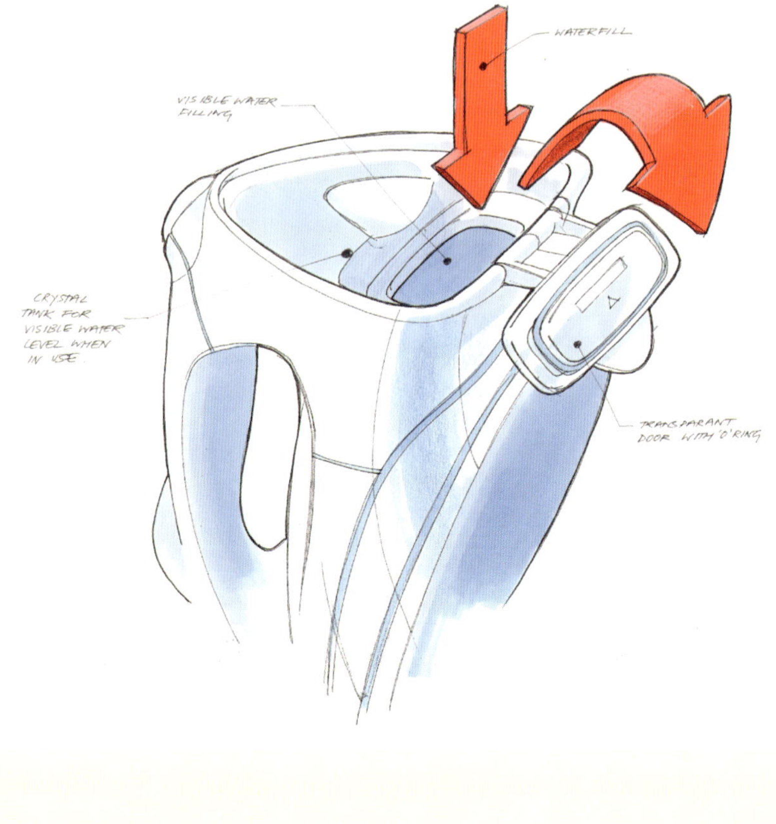

À direita CS 1.1. Um esboço inicial explorando a porta do compartimento na extremidade traseira do ferro de passar. Este é um típico esboço Seymoupowell e é o modo pelo qual eles trabalham quando velocidade é importante. É executado com uma caneta de ponta porosa 0.1 Fineliner e depois sombreado com marcadores em dois tons de azul. Restringindo o tamanho da paleta de cores, resulta em economia e rapidez, mas também é efetivo na comunicação da intenção.

À direta CS 1.2. Uma vista explodida típica de "trabalho em execução" criada para esclarecer como seria a fabricação numa etapa onde ainda há alguns conceitos sendo considerados. Desenhos como este são feitos para a equipe técnica do cliente, seja para responder questões específicas de produção, seja para propor modos alternativos de realizar o conceito. A técnica do "azul esmaecido" foi usada, antes de scanear e enviar o desenho por e-mail. A única diferença é o uso de uma caneta de retroprojetor de ponta grossa para delinear e fazer "flutuar" cada componente. O sombreado em azul tem sido adicionado cada vez mais com o auxílio do Photoshop.

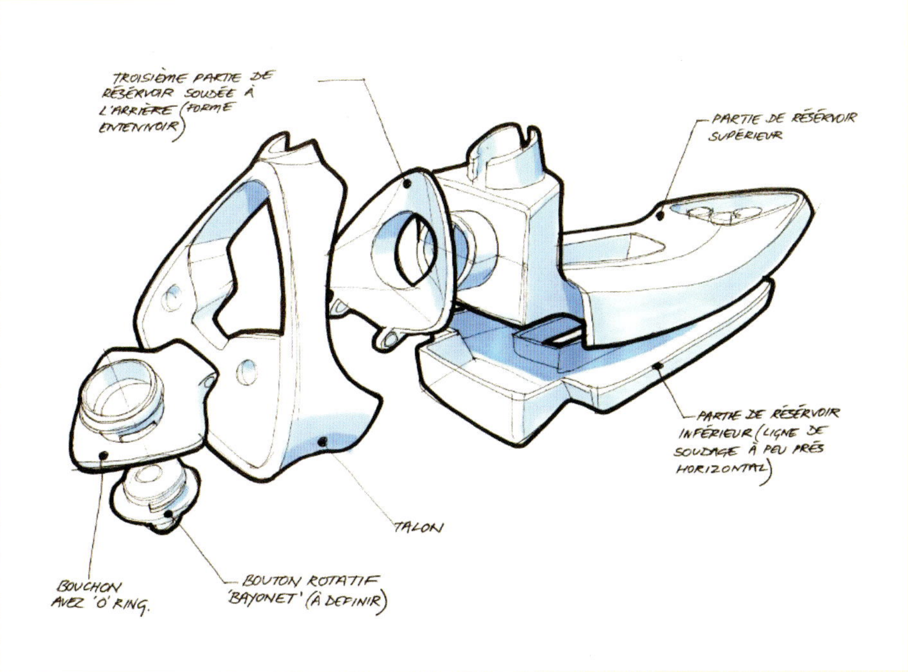

Seymourpowell já fez o design de trens, carros, relógios digitais e laptops, mas, de acordo com Powell, o produto cujo design mais difícil de criar foi o ferro de passar a vapor. Por quê? Porque a complexidade do funcionamento interno do ferro de passar a vapor é totalmente inseparável de sua forma externa que, por sua vez, é determinada, por um lado pela ergonomia e, por outro, pela funcionalidade. Ponderando fatores como a facilidade de fabricação, baixo custo e investimento compatível, bem como diferenciação no ponto de venda, em um mercado onde os produtos são mais parecidos do que diferentes entre si, é possível começar a entender porque a palavra estilo (e por aquilo que Powell quer dizer com design exterior) é totalmente inapropriada.

Calor é uma empresa francesa e uma marca que pertence, juntamente com Tefal, Rowenta e Moulinex, ao Grupo SEB. O relacionamento da Seymourpowell com o Grupo SED data de 1985, quando fez o design da primeira chaleira sem fio, a Freeline, para a Tefal.

Os ferros Calor já têm um ponto único de diferenciação: suas bases metálicas esmaltadas. Outros ferros têm esta peça feita em aço inox ou alumínio anodizado. Estas bases esmaltadas dão aos ferros de passar um acabamento que os torna mais duráveis e resistentes a riscamento ou descoloração. Imprimindo duas cores diferentes de esmalte – uma como cor base e a outra em uma série de linhas e detalhes sobreimpressos – permite-se que flutue sobre as elevações criadas na superfície bicolor, reduzindo o atrito e aumentando a velocidade ao passar a roupa. Os designers da Calor exploram isto ao máximo ao dar uma aparência rápida, dinâmica e aerodinâmica aos produtos. A Seymourpowell Foresight entra no processo e levanta a questão chave: a aparência rápida ainda funciona como valor principal? A conclusão foi que ainda funcionava como uma identidade básica para a Calor/Tefal, comunicando eficiência e contemporaneidade.

Em paralelo com a pesquisa, a equipe de criação começou a criar conceitos a partir de problemas específicos relacionados a passar roupas (Fig. CS 1.1). Duas áreas com problemas imediatos foram identificadas: encher o ferro com água através de um furo do tamanho de um selo postal e estabilidade – combater a tendência irritante do ferro de tombar da tábua de passar. As soluções eram óbvias: um orifício de enchimento o maior possível e um grande calcanhar de apoio para dar mais estabilidade.

À direita acima CS2.3. Logo no início do processo, e certamente no desenvolvimento do conceito, os designers precisam ser precisos a respeito das folgas, forma e construção. Isto é feito ortograficamente (vistas laterais, de topo e fundo) num CAD 2D, usando Vellum/Graphite, pois é muito mais rápido do que usar Alias, mais flexível e fácil de modificar. Este trabalho é normalmente por modelos em espumas feitos à mão. Estes modelos podem ser divididos ao longo do seu eixo maior para aperfeiçoar a silhueta 2D. Uma vez satisfeito com o CAD 2D, o designer exporta as linhas como EPS e as importa para o Illustrator ou FreeHand como caminhos. Os caminhos são então adicionados e novos caminhos são, então, adicionados para atuarem como máscaras na renderização feita no Photoshop. Este trabalho no photoshop não é diferente de usar um aerógrafo – O designer precisa entender como luz e cor funcionam sobre um objeto complexo – mas é, em todos os aspectos, muito mais rápido e fácil.

À direita abaixo CS 1.4. Definindo a forma 3D usando Alias, o software preferido para a definição de formas complexas. Os designers passam por muitas interações com superfícies, iniciando com superfícies rápidas para usinar os modelos em espuma e discutir conceitos com os clientes, e ainda dar à equipe técnica dados iniciais para ter com o que trabalhar. As superfícies iniciais são às vezes usadas para produzir apresentações fotorrealistas como suporte aos modelos iniciais em espuma ou modelos rígidos "cinza". Modelos cinza são feitos de material rígido e coloridos em cor única. Eles são feitos para conferir a forma e para pesquisa com usuários a respeito da manuseabilidade. Mostradas aqui estão superfícies finais de produção, que demandam grande habilidade para serem produzidas, especialmente no controle do desenho, intenção de moldagem e continuidade da superfície.

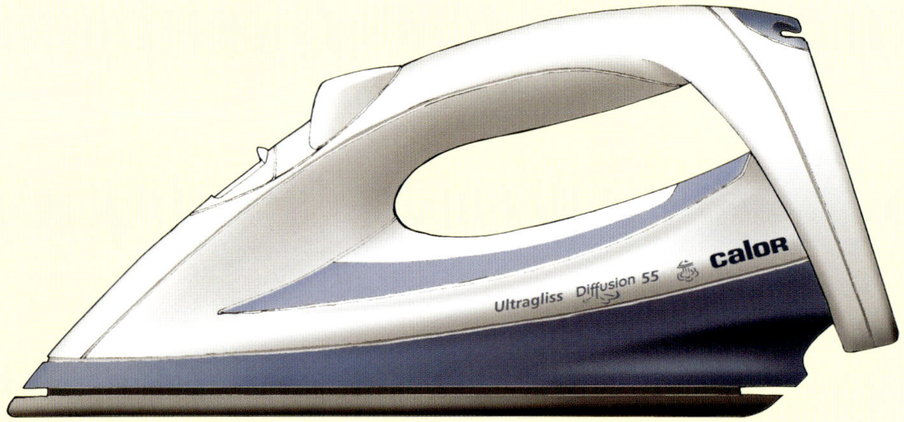

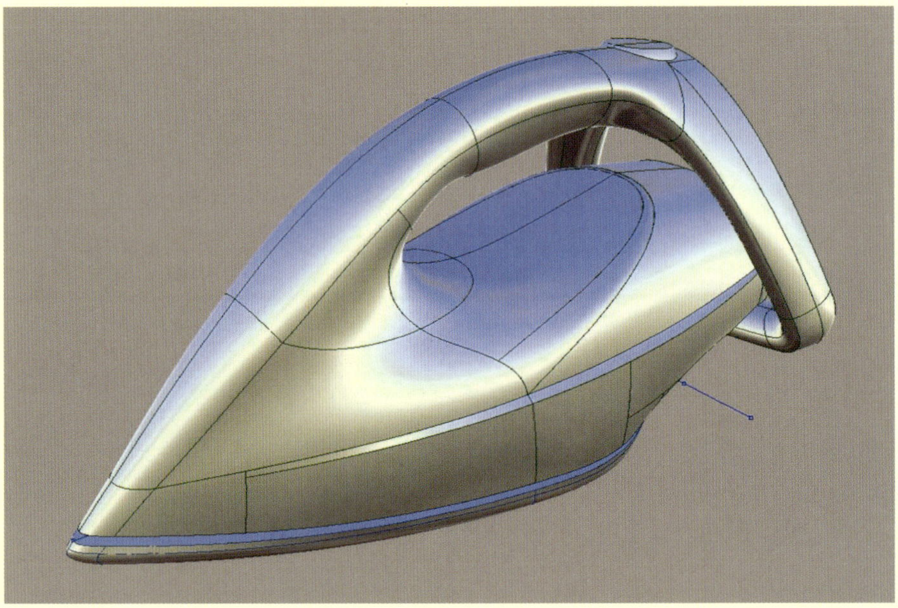

A experiência de Powell em trabalhar com engenheiros talentosos e criativos diz que eles raramente estão em seu melhor tentando resolver um problema abstrato. Mas dê a eles o mesmo desafio em que possam entender exatamente o que é preciso e em que forma, e eles examinarão uma série de soluções possíveis metódica e analiticamente até que encontrem uma que funcione (Fig. CS 1.2).

Para este projeto, eles foram capazes de compor um conceito logo no início do processo como uma série de esboços da oficina de criatividade (Fig. CS 1.3) e rapidamente, em seguida, em modelos de espuma, que a equipe de desenvolvimento da empresa, bem como sua administração sênior e marketing, pôde imediatamente seguir.

O conceito apresentado era para um ferro com a extremidade traseira aberta, na qual o calcanhar de apoio é um grande anel sobre o qual o ferro pode se apoiar com mais estabilidade, mas sem mais peso e volume (Fig. CS 1.4). Dentro deste anel, na traseira do ferro, há uma grande escotilha pela qual o reservatório pode ser enchido mais rapidamente e convenientemente (Fig. CS 1.5).

Sem surpresa, a maioria dos problemas estava na inovação de encher o ferro pela parte traseira e tinham a ver com vedação, bolsas de ar, vazamentos e em manter a água a distância segura dos componentes elétricos.

O novo ferro foi depois batizado de aquaspeed. Foi lançado em janeiro de 2004 e, desde então, as vendas têm mais que atingido as expectativas, porque seu design comunica efetivamente seus benefícios – velocidade, enchimento simples e estabilidade melhorada do apoio sem acrescentar peso (Fig. CS 1.6). A cultura da Calor entende que inovação é o melhor, senão o único, modo de manter uma marca forte em face de produtos de menor custo vindos do oriente. Como um fabricante de produtos de consumo, a Calor entende o papel fundamental do design como criador de produtos atrativos. Mas, muito mais importante, eles valorizam o design no nível estratégico e como catalisador criativo para a inovação... E é por isto que a Calor é o cliente favorito da Seymourpowell!

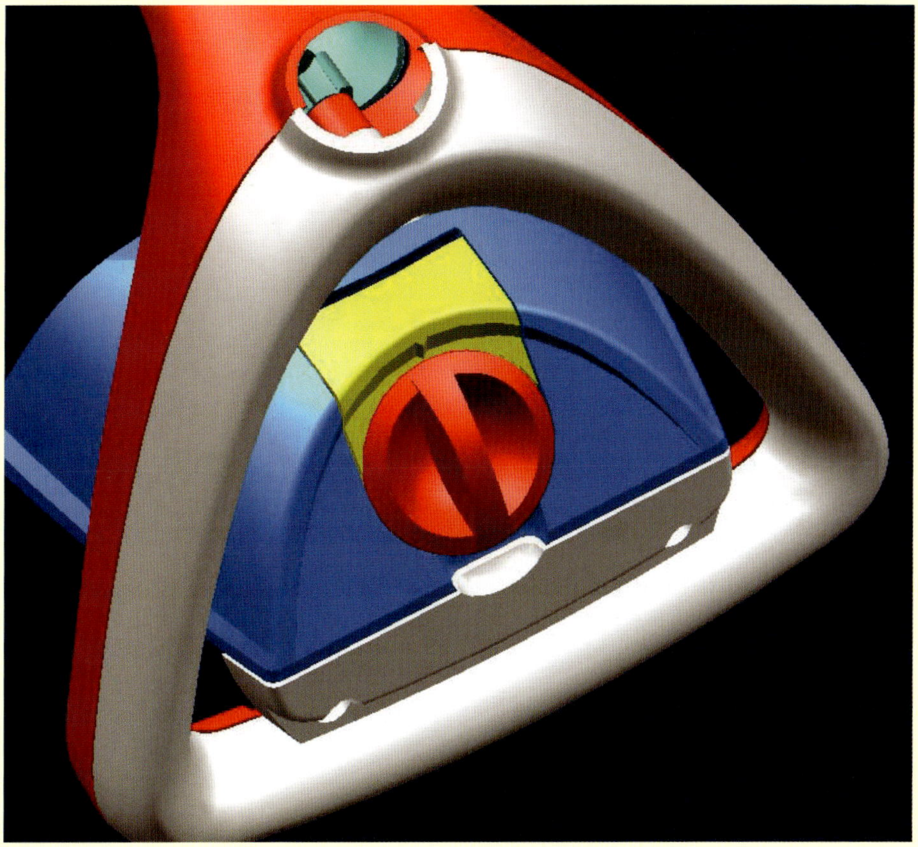

À direita acima CS 1.5. Resolução detalhada para a escotilha. Muitas soluções diferentes tiveram que ser exploradas. Detalhes como este são muitas vezes separados do todo e estudados em particular. Aqui o designer está trabalhando no Pro/E e olhando para as implicações da articulação mais baixa no ferro.

À direita abaixo CS 1.6. Aquaspeed, o produto acabado. Se você comparar este com o produto acabado, em todos os aspectos, além da cor, não seria capaz de notar a diferença: um teste cego diria que eles são o mesmo, vendo mais de perto se percebem algumas modificações óbvias.

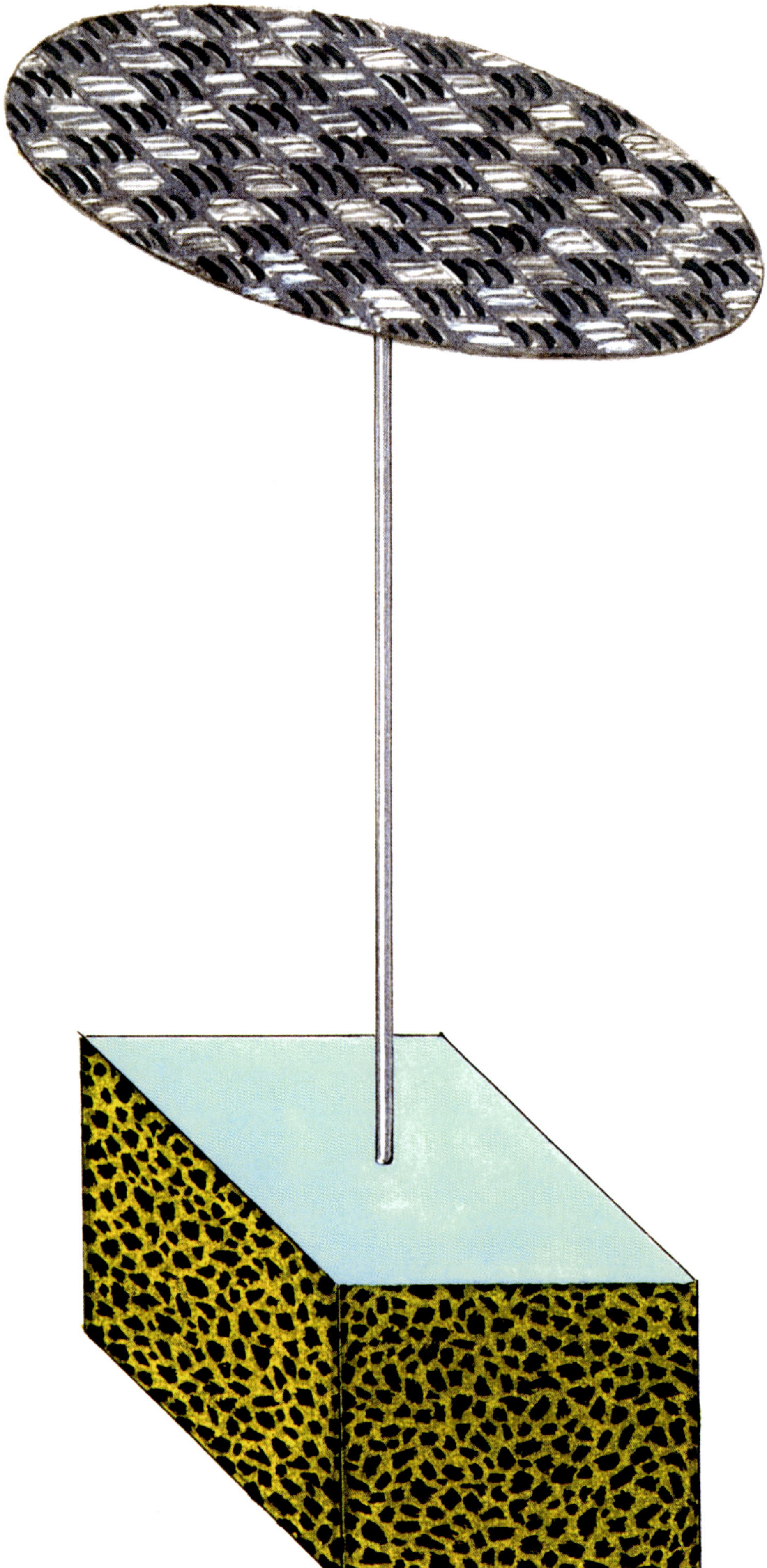

O processo de design é baseado no uso de uma variedade de ferramentas e meios na simulação extensa das hipóteses de projeto. Sua habilidade em usar o tempo eficientemente na manifestação visual de suas ideias para você mesmo e para os outros é crucial na sua operação profissional.
Philip Thiel *Visual Awareness and Design* 1981

3

Ferramentas e materiais

Página oposta Ettore Sottsass, Mesa de chá, 1979. Tinta indiana e lápis colorido. O designer executou um objeto oblíquo para a Alchymia, o precursor do Memphis. Cortesia Sottsass Associati EEIG, Milão.

Atualmente, designer tem um computador, talvez mais de um, mas ainda há um papel vital para ferramentas mais simples do ofício. Estas podem ser crucialmente importantes para alguns designers, que se prendem supersticiosamente a marcas particulares de lápis ou caneta esferográfica; enquanto outros podem achar meios não familiares excitantes, estimulantes ou perigosos. Há, ainda, outros que acham a escolha do meio irrelevante, decidindo dedicar suas habilidades à solução de problemas, acima de meras questões de técnica empregada. Designers ou não, a maioria das pessoas estará familiarizada com os instrumentos manuais de escrita e desenho – eles são efetivamente os mesmos, sendo usados em ambos os casos: para fazer sinais e comunicar ideias. E qualquer um, fascinado pelo que há nas papelarias e lojas de material gráfico, estará ciente da assustadora variedade e diversidade dos produtos à venda nestes estabelecimentos.

Cada um tem seu lugar na caixa de ferramentas do designer e o propósito deste capítulo é jogar uma luz nestes produtos, identificando-os de acordo com os seus locais mais apropriados no processo de design; enquanto o capítulo seguinte é voltado para auxiliar a esclarecer e talvez desmistificar os componentes que fazem um sistema CAD (Design Auxiliado por Computador).

Em cima Fig. 3.1. O lápis é o instrumento de desenho mais econômico e menos hostil ao meio ambiente, capaz de criar uma gama grande de marcas que podem ser facilmente apagadas. Lápis sem a haste de madeira são barras de grafite mais grossas e são usados para trabalhos mais expressivos.

Em baixo Fig. 3.2. Grafites de lápis existem em diferentes graduações, do mais duro e cinza 9H (no topo à esquerda) ao mais mole e mais negro 9B (em baixo à direita). Os intermediários F e HB estão no centro.

Lápis

Lápis macios são usados principalmente na fase do design, quando são feitos os esboços de conceitos; lápis mais duros, com a ponta feita no formato de cinzel, são usados no delineamento de desenhos de apresentação e para produzir desenhos de engenharia. O lápis é o instrumento de trabalho descartável original, sendo econômico e eficiente (Fig. 3.1). Lápis são controláveis e versáteis – produzindo uma grande faixa de tons (Fig. 3.2) que é tanto permanente quanto ajustável – e os de grafite escuro, ao menos, são fácies de apagar. Antes da invenção do lápis, barras finas de prata, zinco ou chumbo eram usadas para desenhar. Estas são conhecidas coletivamente como *silverpoint*.

O uso do termo em inglês lead (chumbo), para designar o grafite, deve-se a este ter sido uma vez denominado de “chumbo negro” ou plumbago (o que funciona como chumbo) – e a associação dos termos em inglês permanece desde sempre. A palavra *pencillus* significa “pequena cauda” e refere-se ao pincel usado pelos romanos para escrever em papiro. A palavra portuguesa “lápis” teria vindo do italiano. A origem do termo seria a palavra latina *lapidis,* cujo significado é “pedra”. Teria vindo do italiano já no sentido de grafite, a pedra de carbono que serve para escrever.

Nós consideramos o lápis um objeto comum, mas este já valeu o seu peso em ouro. O grafite foi descoberto inicialmente em Borrowdal, Cumbria (Inglaterra), em 1564, e esta mina era o único depósito já encontrado contendo grafite de tal pureza. Funcionava apenas seis semanas por ano, remessas para Londres eram protegidas por guardas armados e, até 1860, a Corporação Inglesa dos fabricantes de lápis detinha o monopólio mundial de sua venda em finas barras quadradas.

Em 1662, o carpinteiro alemão, Friedrich Staedler, usou enxofre e antimônio para dar liga à grafita esmagada, formando barras usáveis. O "grafite" dos lápis atuais é composto por grafite menos pura – principalmente do México – e argila da Bavária, cozidos como porcelana num forno. Este processo foi inventado em 1795 pelo químico francês Nicholas Jacques Conté, um oficial do exército de Napoleão, quando a guerra cortou os suprimentos dos produtos alemães e ingleses. Agora, pela primeira vez, os lápis podiam ser graduados de duro a macio pela variação das proporções relativas de grafite e argila.

Casper Faber iniciou seu negócio de fabricação de lápis próximo a Nuremberg em 1761 e, em 1840, a Companhia produzia os familiares lápis hexagonais nos seus tamanhos e graus de dureza padronizados. Uma classificação daquela época continha o HH para engenheiros, H para arquitetos, F para fazer esboços e B para sombreamento. George William Monroe, um fabricante de armários de Concord, Massachusetts, fez os primeiros lápis de madeira americanos em 1812 e, em 1856, Alfred Berol fundou a Eagle Pencil Co.

Quanto mais argila houver no grafite do lápis, mais duro ele será. O ponto médio de dureza (ou grau), e também o lápis mais usado, é o HB, cujo significado é *Hard* (duro) e *Black* (negro). Lápis mais moles e mais negros de grau B a 6B são os mais usados por artistas e designers para esboço à mão e apresentações – 2B é o grau de dureza preferido para trabalhos gerais num estúdio de designer (Fig. 3.3).

No outro lado da escala, lápis de grau H a 9H são usados principalmente para desenhos técnicos e de engenharia – os muito duros são usados por pedreiros ou metalúrgicos. Graus menos comuns incluem o F (que significa firme), entre o HB e H, que foi desenvolvido para taquígrafos, e os extremamente moles EB e EE.

O lápis tradicional de madeira tem o grafite, que também contém alguma cera para conferir suavidade, colado num sanduíche de tiras de cedro da Califórnia. A despeito de serem produzidos 2 bilhões de lápis por ano, não há, aparentemente, ameaça ao meio ambiente, uma vez

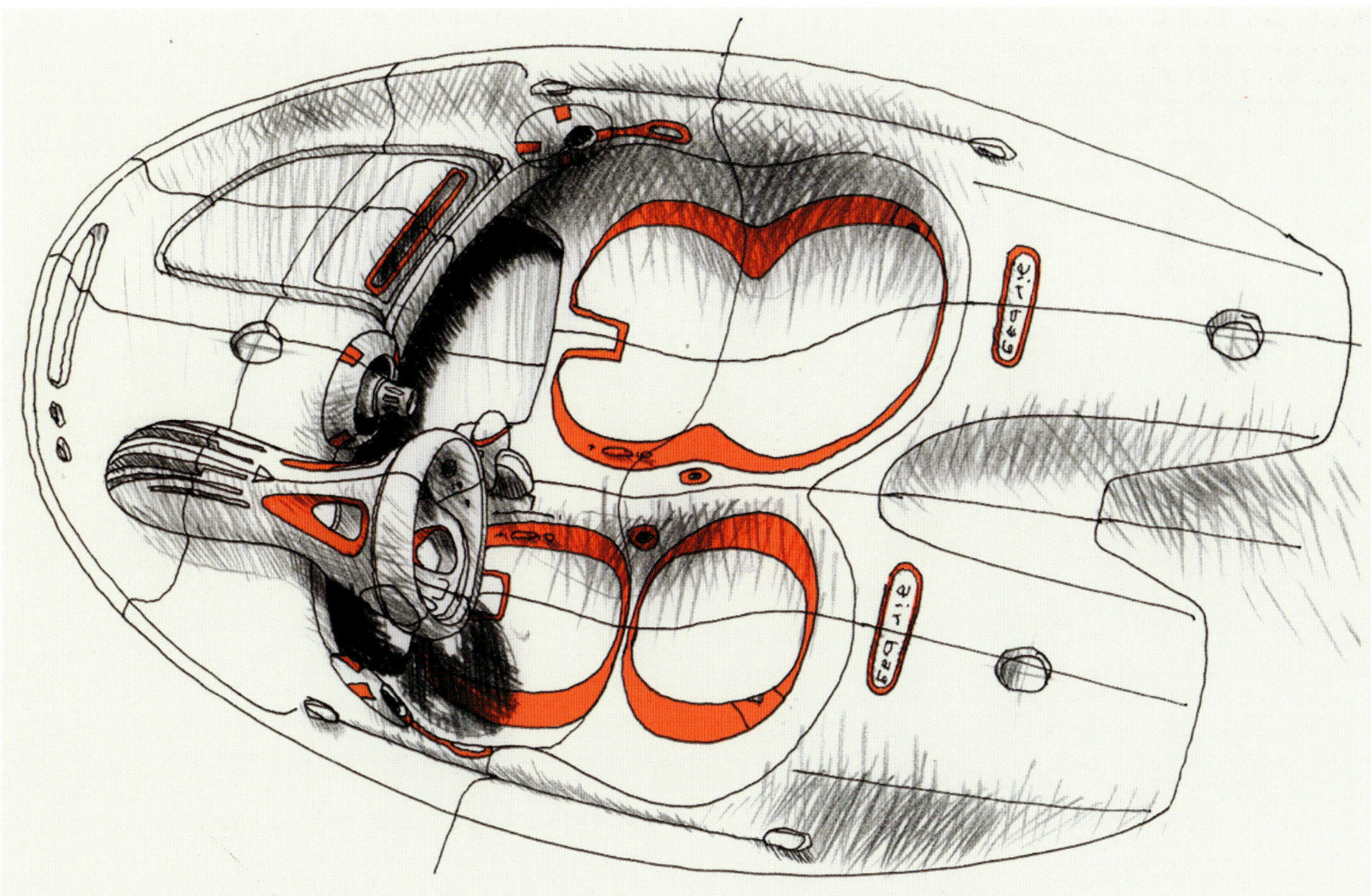

Acima 3.3. Etienne Salomé, Interior de carro, 2005. O artista usou lápis preto, com os detalhes em vermelho feitos no photoshop.

que o desmatamento no noroeste do Pacífico não ultrapassa a taxa de crescimento. Lápis ForestChoice são feitos com cedro certificado pelo Forest Stewardship Council.

Um lápis de boa qualidade tem o grafite colado, geralmente atacado por ácido, que não quebrará no interior da madeira se o lápis for derrubado, nem deslizara para o interior quando estiver em uso. A forma sextavada, algumas vezes vista, para a seção transversal do lápis é uma maneira engenhosa de evitar que ele role de uma prancheta inclinada.

Lápis de grafite puro – barras de grafite recobertas por uma fina camada de plástico, disponíveis nas durezas HB a 9B, são bons para fazer esboços onde o contraste for importante e áreas grandes precisem se cobertas (Fig. 3.4).

Lápis com grafite solúvel em água, tais como o Karisma Graphite Aquarelle da Berol e o Derwent Sketching da Rexel, vêm em três graduações – leve (HB), médio (4B) e escuro (8B) – e podem produzir um efeito de linha e lavado quando marcas de lápis e áreas de sombra são levemente umedecidas com um pincel molhado. Deve ser lembrado, entretanto, que muita água pode fazer com que o papel enrugue e precise ser esticado previamente e, além disso, o feito é irreversível.

Grafites feitos em polímero para desenho em filmes transparentes, Mylar e papel vegetal foram introduzidos inicialmente pela Faber-Castell. A argila ligante do lápis tradicional é substituída por uma combinação de óleo e

Em cima 3.4. O Graphitone da Derwent é um lápis sem madeira de grande diâmetro feito de grafite misturado com argila. Pode ser usado como lápis convencional para detalhes finos, ou desdobrado em implementos menores, ou ainda usado lateralmente para criar traços largos. É disponível em várias graduações.

Acima 3.5. Lápis coloridos são menos fáceis de apagar que lápis grafite. Eles também são disponíveis na forma solúvel em água, de modo que a aplicação de um pouco de água com um pincel produzirá um efeito de aquarela. Crayons são instrumentos mais rombudos e com cores vibrantes.

À direita 3.6. James Wright, Interior de Carro, 2005. O artista usou lápis coloridos neste esboço.

resina polimérica. Isto produz uma ponta que é mais resistente, densa e dura que a convencional, mas um solvente especial é necessário para corrigir quaisquer erros.

Lápis coloridos (Figs. 3.5, 3.8) são fabricados de maneira similar – da mistura de caolim branco, ceras, pigmentos e adesivos ligantes – mas não são queimados. A faixa de cores (por volta de 80 para a maioria dos fabricantes) pode incluir metálicas, quentes e frias. Alguns tipos, tais como o Verithin da Berol, são duros e finos; outros, tais como os da linha Prismacolor (chamada de Karisma no Reino Unido), são macios, planos e misturáveis com o acabamento de guache seco. Os lápis "aquarela" Caran d´Ache Prismalo, de fabricação suíça, são solúveis em água, como os lápis grafite mencionados anteriormente.

Outros lápis úteis incluem um irreproduzível azul para acabamento de marcação "invisível" e um Chinagraph engraxado que irá desenhar sobre qualquer coisa, inclusive fotos brilhantes.

Lapiseiras

A principal desvantagem do lápis tradicional em madeira é que ele, de vez em quando, precisa ser apontado. Lapiseiras apareceram pela primeira vez nos anos 1900, usando grafites produzidos originalmente pela Faber para uso em compassos. Estas tinham mordentes sob ação de molas, acionados empurrando-se um botão, que também tinha um apontador. A grafite poderia ser recolhida ao interior do corpo da lapiseira para proteção quando não estivesse em uso. Glen Tutssel disse uma vez que ele nunca fugiria de um estúdio em chamas sem a sua surrada lapiseira Faber-Castell de mais de quinze anos.

Lapiseiras com botão de empresas, como a Pentel e Pilot, estão substituindo os modelos antigos (Fig. 3.7). Elas vêm com grafites finos o suficiente para dispensar o apontador, em diferentes espessuras (0,3 – 0,9 mm), para as diferentes espessuras de linha e com aspecto razoavelmente arrojado. Elas são baratas e leves e as de corpo arredondado podem ser giradas ao redor dos dedos quando se traçam linhas muito longas e, assim, se obtém um acabamento uniforme. A tampa removível do botão de avanço da ponta geralmente contém uma borracha e fio de limpeza. As top-de-linha têm avanço automático da ponta para desenho contínuo e luvas ajustáveis de proteção da ponta.

Pastéis

Pastéis são usados para sombreamento e colorização sutis ao invés de desenho de linhas e são usados em desenhos de apresentação. Pastéis moles são feitos de pigmento em pó ligados por goma adragante ou metil-celulose e, normalmente, contêm um fungicida. Há mais de 550 tons, mas para a maioria dos propósitos de 50 a 100 irão bastar (Figs. 3.9, 3.10).

Pigmento fracamente ligado tem sido usado para colorir desenhos desde o século XV e foi revivido nó século XIX pelo impressionista Edgar Degas. O pastel macio é usado por designers para obter, de maneira mais rápida, os efeitos de mistura de cor de um aerógrafo. O meio é extremamente frágil e vulnerável, o desenho precisa ser protegido com um fixador PVA tão logo esteja terminado. Entretanto, o ato de fixar os pastéis pode deixar as cores mais escuras, um fato que deve ser lembrado em lavado e consideração desde o início.

À esquerda Uma lapiseira como a Shaker da Pilot (sacuda duas vezes e está pronta para escrever) não requer apontador e pode ser abastecida com mais grafites. Outras lapiseiras são disponíveis com grafites de diferentes espessuras e grafites plásticos podem ser usados para dar um acabamento semelhante a nanquim em desenhos de engenharia feitos em filme de poliéster.

Acima 3.8. Isao Hosoe, Luminária de mesa Heron, 1994. O artista usou lápis colorido diretamente dobre os desenhos de engenharia feitos para a Luxit SpA.

Acima 3.9. Pastéis são o meio mais sutil, feitos de pigmento puro e ligante. Os pastéis podem ser usados diretamente ou na forma de pó, obtido com um escapelo, aplicado com um algodão absorvente. As imagens podem, então, ser manipuladas e misturadas com o dedo ou um toco de papel.

Os pastéis podem ser usados diretamente ou na forma de pó, obtido com um escapelo, aplicado com uma flanela de algodão. Eles podem, então, ser manipulados e misturados com o dedo ou com um toco de um tipo próprio de papel enrolado (conhecido pelos artistas como tortillon). Uma borracha pode ser usada para dar efeitos de destaque. Pó de pastel dissolvido pode ser aplicado em traços largos, em esteira, como um marcador – com a vantagem de serem apagáveis quando secos.

Pastéis oleosos são versões mais flexíveis de crayons duros, feitos de pigmentos, ceras de hidrocarbonetos e gorduras. O calor os derrete (mãos quentes os deixam mais difíceis de controlar), aguarrás pode ser usada para dissolvê-los. Efeitos de fundo e texturas podem ser obtidos pela combinação pastéis oleosos, talvez na forma de raspas feitas com um escapelo, com lavados de aquarela ou acrílicas, usando suas propriedades resistentes à cera para criar rapidamente um desenho completamente matizado. A aquarela não vai encharcar o papel onde houver pastel oleoso, mas vai borbulhar e quebrar, produzindo texturas interessantes.

Um estojo de pastéis é um belo objeto em si mesmo e deveria durar décadas – mas os designers devem se assegurar de que a marca escolhida vende substitutos individuais para as cores mais usadas. Pastéis descobertos com seção transversal quadrada, tais como o da linha Poychromos (com 120 cores), da Faber-Castell, são mais versáteis que os tipos redondos, enrolados em papel, pois

À direita 3.10. King and Miranda Design, luminária Pepa, 1990. O artista usou pastéis e giz sobre papel tingido neste desenho impressionista para a Arteluce Flos.

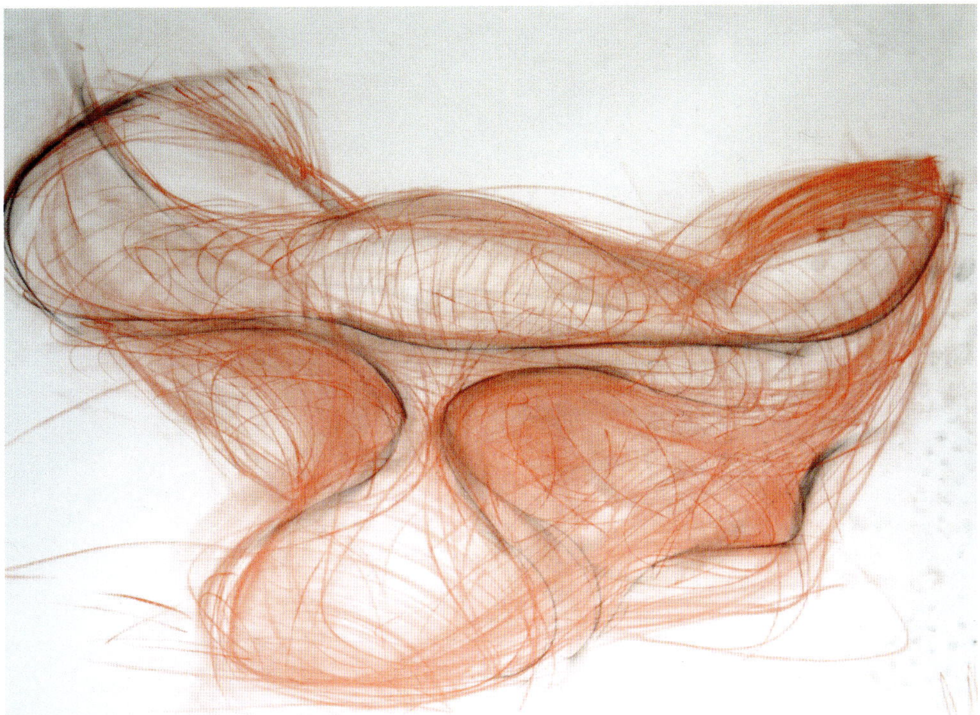

À direita 3.11. Mathias Bengtsson, Cadeira Slice, 2000. O artista usou conté vermelho para este desenho de conceito.

Acima 3.12. Carvão é o meio mais primitivo, e o mais sujo, mas pode também ser comprado encapsulado em madeira.

podem ser aplicados rapidamente usando a ponta longa e não rolam da prancheta.

Usar giz e os crayons-conté (nas cores "tradicionais" vermelho, sépia e roxo, além de preto e branco) sobre papel matizado de médio a escuro é também um meio consagrado de produzir rápida e economicamente uma imagem "plenamente matizada" de fato. O giz branco cria realces de grande luminosidade e o rico pigmento denso que caracteriza o conté pode ser feito para parecer suave e esfumaçado quando manipulado por um toco de papel. Carvão (Fig. 3.12) na forma de barras de salgueiro queimado é um meio de desenhar rápido, expressivo, preferido por artistas para esboços iniciais ou desenhos propriamente ditos, mas é considerado muito sujo pela maioria dos designers.

Canetas

Esferográficas e canetas de ponta porosa são usadas nos estágios de projeto conceitual na execução de esboços (Fig. 3.13); canetas técnicas (no jargão de desenhistas, "penas") são usadas em desenhos de engenharia, embora alguns designers prefiram usá-las em todas as etapas do processo de design. E enquanto canetas-tinteiro célebres como Lamy Safari, Parker Duofold ou Montblanc Meisterstück podem ser úteis para assinar autógrafos, contratos ou cheques, canetas hidrográficas de ponta porosa com traço fino são provavelmente mais fáceis de serem encontradas em estúdios de design, como as canetas de uso geral em esboços.

À direita 3.13. Andrea di Buduo, 2005. O designer usou uma caneta de ponta porosa nestes esboços iniciais para o carro conceito Ford Iosis.

Abaixo 3.14. Héctor Serrano, Assento brinquedo Huevo, 2003. O designer usou uma caneta esferográfica Bic para esboçar suas ideias.

A esferográfica comum – inventada pelo imigrante húngaro Laszlo Biró, em 1938, e popularizada pelo francês Marcel Bich – pode ser usada para criar contornos encaracolados em desenhos de apresentação (Fig. 3.14). Designers ousados desfrutam a excitação de não serem capazes de apagar linhas feitas com esferográfica. O designer da Pentagrama, Angus Hyland, diz: *Não é um meio fácil de usar. É grudento e você realmente não pode modular a largura de linha. Mas tem velocidade. É possível hachurar e você obtém meios-tons alterando a pressão.* Os estúdios londrinos da Pentagrama já sediaram uma exposição inteiramente dedicada a desenhos feitos com esferográfica por designers e artistas.

Para desenho à mão livre é difícil encontrar algo melhor do que as canetas de pena com uma ponta Gillott 303 ou Brause 361 – com as quais a largura da linha varia de acordo com a pressão das mãos – usando tinta nanquim à prova d'água por conta das suas qualidades como fluido. Uma caneta de pena (Fig. 3.15) não tem o seu próprio fornecimento de tinta, assim, deve ser mergulhada num frasco de tinta periodicamente. Entretanto, canetas de pena podem causar problemas para designers canhotos, que tendem a empurrar primeiro a ponta, fazendo com que esta crave no papel, o que esparrama a tinta.

Alguns designers têm confiança na caneta pincel ou com ponta de pincel (Fig. 3.16), com sua ponta flexível, feita em Nylon, semelhante a um pincel e com seu próprio reservatório de tinta e que, nas mãos de um especialista, responde bem à pressão, produzindo linhas pretas finas de largura variável.

Acima 3.15. Canetas de pena são usadas atualmente mais pelos calígrafos e ilustradores. Pontas podem ser feitas de penas de aves, bambu, ou ainda em aço. Pontas boas estão ficando cada vez mais difíceis de comprar.

À direita acima 3.16. Uma caneta pincel assim como esta da Tombow fornece a linha de um pincel – alarga consoante a pressão – com a conveniência de uma caneta de ponta porosa ou marcador. Possui duas pontas – um pincel flexível numa extremidade e uma ponta dura em nylon na outra – ambas alimentadas com tinta à base de água de um mesmo reservatório.

À direita abaixo 3.17. A Rotring Rapidograph é a típica caneta técnica. Fornece uma linha preta de espessura constante em várias larguras de linhas, mas é notoriamente difícil de limpar.

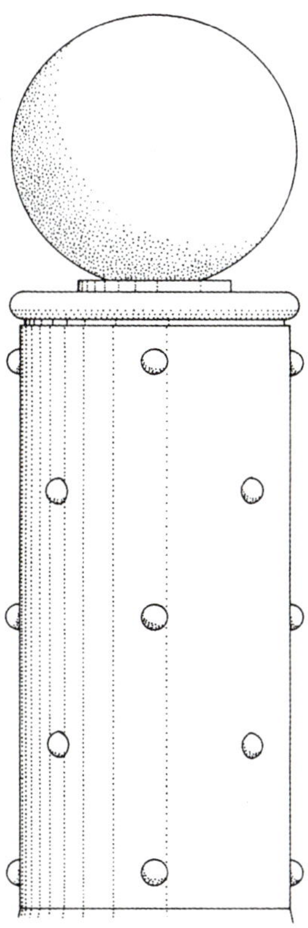

À direita 3.18. Michael Graves, Moedor de pimenta, 1993. O designer usou a técnica de pontilhado para este desenho à caneta de um moedor de pimenta para a Alessi.

Canetas técnicas para traçado de linhas de espessura constante em tinta nanquim sobre papel vegetal ou filme estão em uso desde os anos 1930, notadamente a Pelikan Graphos, com sua ponta semelhante à de uma caneta tinteiro. Antes disso, os engenheiros usavam um tira-linhas com seu formato de fórceps com abertura regulável, onde a gota de tinta era mantida em seu lugar pela tensão superficial. A Rotring Rapidograph (Fig. 3.17) foi apresentada em 1952, uma caneta com ponta tubular cilíndrica, disponível em diâmetros diferentes, para traçado de linhas com espessura constante variando de 0,13 mm a 2,0 mm. O fluxo de tinta, desde o reservatório ou cartucho descartável, é regulado por um filamento fino que passa pelo meio da ponta cilíndrica. O objetivo de todos os desenvolvimentos da caneta técnica foi melhorar os grandes problemas de borbulhamento e secagem do nanquim com o entupimento da ponta, e ainda para eliminar a irritante necessidade de parar o desenho e chacoalhar a caneta (e assim manter o filamento em movimento) a fim de manter o fluxo constante de tinta.

Todas as formas de invenções foram tentadas, de pontas úmidas e hermeticamente vedadas, limpadores ultrassônicos e umidificadores, a cartuchos capilares descartáveis – e canetas completamente descartáveis. Canetas são disponíveis com ponta de carbeto de tungstênio (maioria dos fabricantes) ou cerâmica – todas as soluções próprias para o problema de desgaste. Canetas técnicas são úteis também para pontilhado (Fig. 3.18) e hachurado à mão livre, e ainda podem ser usadas para desenhar elipses e letras a partir de gabaritos. Diferentemente de outras canetas, as com ponta tubular escalonada podem ter contato direto com o gabarito ou com a régua sem que a tinta entre em contato com a aresta, assim evitando borrar e arruinar o desenho.

Os sistemas CAD e seus anteriormente onipresentes plotters demandaram muito das canetas técnicas no que diz respeito à precisão em alta velocidade e confiabilidade. Pontas em plásticos (para desenho em filme brilhante), esferográficas pressurizadas e cartuchos com esferas rolantes foram tentados, mas depois que as impressoras a jato de tinta dominaram o mercado, a necessidade de canetas técnicas diminuiu.

Borrachas

É claro, em teoria, um bom profissional do ramo nunca precisa de uma borracha. Mas a pessoa que nunca errou, jamais fez alguma coisa – e uma borracha também pode ser uma ferramenta criativa (conforme apontado na seção anterior sobre pastéis). A borracha suja, que só servia para manchar trabalhos meticulosamente preparados, é, hoje, coisa do passado graças a versões modernas em plástico. Estas podem ser cortadas e apontadas para se obter uma aresta limpa e afiada. Borrachas maleáveis ou em pasta podem ser moldadas até certo ponto e são úteis para selecionar destaques em desenhos de apresentação.

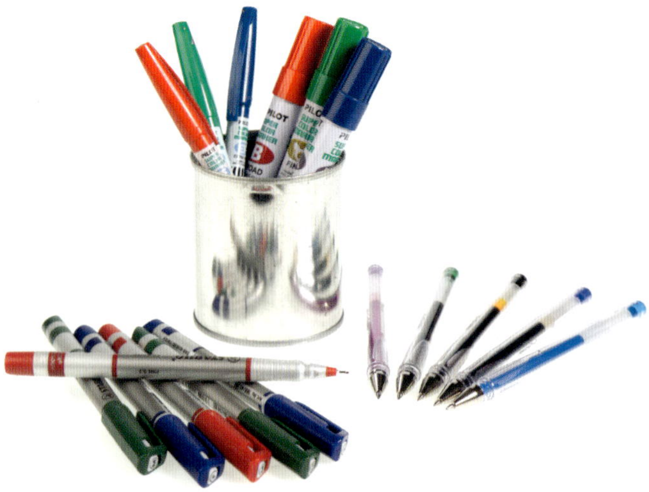

Marcadores

Um dos instrumentos de trabalho de artista de rua e o terror dos gerentes do metrô, o marcador (Fig. 3.19) substituiu o aerógrafo como meio *de rigueur* para fazer desenhos de apresentação (Fig. 3.20). A técnica especializada de colorir com marcador, que é análoga à pintura em aquarela, foi assunto de muitos livros ao longo

Acima 3.19. Marcadores eram a ferramenta de desenho mais usada antes do domínio dos computadores.

À direita 3.20. Alexander Åhnebrink, relógio Mountaineer, 2000. O designer usou um marcador Pantone preto e um destacador Stabilo Boss rosa para desenhar este esboço de conceito.

dos anos, mas agora foi superada em larga margem pelo computador (ver Capítulo 4).

Marcadores com ponta de feltro e tinta à base de álcool eram rápidos e convenientes de usar, embora o resultado frequentemente fosse efêmero – marcadores à tinta podiam ser muito fugazes e desbotavam rápido sob a influência da luz ultravioleta e solar. Eles são disponíveis em tamanhos e formatos, com pontas indo das ultrafinas e duras às largas em formato de cinzel. A linha Pantone Tria da Letraset (com três pontas numa caneta) tem 293 cores, incluindo 11 cinzas quentes e 11 frios, com um conjunto de 24 cores especificamente para designers de produtos. Fibras acrílicas e poliéster são usados hoje no lugar do feltro (de fato, o termo ponta de feltro não se aplica mais), sendo que nas pontas finas se usa o poliacetal. Tintas mais saudáveis sem xilenos também foram introduzidas – o cheiro das tintas antigas podiam viciar.

O marcador original foi o Magic Marker, inventado em 1952 por Sidney Rosenthal que pôs um chumaço de feltro de lã e uma ponta de escrever num frasco de vidro cheio de tinta. Ele batizou o seu dispositivo de Magic Marker, pois podia fazer uma marca em quase qualquer superfície. Em 1970, ele vendeu os direitos sobre a marca e ganhou milhões. Em 1989, Binney & Smith, fabricantes dos crayons Crayola, fizeram um acordo exclusivo de licenciamento para a marca e, em 2002, lançaram sua linha InkTank de marcadores permanentes, destacadores e canetas de quadro-branco.

Pintura e Tinta

Antes dos marcadores, os designers coloriam seus desenhos usando aquarela (Figs. 3.21, 3.22), o guache mais opaco (cor do corpo) (Fig. 3.23), ou, ainda, uma combinação de

Abaixo 3.21. Grag Vedena da Co-lab*, Arch de Valise (parada de ônibus mala). Caneta e aquarela em papel de cópia. Foto: Tim Thager

À direita 3.22. Shin Azumi, Poltrona Trace, 2004. O designer escolheu aquarela livre aplicada molhada sobre o molhado para este desenho evocativo e de aparência fantasmagórica feito para a empresa italiana Desalto.

Abaixo 3.23. John Fox, Ilustração da caixa do kit para montar do avião F117 Nighthawk, 2005. O ilustrador escolheu guache aplicado com pincel e aerógrafo para criar o fundo desta ilustração para a Airfix. O avião mesmo foi desenhado a lápis, depois escaneado, e a cor foi adicionada usando uma mesa Ituos da Wacon e Photoshop.

ambas. A estes meios tradicionais juntaram-se as tintas acrílicas e à base de PVA que podem ser usadas diluídas ou não e, assim, podem ter as características tanto da aquarela, quanto do guache. Elas têm adesão forte a todas as superfícies e são resistentes à água quando secas.

Guache (frequentemente chamado de guache de designer) e tintas especiais são usados por designers para dar destaque a desenhos feitos com marcador e para acabamento em detalhes e letreiros. É ainda considerado um bom conselho comprar pincéis de pelo de Marta Kolisnky da mais alta qualidade (uma boa seleção contém os tamanhos 00, 1 e 3), embora existam pincéis sintéticos muito bons; e para cuidar deles deve-se lavá-los e enxaguá-los logo após o uso (nunca devem ficar megulhados num pote com água com a ponta para o fundo) e guardá-los com a ponta para cima.

Tintas translúcidas de desenho vêm em belas garrafas, mas normalmente contêm shellac para dar resistência à água quando secas, assim os pincéis devem sempre ser limpos com solvente próprio ou com álcool misturado à metila. Algumas tintas à base de corantes (em oposição às tintas à base de pigmentos) são brilhantes e intensas quando novas, mas podem ser fugazes e desbotar rapidamente, especialmente sob a luz do sol. Certifique-se de comprar tintas resistentes à luz se elas estiverem disponíveis.

Aerógrafo

O aerógrafo (*airbrush*), antes o instrumento principal para ilustração técnica fotorrealista, está obsoleto, substituído por software de computação gráfica como o Adobe Photoshop ou o Corel Painter. Compressores de ar estão esquecidos em cantos de escritórios de design por todo o mundo. Então, por que dedicar uma seção ao aerógrafo? Assim como no caso da impressão por composição tipográfica (letterpress), que já foi considerada extinta, há ainda por aí entusiastas que gostam de fazer as coisas à mão e o aerógrafo pode experimentar um ressurgimento.

Há prova de que há 3500 anos, os Aurignacianos – o grupo de humanos mais antigo da Europa – usavam pintura com ar, soprando pigmentos através de ossos ocos de perna de alce e usando as mãos como gabaritos para decorar suas cavernas. O aerógrafo, como os usados por designers e ilustradores antes do computador, foi inventado em 1879 por Abner Peeler, embora o primeiro dispositivo prático tenha sido apresentado, em 1893, por Charles Burdick como um modo rápido e eficiente de aplicar tinta numa superfície. Inicialmente, foi adotado principalmente por quem retocava fotografias e teve como defensor Hebert Bayer, na Bauhaus (onde, por exemplo, foi usado para produzir as formas geométricas na famosa ilustração de capa de 1928 da própria revista), que foi atraído pela sua moderna combinação de arte e tecnologia.

O aerógrafo foi, e ainda é, usado principalmente em ilustração técnica por causa de sua capacidade de fazer gradações suaves de tom que modelam sutilmente objetos 3D e dão um acabamento muito mais suave que o pincel comum. Seu acabamento mecânico, "intocado pela mão humana", é também ideal dada a natureza tecnológica dos objetos mostrados (Fig. 3.24).

Como técnica, é trabalhosa ao extremo. As áreas que não serão pintadas precisam ser mascaradas e o instrumento deve ser limpo totalmente cada vez que se muda de cor. É extremamente necessário pensar muito, e

À direita 3.24. John Frohm, Carro de corrida Lola, 1998. Este ilustrador técnico usou a técnica tradicional do aerógrafo nesta imagem fantasma (imagem dupla). Ele fez a pintura em diferentes camadas de acetato de modo que não precisou repintar o carro básico a cada vez.

Acima 3.25. Esta imagem em close de Jan Frohm em ação mostra-o pintando com um aerógrafo e usando a aresta de uma curva francesa para mascarar uma área que ele não quer que seja pintada. Ele cobrirá outras áreas usando filme Frisk.

metodicamente, antes de cortar todos os gabaritos e máscaras. (Fig. 3.25). Muitos designers podem usar um aerógrafo uma vez ou outra – se não para a ilustração completa, para colocar reflexos ou brilho extra num desenho feito com marcador da carroceria de um carro, por exemplo, ou ainda para borrifar tinta num objeto para fazer com que ele aparente ser mais "sólido".

O princípio básico por trás da operação de um aerógrafo é que, quando uma corrente de gás, por exemplo, ar comprimido, é forçada através de um orifício estreito, sua pressão cai. Se um tubo proveniente de um reservatório com líquido – tinta, nanquim ou corante – é posicionado onde o gás passa em máxima velocidade, a queda na pressão causará uma sucção e o líquido será puxado para a corrente de ar e atomizado em um jato fino e uniforme.

Os aerógrafos mais baratos usados pelos modelistas funcionam por atomização externa, com o gás soprado através da admissão de líquido, bem na ponta do aerógrafo. Isto resulta numa mistura incompleta e jato imperfeito. Aerógrafos para ilustração usam atomização interna para misturar líquido e gás sob condições mais controladas. A quantidade de tinta ou corante que se mistura ao gás é controlada pela posição de uma agulha que se estreita gradualmente e que se ajusta perfeitamente ao bocal de onde sai o borrifo.

Existem três tipos básicos de aerógrafo: o de ação simples, o de duplação fixa e o de duplação independente. O de ação simples tem um botão de controle que é pressionado para liberar o fluxo do gás. A razão entre tinta e gás não pode ser controlada, nem o jato pode gerar um padrão. Tudo o que o designer pode fazer é aproximar ou afastar o aerógrafo do papel. Um aerógrafo de duplação fixa tem uma alavanca que controla os fluxos de gás e tinta, mas não a proporção entre eles. A parte inicial do curso abre a válvula de gás, o restante retrai a agulha permitindo que a tinta escoe para a corrente de gás. Assim, um designer pode começar a borrifar gradualmente e terminar reduzindo a vazão de tinta a zero.

Um aerógrafo de duplação independente é o que dá mais controle ao designer. A alavanca é pressionada para que o gás passe; puxada para trás para variar a quantidade de tinta. Assim, o designer é capaz de aplicar apenas ar a velocidade máxima e, então, adicionar a tinta em pequenas quantidades controláveis, para obter efeitos delicados. Este tipo de aerógrafo é mais fácil de conservar limpo, e pode-se usar, de tempos em tempos, um sopro de ar para desobstruir o bocal.

O tipo de alimentação de tinta varia de modelo para modelo. Para dar cobertura a áreas grandes, é usado um sistema de sucção ligado a um frasco que está abaixo do aerógrafo. A maioria dos designers usa um sistema de alimentação de tinta por gravidade – a partir de um reservatório, fraco ou recesso, acima do aerógrafo. O recesso contém uma quantidade menor de tinta, mas deixa o equipamento mais leve e manobrável. Tintas próprias e aquarelas para aerógrafo vêm em frascos com dispensadores para colocação da tinta nos reservatórios. O fornecimento de gás vem de latas de gás butano, ou freon, ou cilindros de gás carbônico (semelhantes aos usados em chopeiras), ou de compressores de ar acionados por motor elétrico.

A técnica de aerografia gira em torno da aplicação da tinta e da disposição dos gabaritos e máscaras para proteger as áreas do desenho que o designer não quer pintar. Máscaras soltas, cortadas no formato desejado, feitas em papel ou filme de acetato transparente, são fixadas com peso para dar um acabamento levemente difuso aos contornos. É mais comum o uso de filme e fita com cola para fazer as máscaras. Filme com adesivos fracos, tais como o filme Frisk, é cortado sobre o desenho usando um bisturi. Dois conjuntos de máscaras são feitos, um sendo o negativo do outro e, assim, garante-se um ajuste perfeito entre eles.

Para áreas maiores, é mais econômico mascarar a maior parte da área com papel, deixando o filme apenas para as partes mais delicadas. Máscaras feitas com fitas são usadas para contornos retos ou com curvatura suave. Uma alternativa barata e descartável para efeitos de salpicado é usar uma escova de dentes velha, mergulhada em tinta e batida com uma régua no enconsto das cerdas para dispersar a tinta. A Letraset vende um acessório para o

À direita 3.26. O marcador a ar Letrajet liga-se a uma caneta marcador padrão. O gatilho controla o fluxo de ar sobre a ponta, forçando a tinta para fora desta em direção ao papel, resultando num efeito de aerógrafo.

Acima 3.27. Alvar Aalto na sua prancheta nos anos 1940. Note os instrumentos de desenho que ele tem à sua volta, incluindo o esquadro e uma curva francesa. Foto de Eino Mäkinen. Cortesia Iittala Group, Finlândia.

marcador, o LetraJet (Fig. 3.26), que consegue o efeito do aerógrafo soprando ar através da ponta do marcador. Um difusor de jato é um sistema simples composto de dois tubos estreitos, articulados e em ângulo de 90 graus, contendo uma pequena folga entre eles. Uma extremidade é colocada no recipiente de tinta e, se a outra ponta for soprada, a rajada de ar lançará tinta sobre o outro tubo, formando um jato de gotículas que cairão no papel, com um efeito de salpicado.

Aerógrafos computadorizados (ver Capítulo 4), primeiramente encontrados no Paintbox, um sistema de "pintura" 2D da Quantel, não têm problemas para casar cores em retoques e podem fazer coisas que se pensariam impossíveis de serem feitas mecanicamente – tal como fazer máscara e gabaritos de contornos flexíveis, por exemplo.

Instrumentos de Desenho

Enquanto esboços de conceito são feitos à mão livre, para fazer desenhos mais precisos, mais tarde no processo de projeto, o designers vão precisar da ajuda dos instrumentos de desenho. Os mais familiares seriam o conjunto de desenho geométrico com compassos, transferidores, réguas e esquadros (Fig. 3.27). No passado, dispositivos fascinantes foram criados para desenhar elipses e curvas variáveis, para ampliar ou reduzir, além de todo tipo de auxílio à execução de perspectivas – todos hoje são itens de colecionador, atingindo valores elevados em leilões.

Desiners ainda usam conjutos de gabaritos para elipses e curvas francesas, ou curvas flexíveis, para formas mais complexas. Entretanto, curvas geradas por computador são mais precisas e controláveis.

Pranchetas de desenho possuem conjuntos de réguas paralelas ou um dispositivo chamado tecnigrafo, uma mistura de transferidor com jogo de esquadros para desenho de ângulos, inclusive com travas nos ângulos mais usados de 15, 30, 60 e 90 graus.

Papéis e Quadros

Papel é um produto orgânico natural, composto por fibras vegetais unidas por suas próprias forças moleculares (Figs. 3.28, 3.29). A textura da superfície e absorção do papel são uma função da quantidade de carga (geralmente argila) adicionada e do grau de pressão nos rolos das máquinas de papel. Papel fino ou papel cartucho pode ser usado em esboços de conceito. Papel prensado a quente é o mais macio e melhor para trabalhos de apresentação; papel prensado a frio é mais adequado para pintura em aquarela. Para desenhos de engenharia, usa-se papel vegetal, um papel macio e transparente, geralmente brilhante de um

Acima 3.28. King & Miranda Design, Luminária Symbol, 1997. Os designers escolheram este papel tingido em meio-tom para usar eficientemente giz branco e pastéis amarelos, como nesta série de representações ortogonais da luminária Symbol para a Marlin Lightning.

À esquerda 3.29. El último Grito (Roberto Feo e Rosario Hurtado), Desenho de inspiração Micos, 2005. Este esboço num envelope, incorporando colagem e linhas feitas no Photoshop, foi desenhado usando um mouse.

lado e fosco do outro, para receber a tinta. É difícil de rasgar e é tão resistente que erros e linhas à tinta podem ser raspados com uma lâmina.

O papel que receberá guache ou aquarela deve ser esticado primeiramente por imersão em água e fixando-o com fita gomada a uma superfície levemente absorvente, tal como uma madeira não envernizada. Para evitar ter de esticar o papel, folhas de papel para aquarela podem ser compradas em blocos, com muitas folhas coladas ao redor dos quatro lados para evitar enrugamento quando molhadas. Para trabalho com marcador, suportes resistentes a manchas devem ser usados para evitar que a tinta manche o outro lado do papel.

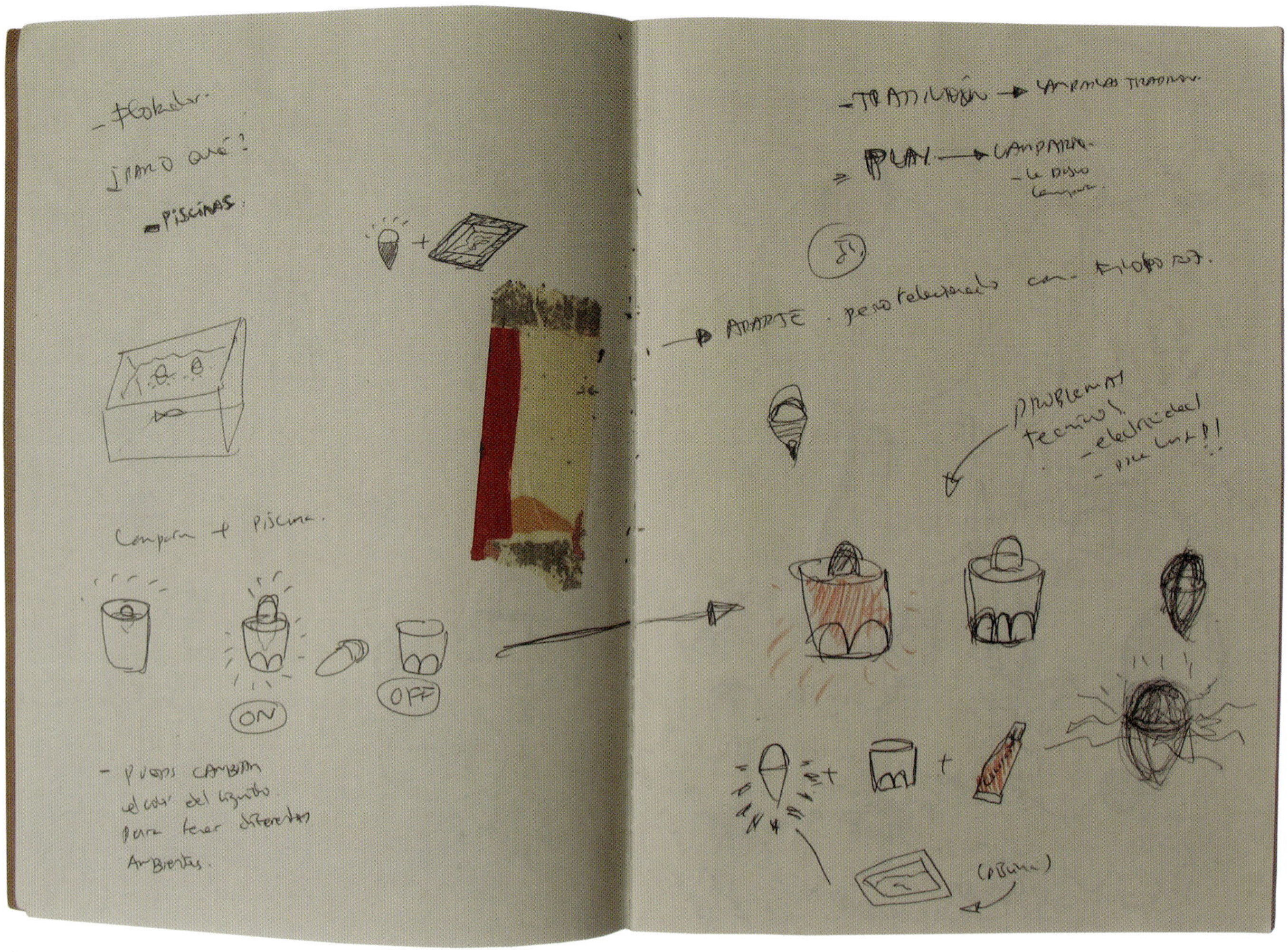

Acima 3.30. Héctor Serrano, Luminária à prova d'água para piscina, 2003. O designer usou um caderno de esboços para rapidamente rabiscar ideias espontâneas para o seu projeto.

A maioria dos designers acha mais fácil usar papel pronto com fundo em cartão, pois não enruga. Quadros tradicionais, como os quadros Bristol, foram superados pelos quadros mais leves à base de poliestireno, como, por exemplo, o fome-cor, que é disponível em várias espessuras.

O peso do papel (gramatura) é medido em g/m^2 ou gsm (gramas por metro quadrado), na Europa, e em libras por resma (500 folhas de um tamanho específico), nos EUA. Papel sulfite tem gramatura entre 50-70 g/m^2; papel cartucho para esboço vai de 96 a 150 g/m^2; papel para aquarela, de 285 a 535 g/m^2. Em todos os lugares, menos nos EUA, os tamanhos de papel foram padronizados de acordo com os padrões DIN A0, A1, A2 e assim por diante, cada um tendo metade da área do precedente. Os lados de todas as folhas estão na proporção $1:\sqrt{2}$. A0 tem nominalmente 1 metro quadrado de área e consiste na base da série. Designers encontrão principalmente o A4 (210 mm x 297 mm) para esboços e os maiores, A1 (594 mm x 841 mm) e A0 (841 mm x 1189 mm), para desenhos de produção. Os tamanos de papel nos EUA são medidos em polegadas e o equivalente americano ao A4 é o US Letter (carta) (8½ x 11 pol.).

Na fase de projeto conceitual, os designers podem usar uma grande quantidade de papel sulfite. Este vem em resmas no tamanho A4 e sua translucidez ajuda no desenvolvimento de sucessivos desenhos a partir dos embrionários, copiando ou desenhando sobre os desenhos anteriores. Esta qualidade do papel também permite que desenhos de base sejam usados quando se constroem perspectivas.

Papel colorido, cartolina, ingres (papel impregnado com fibras de cores contrastantes) podem ser usados com pastéis para desenhos com qualidade de apresentação. Apenas os papéis mais caros são pigmentados no estado de polpa com pigmentos fugazes; a maioria é colorida com corantes que desbotam cedo ou tarde.

Muitos designers têm um caderno de esboços (Fig. 3.30) – um hábito encorajado pelas escolas de arte – usado especialmente quando estão longe do computador, num café. Vai desde o Moskine em tamanho de bolso (90 mm x 140 mm, 3½ x 5½ pol), ideal para um livro de ideias, a cadernos maiores de papel-cartão, encadernados, em espiral ou costurados com mais espaço para tentar todos os diferentes designs.

Outros Equipamentos

A prancheta virou sinônimo da natureza interativa do processo de design, quando um designer exasperado suspira resignado: *De volta à prancheta*. A mesa retangular simples com uma régua T existe desde 1700, embora o precursor do modelo atual tenha sido apresentado, em meados do século XIX, pelo engenheiro Marc Isambard Brunel, o pai de outro engenheiro mais famoso, Isambard Kingdom Brunel.

Mesmo em estúdios com CAD, pranchetas de desenho ainda podem ser vistas – elas são bons lugares para sentar, pensar e esboçar e ideais como base para espalhar montes de pilhas de papel.

Um bisturi cirúrgico ou um canivete para uso mais pesado são úteis para cortar máscaras, papel e cartão. E, para grudar as coisas de volta ou colocar o papel sobre uma mesa, solução de borracha pode ser espalhada numa fina camada com uma espátula ou aplicador. Cola extra pode ser removida para limpeza quando seca usando uma "borracha" caseira feita de cola seca. Alguns designers preferem cola em bastão ou adesivo aerosol, para fixação sem rugas. Ventilação adequada é essencial antes de usar cola em spray. O hobby de se manter livros de recortes criou os "pontos de cola" liberados de rolos, prontos para serem aplicados em superfícies que precisam ser unidas.

Outros acessórios incluem apontadores de lápis, fita para mascarar e fita adesiva com papel vegetal para remendar, um pincel grande para remover detritos do trabalho em execução, talco para desengraxar e "lubrificar" superfícies, uma base para corte com superfície "autoconsertante" e carga de isqueiro para evitar que a base fique grudenta, mais rolos e rolos de papel toalha para limpar acidentes e geralmente manter as coisas limpas e arrumadas.

Conclusão

As ferramentas manuais, acima listadas, que os designers usam para fazer os desenhos podem parecer óbvias e auto-evidentes – afinal todos sabem o que é um lápis. Mas qualquer um que seja fascinado pela linha de produtos disponíveis em uma papelaria ou loja de material de artes gráficas pode querer saber para o que tudo aquilo serve. É apenas pela experimentação de distintas canetas, lápis e tipos de papel que os designers descobrirão quais ferramentas eles se sentem confortáveis em usar e que mais ajudarão na passagem do pensamento puro para a ação manual na execução de desenhos compreensíveis por outros membros da equipe de projeto.

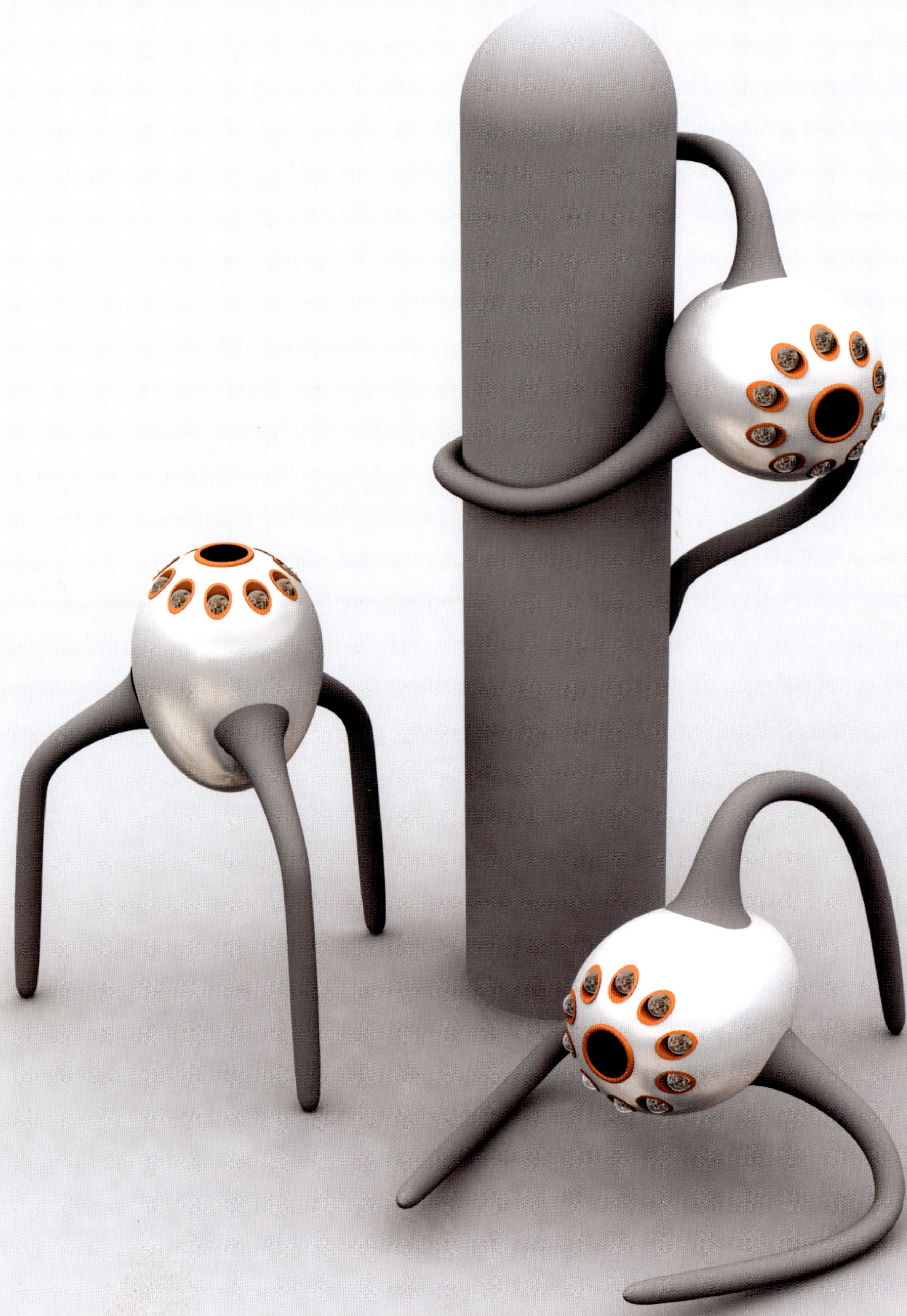

Nós hoje usamos computadores do mesmo modo que usamos um lápis. Nós só estamos rabiscando e olhando para estes rabiscos. A maioria do conteúdo é apenas conteúdo de papel, mesmo com as janelas bonitinhas e outros tipos de adereços. Não só isto, é conteúdo semiletrado, no qual não se espera que os usuários sejam capazes de fazer qualquer criação de ferramentas para eles mesmos. É como ensinar um monte de gente a ler só um pouco e depois dar para eles revistas em quadrinhos.

Alan Kay *Personal Computer World December* 1987

4 Design auxiliado por computador

Página oposta Thomas Gardner, Vídeo-monitor de bebês, 2005. Esta apresentação fotorrealista foi criada no 3D Studio Max. Neste sistema uma câmera sem fio transmite para um monitor portátil, permitindo que os pais supervisionem suas crianças de outro ambiente.

Hoje, os sistemas de computador são apenas mais uma ferramenta, como aquelas descritas no capítulo anterior, mas que merecem um capítulo à parte por sua importância e por serem pouco entendidas. Sistemas de computador têm dois componentes igualmente importantes: hardware e software. Este capítulo irá tratar mais da parte do equipamento que você pode ver e sentir – o hardware. O software, aquela parte do sistema que complementa a capacidade mental e a experiência do designer e faz o hardware funcionar, será abordado nos próximos capítulos que tratam das várias etapas do processo que vão do design à produção.

Há, talvez, bastante de jargão pouco familiar usado na especificação de um sistema de computador. Que diabos é uma CPU de 2.7 GHz com 1 Gbyte de RAM, 512 Mbytes de Frame buffer e monitor LCD 1680 x 1050 32 bits? Este capítulo busca dar sentido a estes números e siglas. E como exatamente um computador pode ajudar você a desenhar? Bem, hoje, realmente não ajudará muito com esboços, mas há um botão *undo* (desfazer) e você não precisará mais ter que comprar tinta (exceto para a impressora) novamente. Quanto a desenho de precisão, o computador não pode ser superado – linhas retas sempre serão matematicamente retas e ângulos retos estarão perfeitamente em esquadro. Assim como num editor de textos – que superou a máquina de escrever – sempre é possível fazer uma cópia perfeita, não importam quantas vezes o desenho seja revisado, as impressões serão sempre perfeitas.

O domínio dos sistemas CAD (Computer-aided design) iniciou com atividades tais como o desenho 2D; de fato, CAD inicialmente significava "desenho auxiliado por computador". Nos primórdios, o custo de um sistema CAD estava muito além das possibilidades de um designer e somente grandes corporações nas indústrias automotivas e aeroespaciais podiam adquiri-lo. Desde então, hardware e software tornaram-se mais baratos e mais capazes, e os sistemas CAD passaram a ser usados em todos os estágios do design, embora presentemente não tanto no estágio conceitual em que o lápis ainda reina. Além dos sistemas "puros" de CAD, há também os sistemas de ilustração e "pintura" 2D, tais como o Adobe Photoshop, desenvolvido originalmente para retocar fotografias; e programas vetoriais, como o Adobe Illustrator para ilustração técnica; além de modeladores de sólidos e superfícies 3D, talvez mais familiares em aplicações de computação gráfica para filmes de animação, por exemplo. Todos estes têm lugar na caixa de ferramentas do designer, sejam usados independentemente, sejam integrados.

Não muito tempo atrás, um estúdio de design teria fileiras de pranchetas. Hoje, a paisagem mudou completamente, com quase tudo o que o designer precisa contido em um gabinete de computador. O computador traz para a mesa do designer controle e flexibilidade. Não fará o design para você, é claro. Um computador é meramente um ferramenta incansável, que deve ser posta a trabalhar sempre que necessário, com o lápis e o bloco de layouts.

Nos últimos anos, a maioria dos equipamentos descritos neste capítulo tornou-se comum, você mesmo pode ter em sua casa muitos dos equipamentos aqui descritos. Algumas tecnologias já se tornaram obsoletas. Entretanto, é importante saber como funcionam, do que são capazes, quais as limitações e que compromissos, no seu modo de trabalhar, você terá de fazer.

Simplesmente possuir um computador não faz de você um designer melhor. Mas um bom designer, com um computador, pode fazer coisas incríveis. A principal vantagem é ter controle total sobre o seu design, do conceito inicial ao produto acabado. Entretanto, há uma desvantagem nisto, você será responsabilizado por todas as decisões de projeto – e por suas consequências até a manufatura.

Sistemas CAD iniciais vinham na forma de sistemas *turnkey* – pacotes integrados de hardware, software e suporte, todos de um fornecedor. Você virava a chave teórica e seguia em frente. Os fornecedores compravam de terceiros, reempacotavam ou faziam uma "engenharia de logotipo", talvez adicionassem algumas placas aceleradoras próprias, além do software, antes de entregar ao usuário final um produto completamente testado.

Desde o final de 1960, havia sistemas turnkey para "pintura" 2D, tais como o Paintbox da Quantel, e sistemas CAD de fornecedores como a Computervision, Intergraph, Applicon e Calma – todos muito caros e baseados em minicomputadores. Mas tudo mudou com o surgimento do IBM PC, em 1981, e o lançamento do software AutoCAD, um ano mais tarde. O CAD tornou-se acessível para os escritórios menores ou para um designer individual. E hoje, todos os tipos de software são capazes de rodar num computador comum.

O Processador do Computador

A palavra sistema é muito usada em conversa sobre computadores. É um termo geral e, comumente, significa "tudo" – software e hardware integrados. O software que cuida do funcionamento do computador é chamado sistema operacional. E um item de software pode ser referido como um programa, um pacote ou, novamente, um sistema.

A maioria das pessoas reconhece um computador pelo nome que ele tem na frente: seja ele um IBM PC (ou mais provavelmente um clone compatível com o PC) ou um Apple Macintosh. Estes são todos computadores pessoais – um sistema único que é poderoso o suficiente para fazer o trabalho que você tem em mente.

O próximo nível é um computador chamado *workstation* (estação de trabalho), de um fornecedor como

À direita 4.1. Um computador PC, tal como este Hewlett-Packard HP xw4300 Workstation, é normalmente construído ao redor de um microprocessador Intel Pentium 4 e do sistema operacional Microsoft Windows XP.

Abaixo 4.2. Um Apple Mac G5 com tela de 23 polegadas. Macs costumavam ser baseados em chips Motorola ou IBM, mas agora se optou por chips Intel. Entretanto, o sistema operacional permanece o seu próprio, designado por um número, por exemplo, OS 10.5.

a SUN ou Silicon Graphics. Estes são muito mais poderosos que computadores pessoais, mas ocupam muito mais espaço e são mais caros. À medida que os PCs tornaram-se mais poderosos, a distinção entre PC e *workstation* começou a desaparecer.

Embora a sigla PC signifique computador pessoal (*personal computer*), ela se refere a uma classe específica de computador pessoal, nomeadamente o IBM PC original e computadores compatíveis de fornecedores como a Hewlett-Packard (Fig. 4.1). A maioria dos computadores compatíveis com o IBM PC usa sistema operacional Microsoft Windows e contém processadores Intel ou AMD.

O Apple Macintosh é um computador pessoal, mas não um PC (Fig. 4.2). Programas feitos para PC não vão funcionar num Macintosh, e vice-versa, embora versões de programas, como o Photoshop, sejam disponíveis para os dois tipos de computador e vão operar de modos semelhantes, podem ser capazes de compartilhar arquivos.

É possível emular software de PC em um Mac e, geralmente, um Mac pode ler arquivos do PC, mas não o contrário. A Apple começou a usar chips Intel recentemente, em vez dos chips Motorola ou IBM que usava até então, assim as diferenças podem ficar menos óbvias.

O Software

Como dito acima, aplicações específicas de software serão discutidas posteriormente nos capítulos sobre as várias etapas do processo de design. Entretanto, há muitos níveis de software no computador dos quais muitos são invisíveis aos usuários. No nível mais baixo, você precisa de um programa interno da máquina que carrega todos os outros programas.

No nível seguinte está o sistema operacional. Este cuida do funcionamento do computador, particularmente da operação do disco rígido. É sempre específico do tipo de computador: PCs usam Microsoft Windows ou Linux, um sistema operacional de domínio público. O sistema operacional do Macintosh é denominado apenas por um número, por exemplo OS X (ten). Workstations, em sua maioria, usam versões do UNIX da AT&T. Os sistemas operacionais geralmente vêm com o computador quando você o compra e atualizações podem ser adquiridas em CDs ou DVDs e instaladas no disco rígido. Você confirma que o sistema operacional está funcionando quando você liga o computador. Ele verifica se tudo está em condições de funcionar e, então, aguarda suas instruções.

Software é escrito numa linguagem de programação. Computadores "pensam" em código binário (usando os números na base 2, nomeadamente 0 ou 1, ligado e desligado), mais isto é muito complicado para as pessoas lidarem. Felizmente, o designer médio não terá de aprender programação, mas linguagens de alto nível são disponíveis, de modo que os usuários podem customizar (adaptar) os aplicativos para os seus modos preferidos de trabalhar.

Os sistemas operacionais de hoje possuem uma interface gráfica "intuitiva" que simplifica as comunicações entre homem e computador.

A Unidade Central de Processamento

No coração do computador está a CPU (Unidade Central de Processamento), compreendendo um microprocessador num chip de silício e um conjunto de outros chips (chipset). A velocidade em termos de computador é medida pela frequência do relógio interno (clock) em MHz (Megahertz ou milhões de ciclos por segundo) ou GHz (Gigahertz ou bilhões de ciclos por segundo). Por exemplo, um Apple G5 funciona a 2,5 GHz.

A cada ciclo do relógio, a CPU processa uma instrução ou parte de uma. Contudo, estas não são as instruções que você tecla no computador. O computador divide suas

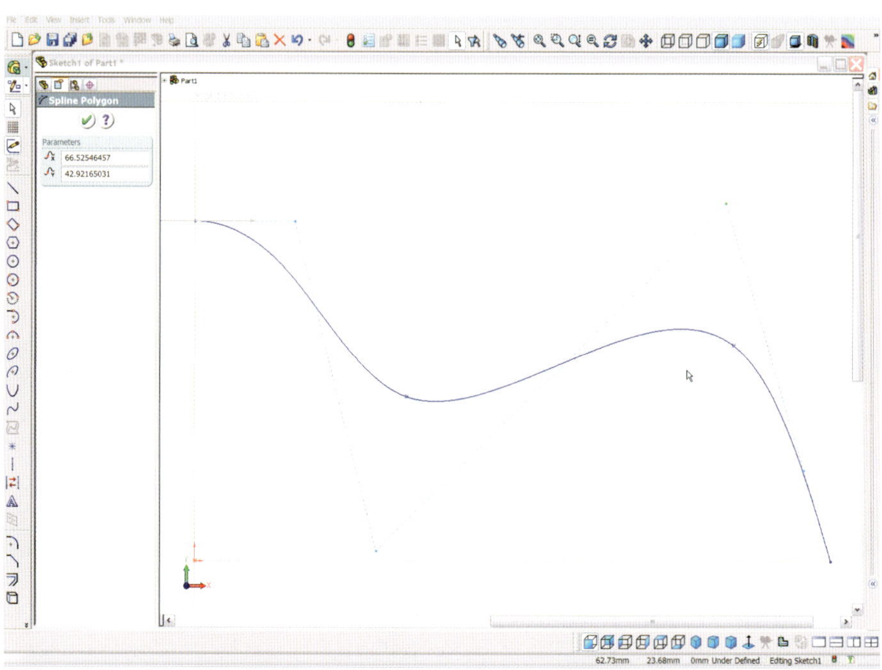

À direita 4.3. Uma captura de tela do SolidWorks obtida da tela de um PC com resolução de 1600 x 1200 Pixels, mostrando uma curva livre spline e seu polígono associado. Antes só era possível desenhar curvas controláveis usando cordas de piano ou tiras dobráveis de compensado.

complicadas instruções em bilhões de instruções simples que ele executa muito rapidamente.

Computadores para aplicações gráficas têm requisitos especiais. Imagens tomam uma quantidade enorme de memória se comparadas com texto e, para manipulá-las, as CPUs, nestes sistemas, precisam de alguma ajuda. Assim, elas são incrementadas com vários subsistemas, ou placas, para controlar os gráficos coloridos na tela e que aumentam a velocidade (Fig. 4.3).

Entretanto, tudo isto é velocidade pura e, como a indicação de velocidade máxima num velocímetro de carro, é uma quantidade abstrata. Alguns computadores podem redesenhar a tela após uma complexa manipulação mais rapidamente que outros. Mas, o quão rapidamente um designer realmente completa um trabalho dado depende, no fim das contas, ao mesmo tempo da eficácia do software e da proficiência do operador.

Memórias: ROM e RAM

Os dados são armazenados no disco rígido do computador. Os computadores também têm dois tipos de memórias em chip. Primeiramente, chips de ROM (*read-only memory* – memória apenas de leitura) têm instruções fabricadas neles – algumas são do sistema operacional do computador e não podem ser alteradas. Estas instruções permanecem no chip mesmo quando o computador é desligado.

A memória local, contendo a tarefa a ser feita imediatamente, está sob a forma de chips de RAM (*random acess memory* – memória de acesso aleatório) que são limpos toda vez que a energia for desligada. A quantidade de RAM que um computador tem disponível é medida em bytes, cada um igual a oito bits (bit é a abreviatura de digito binário). Um kbyte, ou kilobyte, não é igual a mil bytes como você poderia esperar, mas 1024 bytes, que são iguais a 2^{10} (2 à décima potência, ou 2 x 2 x 2 x 2 x 2 x 2 x 2 x 2 x 2 x 2). Um megabyte, escreve-se 1 Mbyte, é mais que um milhão de bytes. Um gigabyte, escreve-se 1 Gbyte, é mais que 1000 Mbytes.

Há uma razão para o estranho número 1024. Computadores contam em números binários, os e 1s. Assim, para um computador, "números redondos" são sempre potências de 2 (tais como 4, 8, 16, 32, 64, 128, 256, 512 e 1024), e é por isso que você sempre verá estes números em particular associados a computadores. Dados salvos são armazenados num disco rígido. É sempre aconselhável copiar dados importantes para CDs, DVDs ou para um disco rígido externo, caso seu computador falhe.

Comumente, computadores também têm "memória cache". Esta é uma parte da RAM que contém os dados do disco rígido usados mais recentemente e prontos para ação futura, causando assim, uma impressão de maior velocidade de acesso ao usuário.

Frame Buffers

Um *frame buffer* é uma memória de curta duração entre o processador e a tela.

O *frame buffer*, ou VRAM (memória de vídeo), contém uma imagem na forma de um bitmap de pixels (elementos de imagem). Consiste em várias camadas ou planos, com um bit (um 1 ou um 0) armazenado para cada pixel em cada plano. O número de planos e, assim, o número de bits alocados a cada pixel, determina quantas cores ou tons de cinza um pixel mostrado pode ser.

Uma tela monocor, sem tons de cinza, tem um bit por pixel. Um sistema com oito planos pode lidar com 2^8 (256) cores diferentes ou tons de cinza. Um sistema de 32 bits tem 24 bits alocados para cor e o restante para outras coisas – num Mac, por exemplo, os oito bits restantes, chamados de "canal alfa", são usados para efeitos de animação.

Monitores

Um monitor de computador é uma janela do sistema (Fig. 4.4). O CAD já foi, inacreditavelmente, feito sem um monitor – a saída dos primeiros sistemas era diretamente sobre um plotter – mas hoje um monitor é essencial. Os primeiros monitores de computador surgiram nos anos 1950 e eram chamados de monitores caligráficos ou vector refresh porque o feixe de elétrons desenhava a imagem diretamente no fósforo segundo vetores, linhas e arcos aleatórios, como num "risque e rabisque". Embora as imagens fossem soberbamente nítidas, este monitores eram caros e tinham tendência a piscar à medida que o desenho tornava-se progressivamente mais complexo.

Monitores tornaram-se razoavelmente acessíveis quando a Tektronics inventou o tubo de armazenagem *direct-view* no final de 1960. Este tipo de tela não necessitava de renovação contínua – um canhão de elétrons desenhava a imagem na tela de maneira semelhante a um monitor de renovação vetorial e um canhão de baixa tensão a mantinha até que o desenho alterado estivesse tão carregado que precisasse ser renovado. Tektronics precisava de um fosforescente que fosse brilhante, tivesse persistência alta e que pudesse manter uma carga armazenada. O único que atendia aos requisitos calhou de ser verde. A popularidade do monitor 4014 de tela verde durante a totalidade dos anos 1970 deu um novo significado à cor – verde tornou-se a cor associada à alta tecnologia.

O tubo de armazenagem é hoje peça de museu, como logo também serão os tubos de raios catódicos (CRT).

Acima 4.4. Um monitor plano LCD LaCie tem uma resolução de 1600 x 1200 pixels e ângulos de visão horizontal e vertical de 170°. Monitores com tubos de raios catódicos (CRT) são pesados e piscam e são quase uma coisa do passado.

Monitores de computador baseados nestes tubos estão sendo substituídos por monitores de tela plana de cristal líquido (LCD). Os monitores CRT precisam de muito espaço entre a tela e o dispositivo de projeção do feixe, no fundo do tubo, por conta disto eles são muito grandes e pesados. A tecnologia LCD torna possível ter monitores muito mais finos, conhecidos comumente como monitores de tela plana. LCDs funcionam bloqueando a luz ao invés de emiti-la, enquanto diodos emissores de luz (LEDs) e plasma funcionam iluminando posições na tela com base nas tensões em diferentes intersecções numa malha. LCDs não piscam e consomem menos energia do que os CRTs e são, atualmente, a tecnologia primária para laptops. Eles têm uma imagem mais nítida e produzem menos calor e radiação.

O que faz um CRT funcionar são substâncias chamadas fosforescentes: materiais eletricamente ativos que emitem luz quando bombardeados por elétrons. Monitores de computador e TV são chamados em inglês de *raster displays*, da palavra latina *rastrum*, ou rastro. O canhão de elétrons no fundo do CRT varre toda a tela segundo linhas horizontais, de cima até embaixo, geralmente a 60 vezes por segundo (60Hz).

Cada linha é dividia em pedaços chamados de pixels (elementos de imagem). Cada pixel na tela é descrito por um ou mais bits num frame buffer. A resolução de um monitor deste tipo é medida pelo número de pixels na horizontal e pelo número de linhas na vertical, por exemplo, 1280 x 1024.

Os LCDs ditos de matriz ativa dependem de um filme fino de transistores (TFT). Basicamente, TFTs são pequenos transistores de chaveamento e capacitores. Eles são dispostos numa matriz sobre um substrato de vidro. Materiais em cristal líquido não emitem luz própria e a maioria dos monitores de computador é iluminada com lâmpadas fluorescentes embutidas acima e ao lado, às vezes atrás do LCD. Um painel de difusão branco atrás do LCD redireciona e espalha a luz igualmente para garantir uma imagem uniforme.

Para acessar um pixel em particular, a linha apropriada é acionada e, então, uma carga é enviada pela coluna correta. Uma vez que todas as outras linhas que aquela coluna intercepta estão desligadas, apenas o capacitor no pixel designado recebe carga. O capacitor é capaz de manter esta carga até o próximo ciclo. E se a quantidade de tensão fornecida a um cristal for cuidadosamente controlada, nós podemos endireitá-lo o suficiente para permitir que alguma luz passe. Ao fazer isto em incrementos muito pequenos e muito precisos, LCDs podem criar 256 níveis de brilho por pixel.

Um monitor LCD colorido tem três subpixels com filtros nas cores vermelha, verde e azul para criar cada pixel de cor. Pelo controle e variação da tensão aplicada, a intensidade de cada subpixel pode atingir mais de 256 tons.

A combinação dos subpixels produz uma paleta possível com mais de 16.8 milhões de cores (256 tons de vermelho, 256 de verde e 256 de azul). Monitores coloridos usam um número enorme de transistores. Por exemplo, um computador com resolução de 1024 x 768 precisa de 2.359.296 transistores gravados no vidro! Se há um problema com um destes, cria-se um "pixel defeituoso" na tela, mostrado como um pequeno ponto.

Programas de ilusão de óptica, como os *anti-aliasing* (NT Aliasing é um defeito de imagem), são usados para aumentar ainda mais a resolução percebida dos monitores, suavizando o efeito de escada visto em linhas diagonais próximas da horizontal. Eles o fazem colorindo os pixels ao redor das diagonais que realmente definem a linha, ou contorno, em sombras sutis nas cores do fundo e primeiro plano.

Dispositivos de Entrada de Dados

O que faz um computador de designer diferente de um sistema doméstico ou de escritório é o dispositivo que permite que os designers desenhem – a caneta e a mesa digitalizadora do dispositivo de entrada de dados. Usuários de computadores gráficos há muito incrementaram teclado e mouse com outros métodos para manipular cursores na tela e entrar descrições de forma. Já houve canetas de luz e telas sensíveis ao toque, esferas de rolagem, joysticks, rodas acionadas pelo polegar e a mesa digitalizadora (Fig. 4.5), com um bastão semelhante a uma caneta ou uma espécie de mouse, conforme a preferência. Também incluídos na categoria de dispositivos de entrada estão os scanners que podem ser usados para ler imagens existentes ou pequenos objetos 3D prontos para processamento no computador.

Mesas digitalizadoras, tais como a Wacom Intuos ou Graphire, desempenham um papel duplo: podem ser usadas para apontar e selecionar comandos de software em um menu ou desenhar figuras. A Cintiq tem um monitor embutido (Fig. 4.6) de modo que o designer pode desenhar em uma tela (Fig. 4.7). Para simular a ação de um marcador tradicional, a fabricante de dispositivos de entrada Wacon tem uma caneta eletrônica, "Art Marker" (Fig. 4.8), para uso com as mesas Intuos e Cintiq. Ela não apenas usa as funções de pressão e inclinação da Intuos, mas tem também sensor de rotação. Com sua ponta com forma de cinzel, ela permite que os designers criem qualquer tipo de efeito de pincel ou marcador. Um aerógrafo eletrônico também está disponível (Fig. 4.9).

Acima 4.5. Mesas digitalizadoras são ainda mais precisas que esferas de rolagem. Esta Wacom Intuos 2, com tamanho um pouco maior que o A4, é destinada a aplicações de CAD com seu mouse com retícula, também pode vir com caneta eletrônica.

À direita 4.6. A Wacom Cintiq é uma mesa com monitor LCD de 21 polegadas (533 mm) com resolução de 1600 x 1200, de modo que você pode desenhar diretamente sobre o que vê usando uma caneta com 1024 níveis de sensibilidade à pressão na ponta e no apagador.

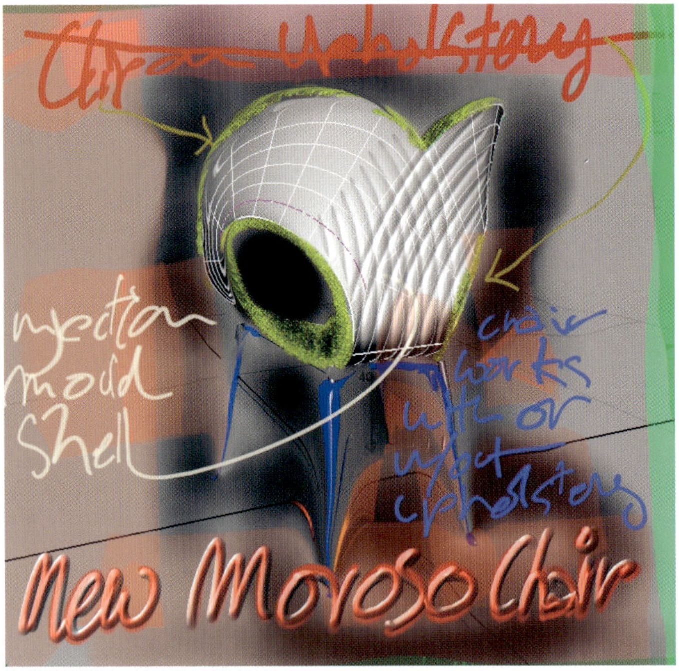

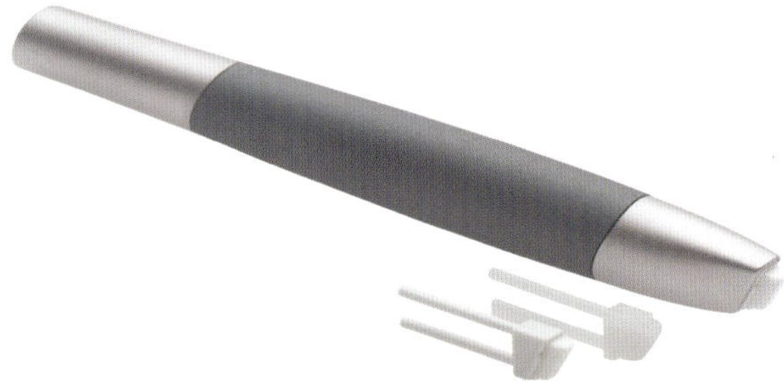

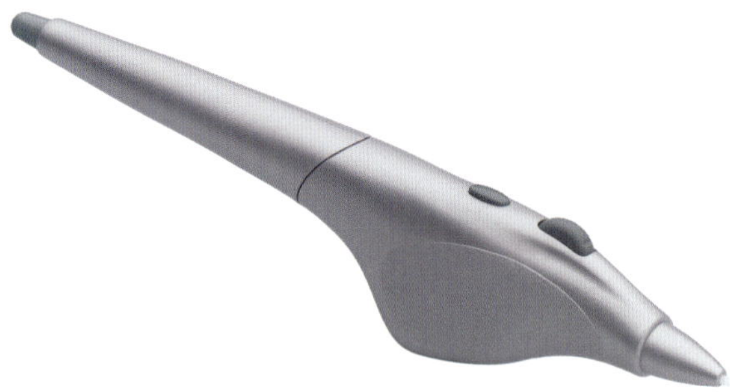

Acima 4.7. Ron Arad, Cadeira Ripple, 2005. O designer usou uma Cintiq e o software Painter da Corel para desenhar este esboço de uma cadeira para a Moroso.

Acima à direita 4.8. A caneta eletrônica Art Marker tem, com a sua contraparte tradicional, uma ponta larga, em ângulo, feita em plástico ou feltro. É sensível à rotação, assim você pode mudar a largura do seu traço virando o corpo da caneta, do mesmo modo que faria com um marcador real.

Abaixo à direita 4.9. O aerógrafo Wacom Intuos simula realisticamente a aplicação de tinta, distância de borrifo e ângulo de aplicação. A roda acionada pelo dedo tem 1.024 níveis de graduações finas e, quando você a solta, ela permanece na posição, diferentemente de um aerógrafo tradicional, permitindo que a tinta digital seja aplicada constantemente.

Uma mesa digitalizadora com uma caneta sem fio, sensível à pressão, pode ser usada com algum programa de desenho (vetorial) ou pintura (bitmap) para criar imagens mais natural e intuitivamente do que usando um mouse e teclado. Modelos de tamanho maior podem ser usados para digitalizar desenhos existentes ou, mais usualmente, mapas.

O mouse convencional (Fig. 4.10) funciona em coordenadas relativas ao invés de absolutas, de modo que ele pode se perder no espaço. Serve para selecionar em menu, mas tem pouca utilidade para desenhar. Vire o mouse de cabeça para baixo e você verá a esfera de rolagem (Fig. 4.11) – um dispositivo que tem sido usado há décadas em controle de tráfego aéreo. O mouse é muito mais sensível ao toque do que um joystick. Além disso, é menos propenso a quebrar, não aprisiona sujeira e tem uma pegada menor.

Na indústria automotiva, sistemas de medição de coordenadas 3D são usados para entrar informações

À direita 4.10. O mouse sem fio a laser Logitech MX 610 tem uma roda que permite rolar texto e imagens nas direções vertical e horizontal.

Na extrema direita 4.11. Esferas de rolagem, tais como esta Logitech Trakman FX, são usadas em jogos e controle de tráfego aéreo. Apenas a esfera se move e oferece maior precisão que o mouse.

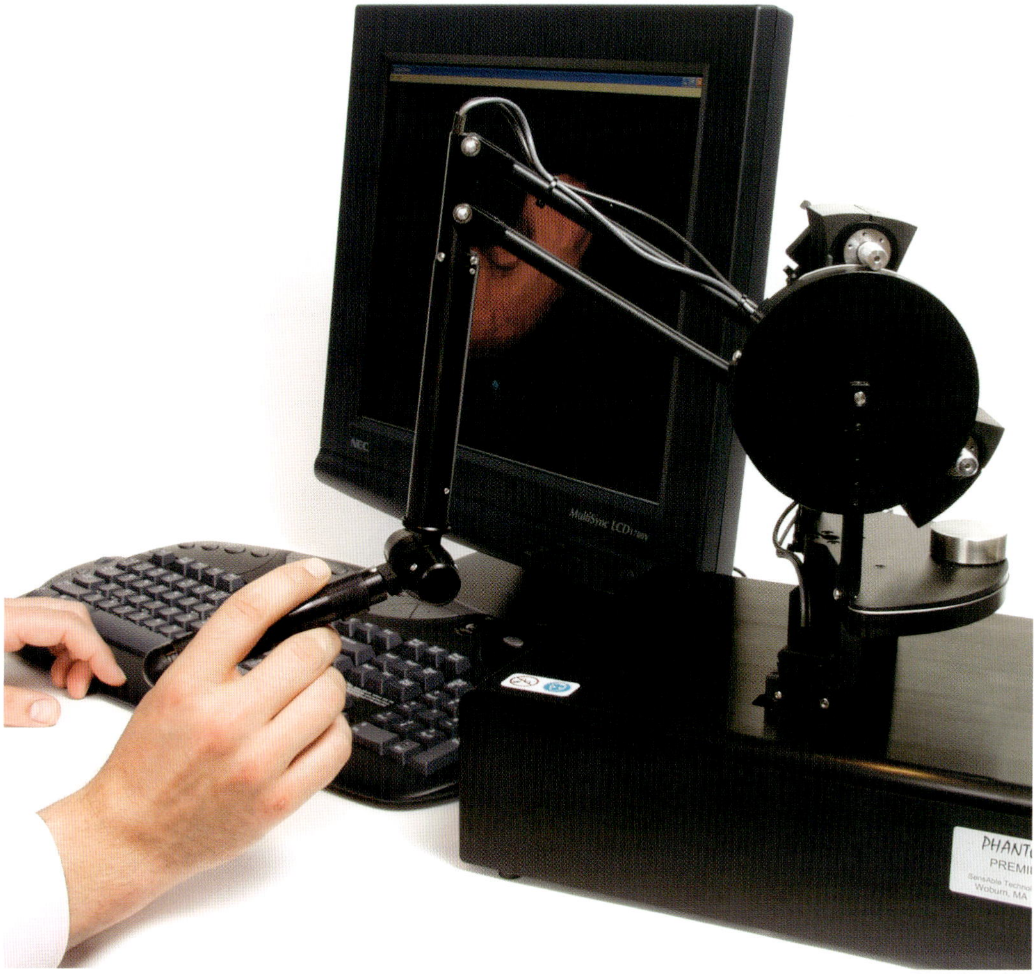

Acima 4.12. O SensaAblePhantom é um dispositivo tátil de entrada de dados com três graus de liberdade de posição e seis graus de liberdade com realimentação de força (três eixos perpendiculares e mais três rotações de guinada, rolagem e arfagem) que fazem você sentir como se realmente estivesse "esculpindo" um objeto real 3D.

À direita 4.13. O scaner de photos A4 Perfection 4900 da Epson tem uma resolução óptica de 4800 x 9600 pixels, uma unidade de transparências e suportes para filmes de 35 mm a 5 x 4 polegadas e vai scanear um documento no tamanho 216 x 297 mm (8 1/2 x 11 1/2 polegadas). Digital ICE (correção e melhora digital da imagem) remove automaticamente defeitos tais como pó e riscos dos impressos ou filmes.

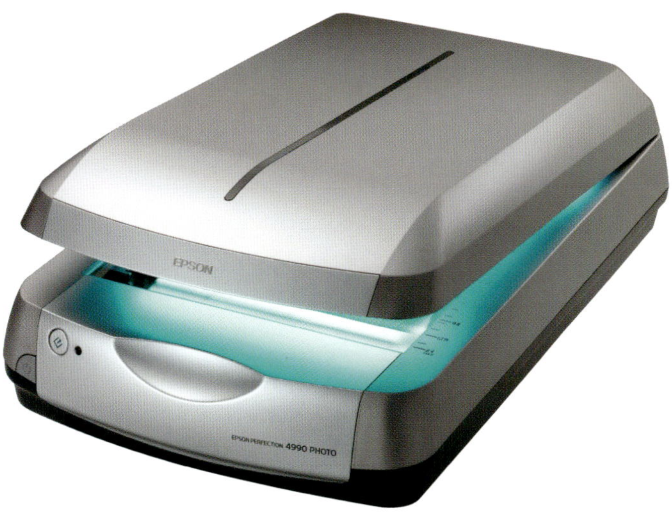

tridimensionais de modelos em argila para depois serem racionalizadas e aproximadas por um sistema CAD.

Para desenhar diretamente no espaço 3D, designers podem usar dispositivos táteis (4.12) (que pertencem à tecnologia sensível ao toque), encontrados mais comumente em aplicações médicas e robóticas. Produtos como o SenseAble Phantom podem acelerar a transição ao digitalizar esboços e modelos em argila. Uma caneta é montada num dispositivo com sensores de posição nos seis graus de liberdade que retornam rigidez e força de modo que o designer tem a percepção de que ele ou ela está esculpindo um objeto físico real na argila virtual. Scanners de mesa (Fig. 4.13) permitem que o designer introduza no sistema imagens já existentes – desenhos e esboços feitos à mão para manipulação posterior, fotografias comissionadas ou imagens copiadas de livros ou revistas – ou silhuetas de pequenos objetos 3D. Deste modo, um sistema de pintura pode ser usado para gerar colagens eletrônicas (Fig. 4.14) úteis ao designer de produtos para obter fundos de desenhos de apresentação ou para mapear texturas, tais como veios de madeira numa superfície. Entretanto, fique alerta com as implicações de direitos de cópia (*copyright*).

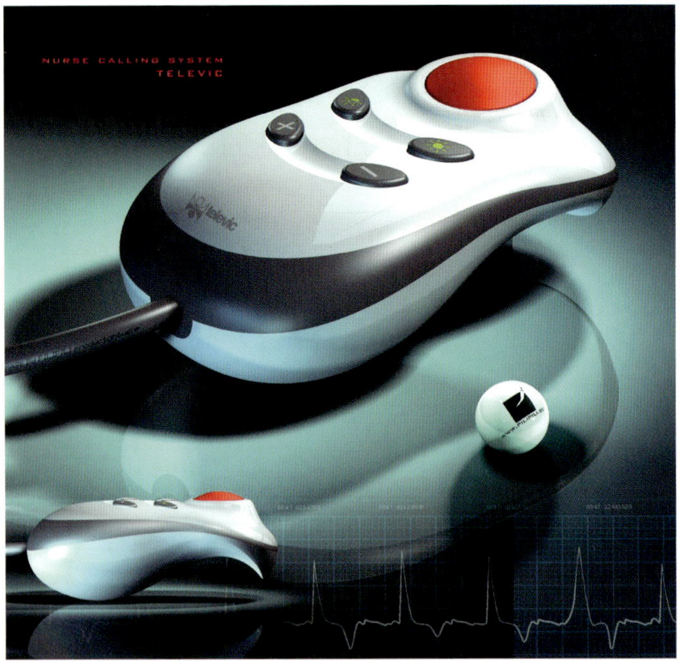

Acima 4.14. PiliPili, Sistema à prova d'água para chamada de enfermeira, 2004. O grupo belga de design fez uma colagem de modelos feitos em computador no UGS NG e gráficos de batimento cardíaco para produzir este desenho de apresentação.

Impressoras

No teórico escritório de design "sem papel" do futuro, não haveria lugar para a cópia impressa. Um designer seria capaz de visualizar um conceito na tela, chegar aos dados de produção e gerar as informações necessárias para que as máquinas ferramentas façam o produto, sem ter de levantar da cadeira. Na verdade, os computadores criaram uma demanda sem precedentes por papel. Designers ainda querem algo para pôr as mãos, rabiscar e modificar; clientes preferem espalhar as diferentes opções impressas de modo que estas podem ser comparadas e contrastadas uma em relação às outras; engenheiros na produção, a despeito da disponibilidade de terminais "de chão de fábrica", ainda anseiam pela segurança de um desenho ortográfico totalmente cotado em papel.

Um dispositivo de impressão de cópias, como um plotter à pena, já foi um dos itens mais caros de um sistema CAD. Plotters com canetas de verdade, que se movem de ponto a ponto, foram suplantados (e, em muitos casos, tornaram-se obsoletos) por dispositivos de impressão em linhas, tais como as impressoras a jato de tinta, também conhecidas como plotters, que usam a linguagem de plotagem da Hewlett-Packard, HP-GL/2. Plotters foram usados primeiramente em desenho e aplicações CAD, em que tinham a vantagem de desenhar em papéis muito grandes e ainda mantendo alta resolução. Eles ainda são encontrados em uso no ramo de vestuário,

À direita 4.15. A impressora a jato de tinta de grandes formatos EPSON 9400 imprime na largura B0+ (44 pol., 1200mm) em papel fosco ou brilhante com até 1,5mm de espessura.

Acima 4.16. A HP Laserjet 1200 é uma impressora "pessoal", monocromática, a laser que produz uma qualidade de 1200 dpi num papel A4 e tem um design que economiza espaço.

Abaixo 4.17. A impressora por sublimação de corante Canon Selphy CP710 produz impressões no formato de um cartão postal (5 7/8 x 4 pol – 148 x 100 mm). Os resultados são de qualidade fotográfica porque a tecnologia mistura as tintas quando estas estão vaporizadas.

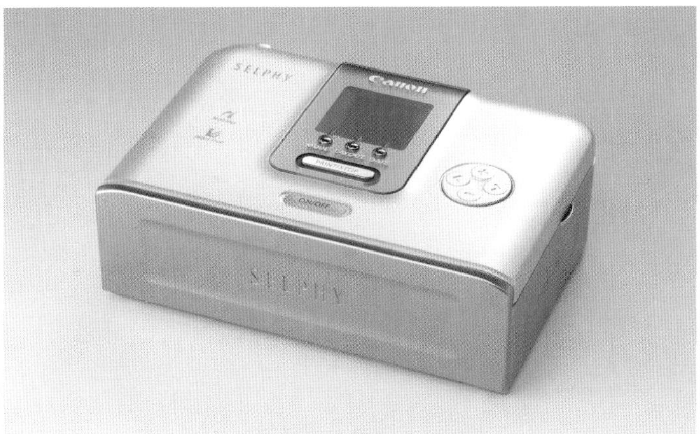

na impressão em silk screen e nos fabricantes de sinais em vinil com as canetas substituídas por cortadores.

Se você precisa de grandes impressos (tamanho A1, por exemplo) terá de escolher entre um plotter eletrônico ou a jato de tinta (Fig. 4.15). Para formatos menores (A4 e A3), juntam-se aos anteriores as impressoras a laser, por sublimação de corantes e de transferência térmica.

Plotters eletrostáticos foram primeiro apresentados pela Versatec (agora absorvida pela Xerox engineering Systems) como uma alternativa aos de pena. Diferentemente destes, que desenham vetores de ponto a ponto, os eletrostáticos imprimem linhas horizontais, como impressoras a laser de tamanho grande. Eles também foram superados em grande margem pelos a jato de tinta.

Impressoras a laser (Fig. 4.16) funcionam de acordo com um princípio semelhante ao das fotocopiadoras a laser. Nestas, a luz refletida das áreas brancas de uma imagem faz com que um tambor rotativo carregado com eletricidade estática perca a sua carga, de modo que o toner não grude. Numa impressora a laser, entretanto, não há "original", assim um laser desenha um negativo da imagem no tambor, removendo a carga das áreas brancas.

Impressoras a jato de tinta borrifam jatos de gotículas eletricamente carregadas de tinta sobre o papel em movimento. Estes jatos de tinta são defletidos por eletroímãs – assim como o feixe de elétrons num tubo de raios catódicos – para formar a imagem. Impressoras "Bubblejet" têm uma fileira de pequenos bocais no cabeçote de impressão, cada um dos quais está cheio de tinta, mantida no lugar pela tensão superficial. Um pequeno elemento aquecedor faz com que uma bolha se forme e force a tinta para fora do bocal, em direção ao papel. Outra variação é a impressora a jato térmico, que borrifa plástico derretido sobre o papel.

Talvez uma competidora ainda melhor para impressão em cores, com qualidade quase fotográfica, seja a impressora por sublimação de corante (Fig. 4.17), que mistura a tinta no papel tratado, sem pontos ou tremidos. Sublimação é um fenômeno no qual certas substâncias saem do estado sólido direto para o gasoso, sem o usual estado líquido intermediário. O cabeçote térmico em uma impressora por sublimação de corante varia a temperatura de modo que a quantidade de corante emitida seja continuamente controlada. Este tipo de impressora encontrou um nicho de mercado nas impressoras fotográficas de pequeno porte, mas podem bem ser a tecnologia do futuro.

Impressoras 3D

Uma máquina ferramenta numericamente controlada também pode ser considerada um dispositivo de saída. Fresadoras de baixo custo (Fig. 4.18) são disponíveis e podem ser conectadas ao sistema CAD do designer para

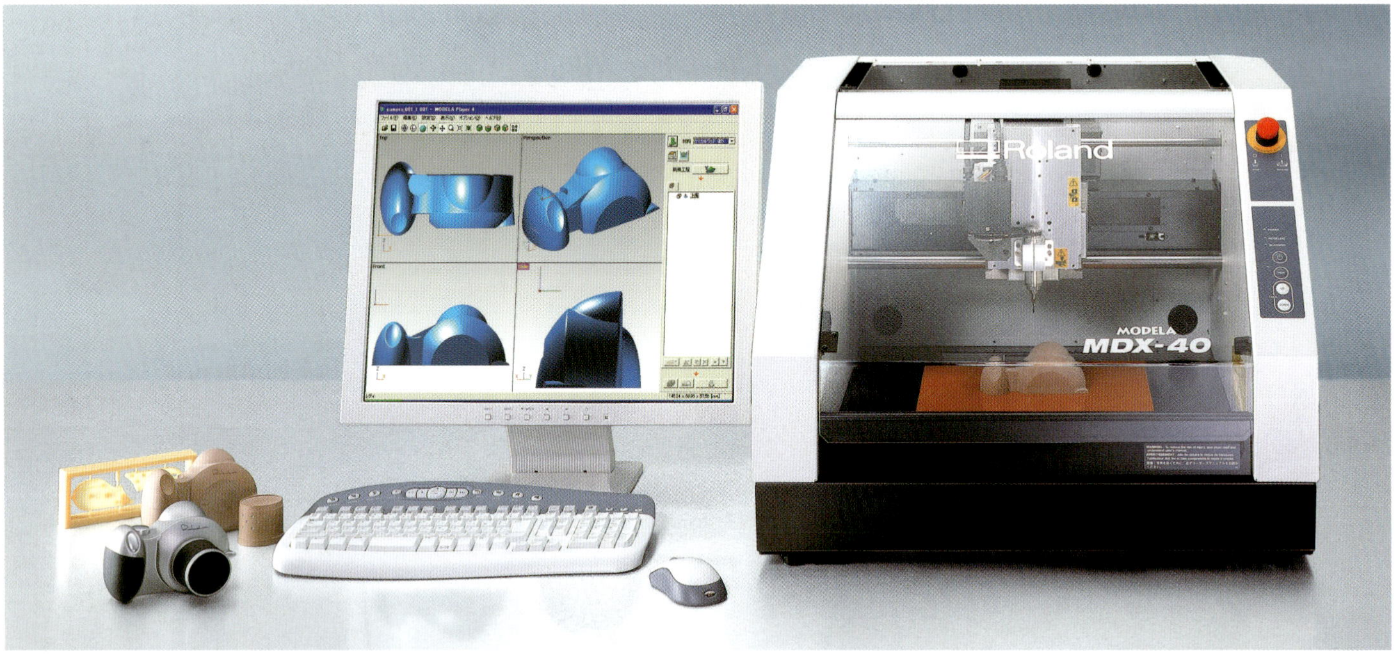

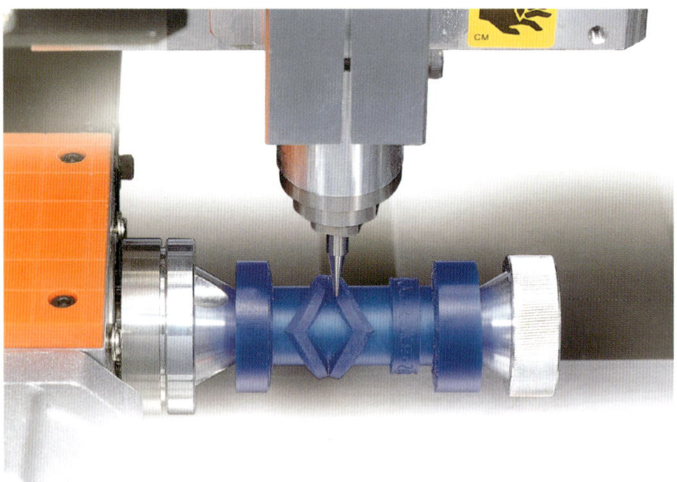

produzir modelos 3D em cera ou poliestereno diretamente de uma base de dados no computador (Fig. 4.19).

Uma máquina de estereolitigrafia (Fig. 4.20) cria objetos 3D reais, camada por camada, ao solidificar fatias da seção transversal em polímero curável com ultravioleta. O polímero é sensível à luz ultravioleta, assim, quando o laser toca o polímero, este endurece. Você primeiro cria um modelo 3D em CAD para o objeto, então o software fatia o seu modelo em camadas muito finas – tipicamente de 5 a 10 camadas por milímetro. A impressora a laser 3D "pinta" uma das camadas, expondo o plástico líquido no tanque e endurecendo-o. A plataforma desce uma fração de milímetro em direção ao fundo do tanque e o laser pinta a

Em cima 4.18. A fresadora 3D Roland MDX-40 pode produzir protótipos lisos, peças e modelos em ABS, acrílico, madeira sintética, gesso, estireno, isopor e cera com tamanho máximo de 12 x 12 x 4 1/8 pol (305[x] x 305[y] x 105[z]mm).

Acima 4.19. Um modelo 3D em cera está sendo fabricado numa fresadora Roland JWX-10, um modelo com quatro eixos, destinado aos designers de joias.

À direita 4.20. Existem muitas tecnologias diferentes usadas em prototipagem rápida, incluindo estereolitografia, sinterização seletiva a laser e fabricação direta em compósito. O thermojet da 3D systems é descrito como uma impressora de objetos sólidos que usa tecnologia de modelagem multijato com cabeçotes adaptados de impressora a jato de tinta usados para depositar camadas de pó termoplástico à medida que o protótipo vai descendo.

À direita 4.21. Um protótipo de roda automotiva está sendo criado numa máquina de estereolitografia da 3D Systems, SLA 7000, usando resina sensível ao ultravioleta.

nova camada, e assim por diante, até que seu modelo esteja completo (Fig. 4.21). Uma vez que a peça esteja completa, os objetos são enxaguados com solvente e, então, "cozidos" em um forno ultravioleta para curar por completo o plástico.

Este processo é conhecido como prototipagem rápida e outras tecnologias de fabricação incluem sinterização seletiva a laser, fabricação de objeto laminado e modelagem por fusão-deposição.

O projeto RepRap na Universidade de Bath (Reino Unido) está olhando para o futuro, quando todo lar terá uma máquina de prototipagem rápida do tamanho de um refrigerador, ao custo de uma impressora a jato de tinta dos nossos dias, que pode baixar designs via internet e fabricar peças plásticas e objetos completos, incluindo a própria máquina de prototipagem rápida, pelo custo do polímero ou liga metálica de baixo ponto de fusão.

Rede

Hardware é somente silício, plástico e aço sem software de aplicação que o faz funcionar e que será visto nos capítulos subsequentes. Entretanto, os computadores estão sendo usados cada vez mais cedo no ciclo do projeto à produção. Já estavam em uso no escritório do designer para processamento de texto, administração em geral e administração de projetos. Foi apenas um pequeno passo adquirir software para processamento de imagens e usar computação gráfica para conceitos e propostas.

Assim que você tiver mais de um sistema, eles podem ser ligados em rede (Fig. 4.22). Há três razões principais para criar uma rede: trocar arquivos e mensagens com membros próximos de sua equipe, compartilhar recursos como impressoras a laser e drivers de disco e cooperar com os outros em projetos de grande porte – em um grupo de trabalho.

O tipo de rede local (LAN) mais conhecido é a Ethernet. Foi desenvolvida pela Xerox, DEC e Intel, sendo apresentada em 1980. Com a Ethernet é possível misturar PCs e Macs numa mesma rede, por meio de cabos ou sem estes (wireless – WiFi).

Estações de trabalho são projetadas desde o início para serem postas em rede, de modo que não há problemas em fazê-lo. Quando dois ou mais sistemas estão ligados, um sistema é denominado servidor – o local onde os arquivos estão armazenados – e os outros são chamados de clientes. Qualquer computador numa rede pode atuar como servidor. Isto possibilita a armazenagem compartilhada de programas e arquivos (embora seja mais rápido manter a sua própria cópia local) que todos na rede podem acessar. É responsabilidade do gerenciador de aplicativos dizer quem tem acesso apenas de leitura e quem tem autoridade para modificar os arquivos mestres. Com banda larga e internet, membros de um grupo de trabalhos podem estar espalhados ao redor do globo e trabalhar em um mesmo projeto.

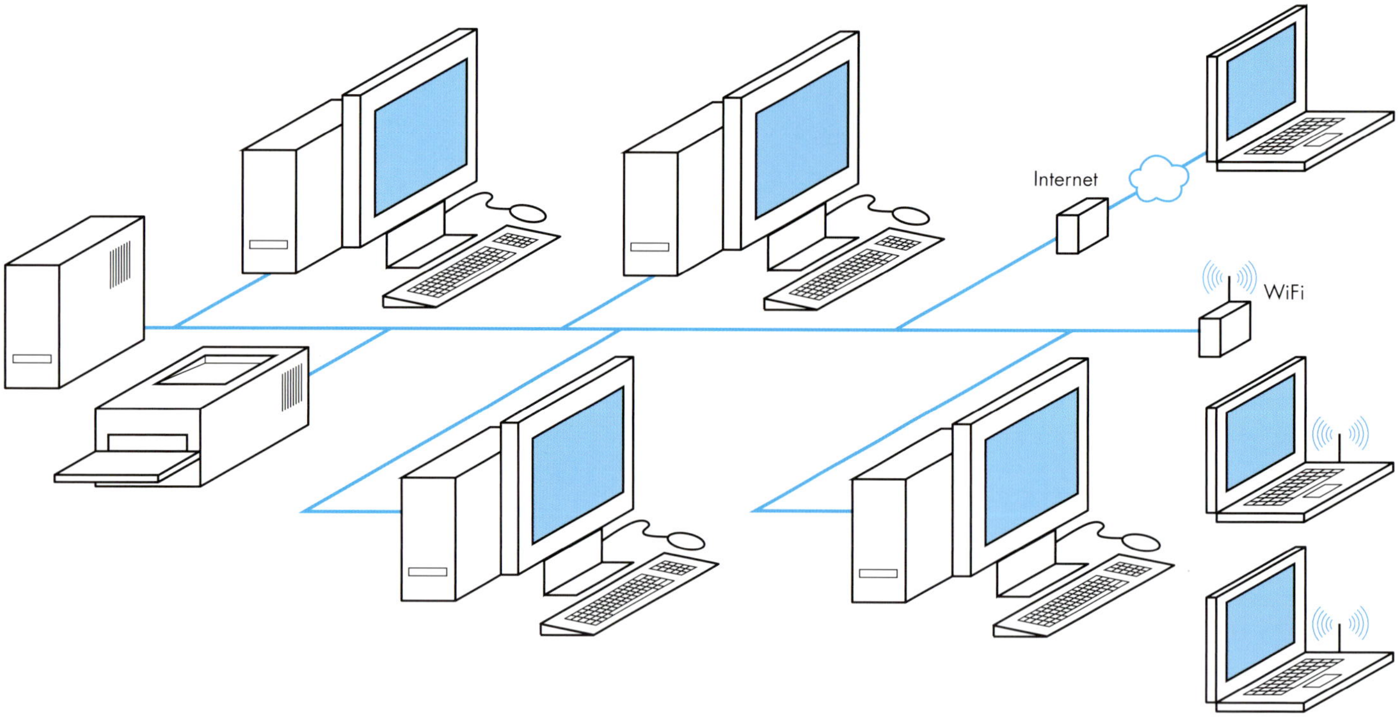

Acima 4.22. Computadores e estações de trabalho podem ser ligados em rede. A rede local mais comum é a Ethernet. PCs e Macs podem ser conectados por cabos ou sem estes, ou ainda podem comunicar-se remotamente via internet.

Abaixo 4.23. Para prevenir estresse e ferimentos desnecessários, a ergonomia do local de trabalho do designer deve ser seriamente considerada. Enquanto estiver sentado numa cadeira, suas coxas e as partes inferiores das pernas devem estar em ângulo reto e os pés confortavelmente sobre o solo ou apoio próprio. O ângulo entre seu braço e antebraço, enquanto estiver digitando ou desenhando, deve ser de, aproximadamente, 90 graus.

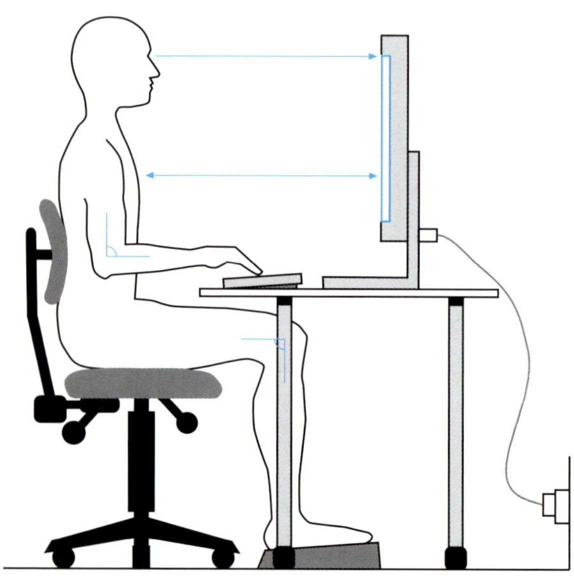

Saúde e Segurança

À medida que os computadores tornam-se comuns, os assuntos relativos à saúde e segurança devem ser levados a sério (Fig. 4.23). É, de fato, raro, por exemplo, encontrar em grandes organizações mesas e cadeiras ergonomicamente ajustáveis, então que chance tem um estúdio menor de design? Mas elas custam pouco comparadas ao investimento total em software e hardware e ainda previnem danos às costas do componente de maior valor do sistema – o designer. Se isto não for um incentivo, então deve ser enfatizado que muitas das recomendações já são, ou serão, obrigatórias por lei.

Mesas devem ser finas o quanto possível e ajustáveis em altura, cadeiras devem ser firmemente apoiadas no solo e fornecer bom apoio lombar. Quando você senta na sua cadeira as coxas e as partes inferiores das pernas devem estar em ângulo reto e os pés confortavelmente sobre o solo. Um apoio de pé pode ter de ser providenciado, sujeito a espaço livre suficiente para as pernas, se a altura da mesa não for ajustável. Enquanto estiver digitando, o ângulo entre seu braço e antebraço deve ser de, aproximadamente, 90 graus.

Há bastante conhecimento a respeito de males como doenças ocupacionais dos membros superiores e LER (lesão por esforço repetido) – uma doença das mãos e punhos que causa perda de sensibilidade, inchaço, formigamento e até síncopes. Digitadores já sofreram danos enormes e empregadores foram processados por perdas e danos com grandes valores de indenização, então não espere até que seja tarde demais. Faça pausas frequentes para "pensar", talvez mudando de lugar e indo para uma prancheta ou caderno de esboços. Para descansar os olhos, é recomendada uma pausa de 15 minutos a cada 75 minutos de uso contínuo do computador.

A iluminação deve ser difusa e indireta. Lâmpadas fluorescentes devem ter difusores e devem estar paralelas à linha de visão do usuário. Evite ofuscamento e reflexos e esquemas de cores excessivamente brilhantes ou escuros. Nenhum usuário deve ter de encarar a janela diretamente e persianas verticais devem ser usadas fechadas em dias ensolarados. Testes regulares de vista são recomendados. Por conta da possibilidade de radiação, grávidas devem ter o direito de se manterem afastadas de computadores e impressoras a laser, sem perda de vencimentos e sem prejuízos à carreira.

O risco à saúde devido ao acúmulo de eletricidade estática e radiação eletromagnética de computadores é um assunto ainda debatido fervorosamente. Emissões na frente de um computador com monitor CRT são, de fato, menos intensas que nas laterais e no fundo. A tela do computador deve estar à distância de um braço do seu corpo – qualquer um que se sente mais próximo que 28 polegadas (711 mm) da tela estará sujeito a algum risco. Ninguém deve se sentar a menos de 36 polegadas (914 mm) das laterais ou do fundo de um monitor de computador.

Fotocopiadoras e impressoras a laser devem ser colocadas onde o ar é renovado, pelo menos, de hora em hora, a 3¼ jardas (3 m) da pessoa mais próxima e, de preferência, numa sala separada, bem ventilada, para dispersar os gases produzidos pelo toner.

Finalmente, estresse e ansiedade podem ser reduzidos por meio de treinamento apropriado e meticuloso. Este pode ser tão simples quanto sentar e ler o manual do software por uma ou duas horas por semana, para praticar atalhos, ou passar um tempo olhando o que o "guru residente" em matéria de software faz. Ou ainda pode envolver reservar parte do tempo do projeto para assistir a cursos mais formais de treinamento.

Conclusões

Treinamento pode ser tudo ou nada para uma instalação de CAD e a maneira pela qual os designers são pagos é que trabalha contra o sucesso de sua implementação. Sempre se pensa que os maiores designers estão muito ocupados para gastarem tempo de projeto com intuito de aprenderem a usar corretamente um programa de computador, um sistema que, se usado corretamente, poderia aumentar a capacidade de ganho destes designers. CAD é tanto um investimento de dinheiro quanto de tempo. A tentação é treinar somente os designers mais novos ou os operadores técnicos.
O resultado é que os designers mais novos são caçados por outras consultorias mais esclarecidas e a companhia que usa operadores dedicados perde muitas das vantagens potenciais do CAD.

Usado e gerido corretamente, um sistema CAD pode mais do que pagar a sua manutenção. Permite que uma consultoria em design aceite mais trabalhos e lide com projetos maiores, bem como reduz os *leadtimes* e, espera-se, aumenta a qualidade do trabalho produzido. Computadores são uma tecnologia neutra: eles não são um fim em si mesmos ou algo com que se impressione os clientes, mas são apenas mais uma ferramenta – a despeito dos meios potencialmente poderosos de auxílio ao designer em todas as etapas do processo de projeto.

Dica Quente: Seja engenhoso

O ilustrador John Nez diz que não aguentaria desenhar sobre a superfície em plástico duro de sua mesa digitalizadora Wacon Ituos 2. Ele se sente como se estivesse desenhando com esferográfica sobre um balcão de mármore de guichê de banco. Ele também descobriu que a superfície plástica ficava esburacada muito rapidamente.

A solução que ele encontrou foi cortar um pedaço de plástico duro da capa de um caderno de escola e fixá-la com uma fita, fazendo uma articulação. Isto melhora muito a sensação que se tem ao usar a caneta, que agora se move suave e naturalmente.
Ele não pôde encontrar um plástico que também funcionasse para o mouse como a superfície original, assim, ele levanta o plástico para usar o mouse e o retorna para desenhar.

Estudo de Caso 2: Anel esfera em tela de *David Goodwin* (2004)

David Goodwin desenha joias que combinam técnicas artesanais tradicionais com processos de fabricação modernos, tais como a prototipagem rápida, e ele se orgulha de que pareçam geradas em computador. Suas estruturas em fios de ouro 18 quilates – esferas, almofadas, nuvens em forma de cogumelo e ovais – são sempre acabadas com pedras preciosas que jogam com a luz para criar efeitos ópticos, mas a inspiração para estes anéis tela veio da experimentação com modeladores de sólidos 3D em computador e pelo gosto com apresentações wireframe (geralmente apenas um atalho até o trabalho final), de modo que ele quis repeti-la como efeito acabado – serendipidade em ação.

*David recebeu seu título de B.A (*hons*) em design (bacharel – com honras): Ourivesaria e joalheria na Glasgow School of Arts, em 2001, então ele se mudou para o Royal College of Artes, em Londres, onde recebeu o grau de mestre em ourivesaria, joalheria e trabalho em metais.*

À direita CS 2.1. Esboços de conceito feitos a lápis e marcados.

Página oposta, acima à esquerda CS 2.2. Uma captura de tela do Rhinoceros, mostrando o anel acabado.

Página oposta, acima ao centro CS 2.3. O modelo 3D feito no Rhinoceros.

Página oposta, acima à direita CS 2.4. O anel após simulação de luz no Flamingo.

Página oposta, abaixo à esquerda CS 2.5. O modelo em resina epóxi curada a laser recém-saído da máquina de estereolitografia.

Página oposta, abaixo à direita CS 2.6. O anel em ouro acabado, com os montantes retirados.

Ele diz que trabalhar num ambiente 3D permitiu que visualizasse suas ideias de um modo mais claro do que se estivesse desenhando em papel. Entretanto, ainda esboça as ideias iniciais no papel (em seus diários) (Fig. CS 2.1), mas faz suas escolhas finais do design em um mundo virtual 3D. A habilidade de ver os designs no seu todo torna o processo de decisão seletiva mais fácil. Desenhar usando o software de CAD 3D Rhinoceros e simulando a trajetória da luz usando o Flamingo (ambos desenvolvidos pela Robert McNeel & Associates, em Seattle) produz uma imagem fotorrealista, quase tão boa quanto a coisa real, para um possível objeto físico (Figs. CS 2.2, CS 2.4).

Modelos em resina polimérica tingida nos então "impressos em 3D" usando um aparato de esterolitografia da 3D systems, Vilper SLA, nas instalações de prototipagem rápida do Royal College of Art – RapidformRCA (Fig. CS 2.5). Os mesmos dados 3D com montantes adicionados (que se transformarão em canais num molde e através dos quais o plástico ou metal derretido escoarão) são usados para fabricar o anel em ouro. Primeiro, por "impressão" do design em resina especial que queima de maneira limpa e, então, usando o modelo descartável em um sistema de fundição sob vácuo de alta pressão. Componentes em resina epóxi curada a laser, na estereolitografia, podem ser feitos desde que caibam num volume delimitado por um cubo com 250 mm de lado. Este material cria peças semiflexíveis com resistência suficiente para encaixes. Protótipos são construídos com tolerância de +/– 0,1 mm como padrão. Uma gama de acabamentos, inclusive pintura e textura, pode ser aplicada, como é o caso de qualquer componente em resina epóxi.

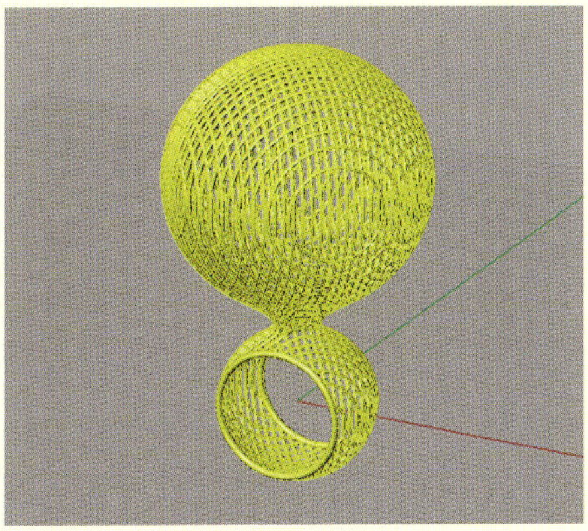
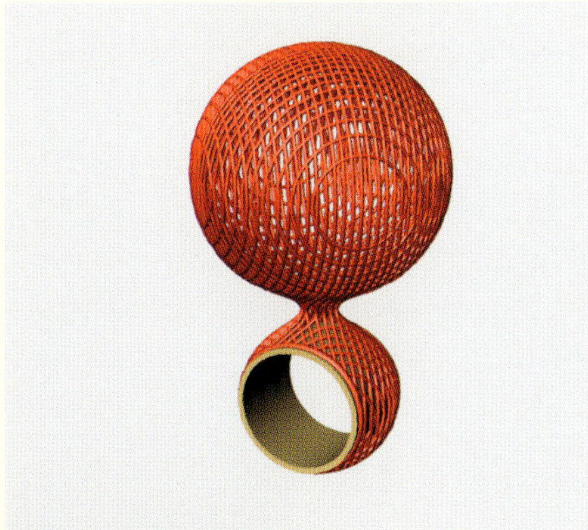

Havia restrições no sistema 3D que tiveram de ser consideradas quando se criou o anel. Todos os objetos devem ser considerados sólidos e, como o Rhinoceros é predominantemente um modelador de superfícies baseado em NURBS, o designer teve de assegurar que todas as superfícies eram ligadas, desta forma criando uma polissuperfície fechada.

Para modelar o anel tela, David gerou primeiro duas esferas, fatiou uma parte de cada uma delas com planos de corte e, então, usou o comando "blend surfaces" para unir as duas. Depois, ele contornou o objeto usando um espaçamento de 1,5 mm entre cada linha de contorno. A polissuperfície foi, então, ocultada para mostrar as curvas no seu todo e as curvas foram, então, transformadas em tubos para fazer um sólido aramado (wireframe). Neste exemplo, ele usou um raio de 0,3 mm para cada tubo. Os tubos foram espelhados e, então, a polissuperfície original foi "des-ocultada". Um cilindro foi gerado passando pela esfera menor para criar, usando diferença booleana, o furo para o dedo. A aresta resultante irregular foi coberta com tubos anelares de dupla espessura.

Estes anéis delicados, difíceis, se não impossíveis, de fabricar à mão, (Fig. CS 2.6) conferiram ao designer os prêmios World Gold Council Grima e New Designer of the Year no Bussiness Design Centre, em 2004.

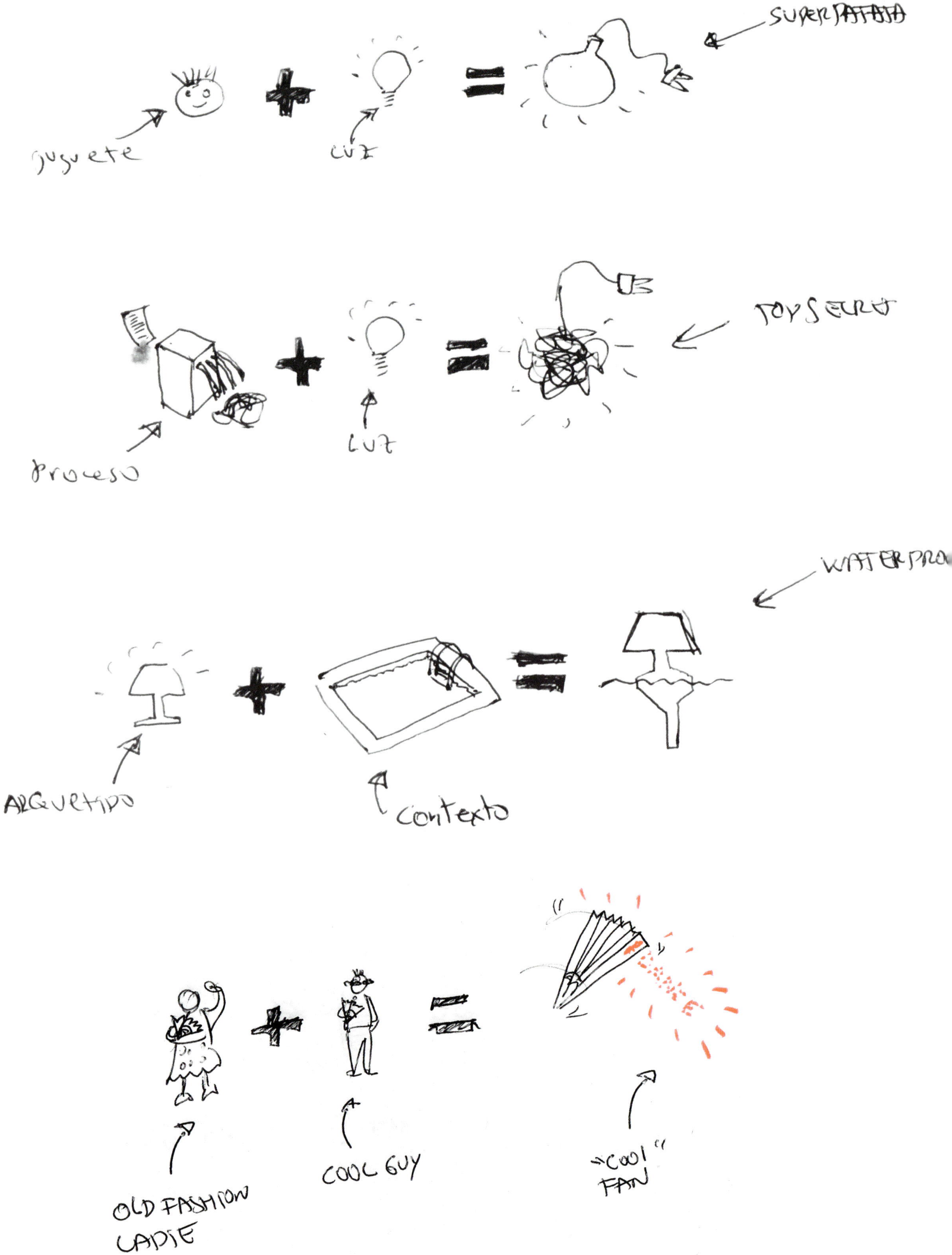
juguete
luz
proceso
luz
ARQUETIPO
contexto
OLD FASHION LADIE
COOL GUY
"COOL" FAN

Desenhar sempre foi um meio essencial para o designer... Pois o desenho não é só um meio de expressão. Nós não usamos o desenho somente para comunicar nossas ideias aos outros. Designers precisam desenhar para exteriorizar seus pensamentos e torná-los concretos. Poder-se-ia argumentar que, se um artefato não passou por este processo de exteriorização, ele não teria sido obra de um designer.

John Lansdown *Computer-Aided Architectural Design Futures* 1986

5 Design conceitual

Página oposta Hector Serrano, Luminária à prova d'água para piscina, 2003. A mente do design pode ser vista em funcionamento nestes esboços de conceito.

À direita 5.1. King e Miranda Design, Luminária Tam Tam, 1996. Os desenhos de conceito de King e Miranda, tais como este esboço para a Sirrah, mostra a mão e a mente do designer trabalhando em conjunto livremente, cristalizando uma ideia em realidade.

O estágio conceitual no ciclo de design é quando o designer pode mais se divertir, esboçando as ideias mais loucas antes de ter de pensar em praticabilidades. A ferramenta escolhida será o lápis ou a esferográfica, sobre qualquer coisa que esteja à mão: o verso de um envelope, ou mesmo – para os mais metódicos – um caderno dedicado aos esboços. Entretanto, o designer raramente tem uma mão completamente livre como o artista, pois sempre há de considerar as necessidades do cliente e, mais adiante no processo de design, os engenheiros aguardam pacientemente por um conjunto de desenhos 2D ou um modelo 3D em computador sobre os quais eles podem começar a trabalhar. O computador ainda tem de dar uma contribuição útil ao design conceitual, mas pesquisadores estão muito ocupados trabalhando em sistemas conceituais auxiliados por computador, pois o quanto mais cedo as equipes de design e engenharia estiverem capazes de trabalhar em conjunto, mais curto será o tempo de espera do produto e menor será o custo global do ciclo do design à produção.

No estágio de conceito, o designer de produto/industrial tem dois papéis: visualizar o produto ainda não existente e apresentar ao cliente uma escolha de soluções alternativas de design.

Idealmente, esta etapa deveria ser o mais curta possível, levando rapidamente a um design satisfatório que, então, poderá ser especificado para fabricação. Representar visualmente esta proposta é parte fundamental do processo de design e, convencionalmente, estas representações são desenhos 2D e/ou modelos físicos 3D. Os requisitos de apresentação são ditados pelos pontos de intervenção do cliente ou, no caso de uma grande organização como uma montadora de automóveis, pela gerência da empresa.

Desenhos de conceito nos mostram a mente do designer em funcionamento: cristalizando um pensamento, avaliando-o e seguindo iterativamente para um design mais refinado. Como diz Corrado Bosi na introdução do catálogo para uma exposição, em Milão, dos esboços de conceito de King e Miranda: *Nós deveríamos pensar o desenho como o caminho mais curto de uma ideia à sua representação. Nós queremos muito de um desenho: de fato, nós pensamos que podemos descobrir mais a partir de um esboço do que de um desenho de trabalho, nós queremos mais intensidade de um rascunho do que de um afresco. Desenho consome ideias e cria outras. O desenho novo supera o precedente que, então, é esquecido. Mas para nós – os espectadores – todos os desenhos são parte da construção de uma ponte que vai da ideia à obra* (Fig. 5.1).

Satisfazendo o Cliente

Abaixo 5.2. George Sowden, Torradeira Isilys, 2004. "Um esboço do tema" é a primeira expressão de como um design proposto aparentaria, desenhado sem que o autor seja restringido por vínculos externos, como neste desenho para a Moulinex.

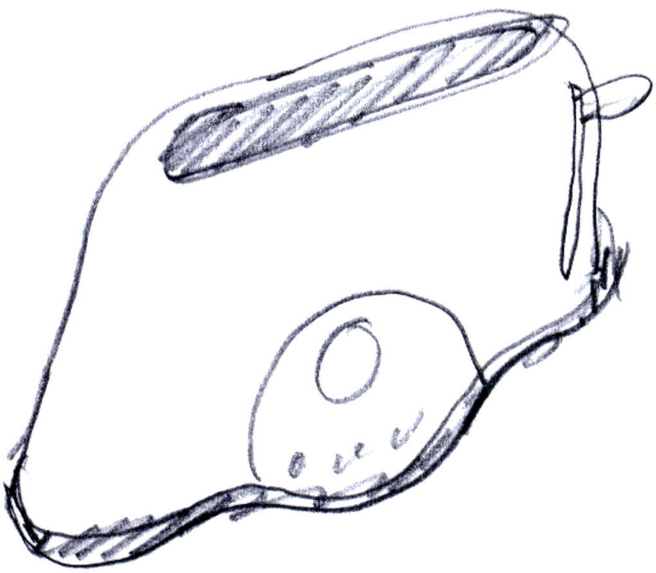

Acima 5.3. A representação "restrita por pacote" é um esboço que deve incorporar componentes de prateleira, como neste esquema feito pela Sony Ericsson do telefone celular K800, 2005.

Designers, diferentemente dos artistas, raramente trabalham em um vácuo e precisam estar alertas para as demandas dos clientes. Idealmente, um designer gostaria de ser deixado em paz para representar o conceito rapidamente, com flexibilidade e com a opção de modificá-lo facilmente, uma vez criado. Se um computador tiver de ser usado nesta etapa (ver abaixo), qualquer entrada de informação geométrica teria de ser rápida e fácil de fazer, sem ter de ser muito precisa, deve ser fácil de modificar, amigável ao usuário e com qualidade visual adequada para uma avaliação rápida. Por outro lado, o cliente gostaria que o estágio conceitual (e de apresentação) se integrasse mais adiante ao processo de projeto em engenharia e permitisse que outros profissionais participassem nas decisões do design, em todas as etapas do processo de design.

Um esboço de conceito pode ser definido teoricamente como "uma coleção de dicas visuais suficientes para sugerir um design para um observador informado". Um design típico consiste de uma "pele" de estilo que contém um pacote de componentes previamente fornecidos, tais como motores ou fontes de energia. Esboços podem ser categorizados como "temáticos" livres, com ainda pouca importância dada aos componentes que serão contidos, ou esboços esquemáticos "restritos por um pacote", com menos ênfase na aparência externa final do produto. Um esboço temático (Fig. 5.2) é a expressão inicial da intenção de como o design proposto deverá aparentar, sendo desenhado da forma mais livre possível sem que o designer precise estar preso a considerações de quaisquer restrições internas. Um observador informado deveria ser capaz de entender o que está implícito na proposta de design, o impacto visual do design como um todo e suas características visuais específicas.

A representação restrita por pacote (Fig. 5.3) de um design proposto é um esboço que comunica os parâmetros dimensionais fixos de um design que precisa incorporar componentes "de prateleira", como será o caso da maioria dos designs. Permite que um observador entenda as restrições dimensionais e as proporções de uma proposta, bem como o ajuste ou a interferência da proposta tema com o pacote.

Para que desenhos como estes sejam úteis ao processo de design, e não sejam apenas redesenhados ou jogados fora, é preciso que sejam usados diretamente como fonte e entrada para modelos em computador que podem, então, ser avaliados e facilmente modificados. Estes modelos permitiriam que um conceito 3D fosse avaliado muito mais cedo no processo do que é tradicionalmente possível. A disponibilidade deste modelo virtual 3D também permitiria que outros profissionais participassem e que engenheiros e designers trabalhassem simultaneamente muito mais cedo, no ciclo do design à produção, do que é possível como os métodos convencionais de desenho.

O Processo de Design Começa Aqui

Conforme foi resumido na introdução, o processo de design é iniciado quando um designer ou firma de design recebe do cliente um sumário do design, identificando a necessidade para o produto novo. Uma equipe de design é formada e se discute com o cliente cronogramas, custos e uma especificação de design do produto (PDS em inglês). Os designers se retiram para trabalhar e novamente se reúnem com o cliente, numa data acordada, para apresentar uma série de propostas (ver Capítulo 6), normalmente acompanhada de desenhos de apresentação e modelos.

Abaixo 5.4. Karim Rashid, Cadeira Líquida, 2005. Num simples desenho de conceito, o designer tenta dar forma a um projeto futuro. Aqui, o designer tenta várias ideias para sua cadeira líquida.

Em alguns casos, os designers e o cliente se separam nesta etapa, com o último levando a documentação do conceito para fabricá-la. Em outros casos, os designers podem ser trazidos de volta ao projeto depois do objeto restrito por pacote ter sido esboçado, a fim de realizarem um serviço de "packaging" ou estilização.

Um sumário de design pode ser apresentado de cima para baixo ou de baixo para cima (ver Introdução, p. 23). Em cada caso, a primeira etapa do ciclo do design à produção é chamada de projeto do conceito.

O Esboço do Conceito em Detalhe

O esboço do conceito é o designer pensando em voz alta, usando um lápis: o que Aldo Rossi chama de "visões privadas". O designer pode estar colocando no papel – geralmente num bloco de apontamentos translúcido – um *aide-mémoire* de uma ideia 3D, totalmente bem estudada, para, mais tarde, ser desenvolvida em desenhos de produção; alternativamente e, o que é mais provável, o próprio ato de desenhar pode ser um modo de cristalizar a ideia vaga que vale a pena ou não perseguir. Frequentemente, a feitura de um esboço simples para expressar um conceito pode, em si mesma, sugerir futuras ideias conceituais. Esboços, de acordo com Bryan Lawson, em How Designers Think, atuam como uma espécie de memória adicional externa para congelar e armazenar ideias espaciais que podem, então, ser avaliadas e manipuladas para produzir novas ideias. O designer está lutando com possibilidades futuras, tentando dar forma à incerteza (Fig. 5.4).

Na firma londrina de consultoria em design, SeymorPowell, o sócio Richard Seymour é um designer de conceitos de primeira categoria – ele diz que revela a imagem que tem na mente do mesmo modo que figuras de um livro infantil para colorir com água tornam-se visíveis à medida que o pincel molhado é passado sobre elas, ou como a imagem que vai aparecendo numa impressão em brometo ao ser revelada. O seu sócio, Dick Powell, por outro lado, admite ser menos mecânico. Para ele, desenhar é um processo mais iterativo, um processo de exploração e entendimento.

Esboços de conceito podem parecer baratos de se produzir, mas o designer deve estar consciente de que é aqui que as implicações no custo do projeto estão no ponto mais sensível; é nesta etapa que a aparência geral do produto – conforme definida pelas relações espaciais 3D e proporcionais – é decidida. Esboços de conceito também focam nas várias áreas-problemas percebidas e desafios associados com o produto ainda não existente. A menos que o designer tenha instruções precisas de como colocar todos os vários componentes dentro de uma forma ou tamanho específico – o envelope de espaço – prescritos pelo cliente, ainda não haverá conteúdo mensurável.

Esboço ou Esquema

Os esboços iniciais podem ser da forma global do produto, de certos detalhes difíceis ou podem ser um esquema do sistema – uma coleção de caixas interconectadas rotuladas de "motor", "teclado", "mostrador" e assim por diante (Fig. 5.5). O designer pode incluir alguns poucos cálculos

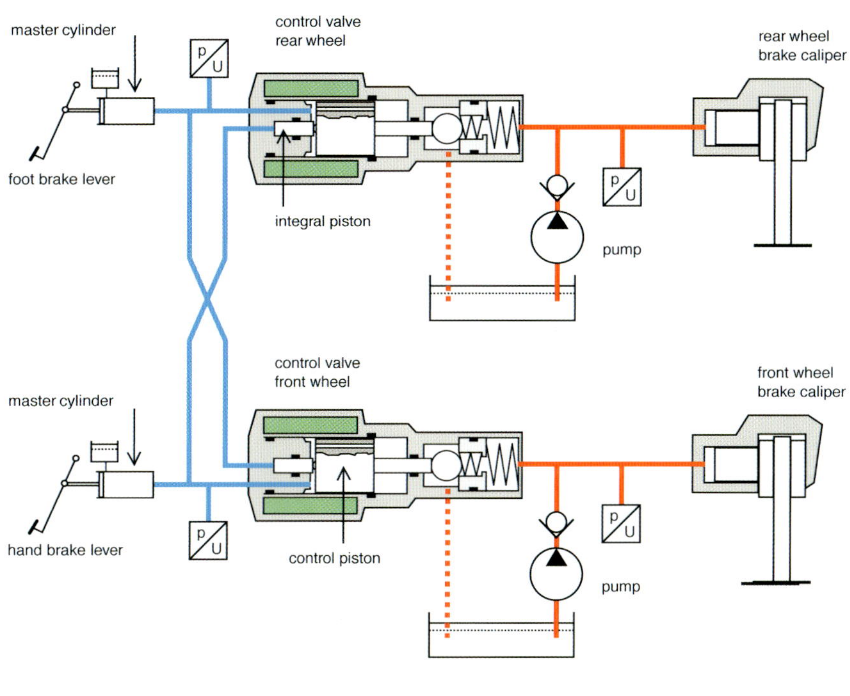

À direita 5.5. Um esquema de sistema, tal como este do sistema de freios ABS da BMW, é um desenho de layout abstrato que tem pouca relação com a realidade física.

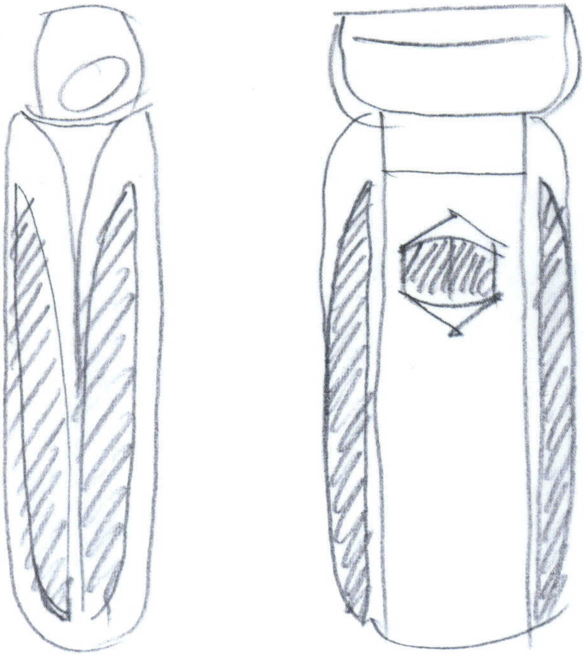

Acima 5.6. Num barbeador, tal como neste conceito inicial a lápis para o Braun 360º Complete, há um envelope espacial bem definido, ditado pela forma da mão humana e os componentes devem caber no interior.

básicos para estimar o tamanho final e as proporções do produto. Esboços de conceito não precisam estar em escala, nem precisam ser arrumados e limpos; eles são um registro das ideias ganhando forma na mente do designer (Fig. 5.6). Idealmente, eles todos deveriam ser guardados e encadernados num livro de esboços, e mesmos aqueles considerados, certa vez, infrutíferos poderiam ser úteis em projetos futuros, ou quando o designer é mandado de "volta à prancheta de desenho" por um cliente difícil ou por uma mudança na proposta.

O meio usado é aquele preferido pelo designer – lápis, caneta de ponta porosa, caneta tinteiro – pois desenhos de conceito iniciais dificilmente são mostrados ao cliente ou para outros designers na equipe. O designer espanhol Oscar Tusquets Blanca, por exemplo, usa tipicamente lápis macios Derwent (B ou 3B) em cadernos de papel quadriculado em formato A4 (Fig. 5.7). Outros designers dizem que o meio não importa. Como afirma Tucker Viemeister da Springtime-USA, de Nova York: "Eu não tenho uma caneta ou lápis favoritos. Eu também não tenho meios especiais da sorte que eu uso em noites de estreia. Esferográficas em guardanapos funcionam tão bem quanto lapiseiras em Mylar."

Esboços de conceito são descrições usualmente incompletas do objeto sendo projetado. O restante da informação permanece guardado na cabeça do designer ou ainda precisa ser elaborada. Esboços de comunicação direta para outro designer ou cliente, feitos no calor do momento depois de frases como: "Aqui, deixa eu mostrar o que eu

À direita 5.7. Oscar Tusquets Blanca, Banco Carlitos, 2003. Caneta e lápis coloridos, $11\frac{7}{8} \times 8\frac{1}{4}$ pol. (30 x 21 cm). O designer espanhol examina vários detalhes do design para seu projeto para a Figueiras International Seating.

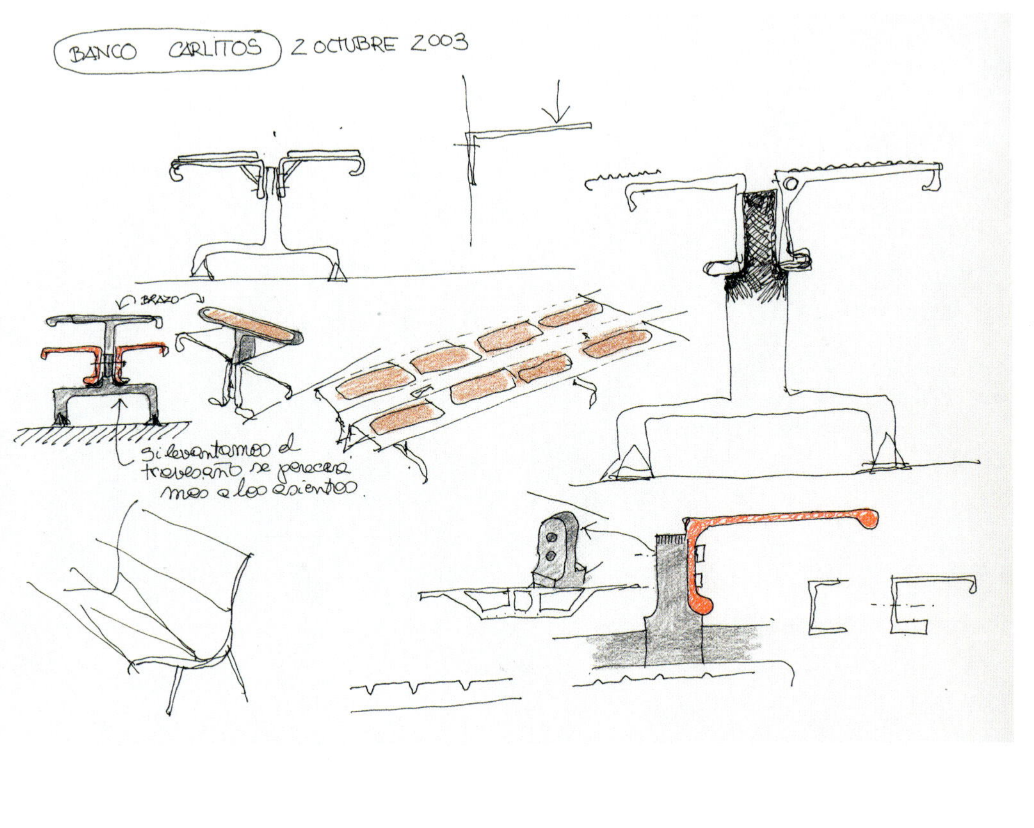

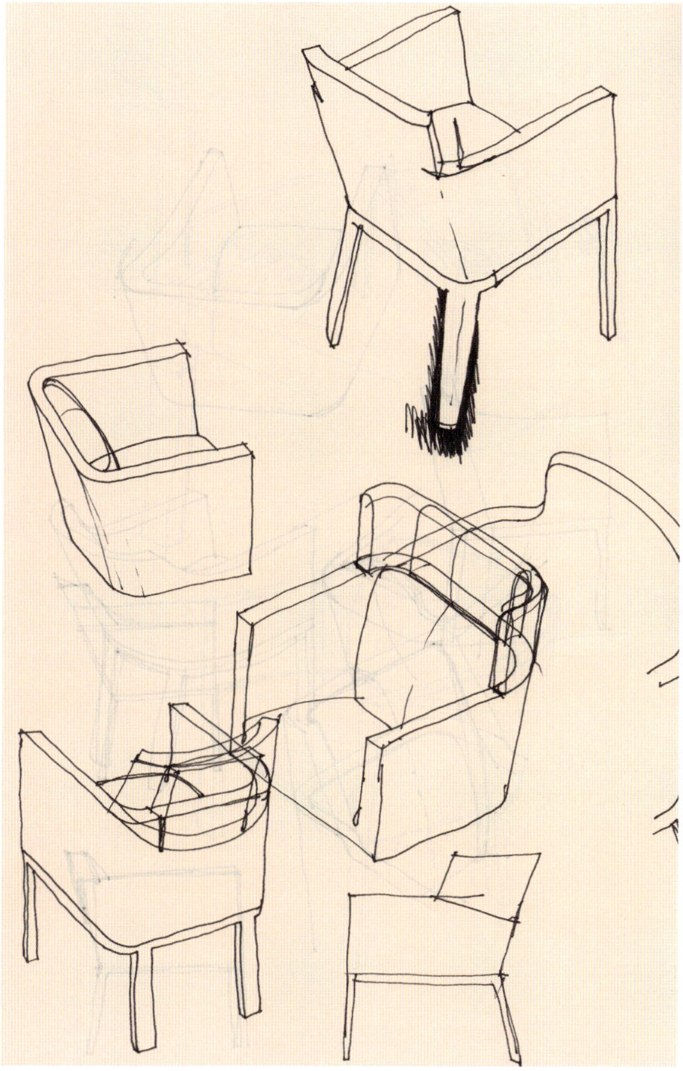

quero dizer com isso...", precisam de um comentário adicional do designer para serem entendidos completamente. Esboços mais comprometidos sempre começam com um contorno geral leve, com o designer escurecendo as linhas selecionadas, preenchendo os detalhes e colocando notas e talvez dimensões-chave. Se um esboço vai ser copiado, deve-se usar papel com linhas azuis esmaecidas ou quadriculado, a menos, é claro, se o reticulado tiver de ser feito como uma característica do produto.

Avaliando o Design

À medida que o projeto progride, os desenhos de conceito serão modificados e reformatados de acordo com qualquer informação nova e com o resultado de análises de desempenho, durabilidade, custo, confiabilidade e facilidade

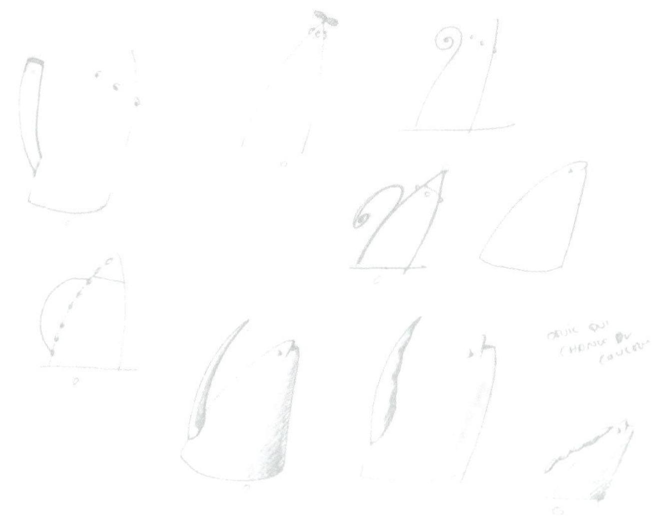

Acima 5.8. Paul Sayers (Drum Design Studios), Cadeiras, 2004. Desenhar em papel translúcido numa série de camadas sobrepostas, como aqui, permite que o designer refine esboços anteriores e, a partir deles, construa conceitos mais acabados.

Acima à direita 5.9. Philippe Starck, Chaleira Hot Bertaa, 1990-97. Os esboços do designer para esta chaleira da Alessi mostram os diferentes cabos.

Abaixo à direita 5.10. Philippe Starck, Chaleira Hot Bertaa, 1990-97. Esta foto do design final para a Alessi mostra o bico e o cabo como uma peça única.

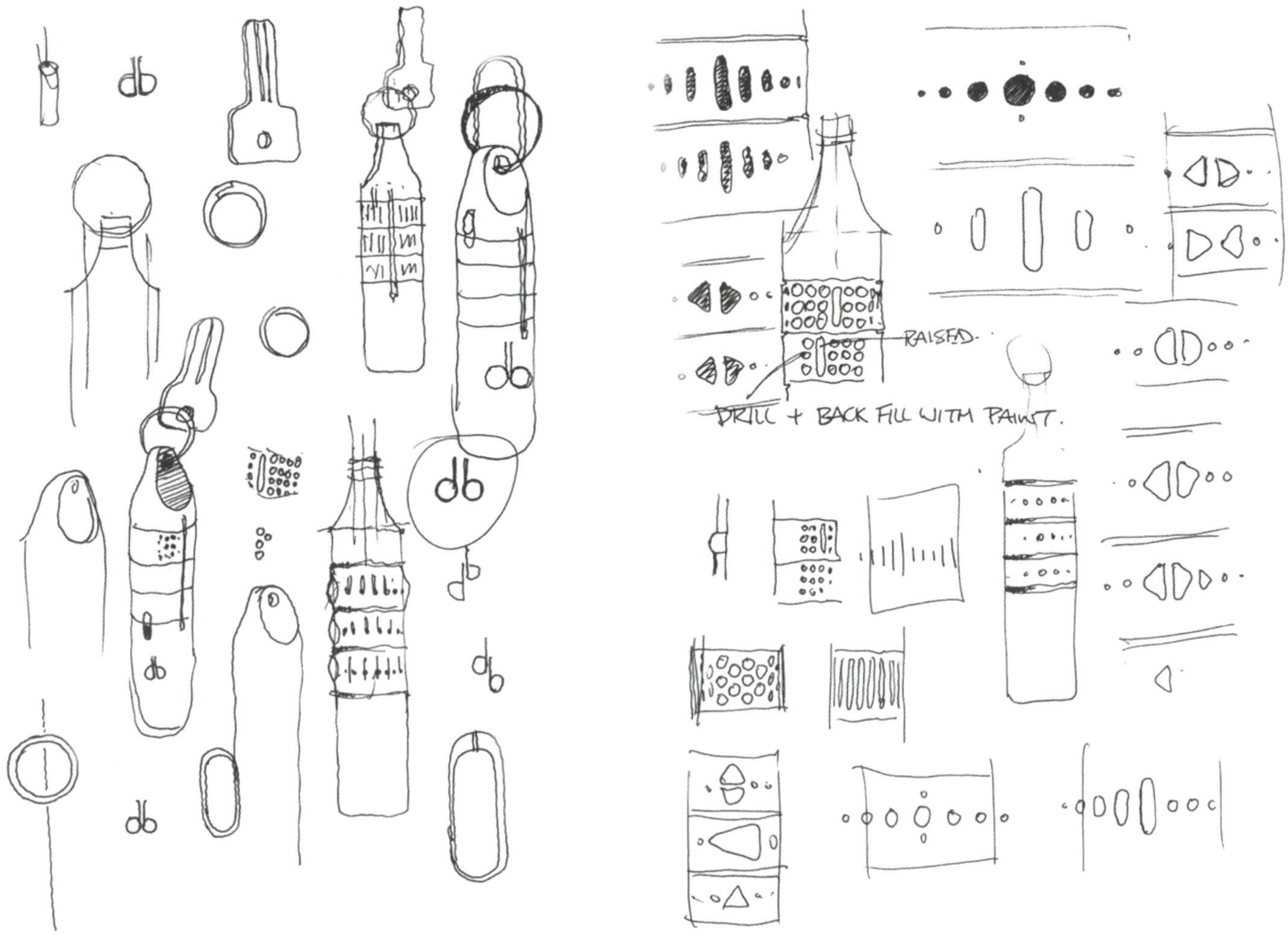

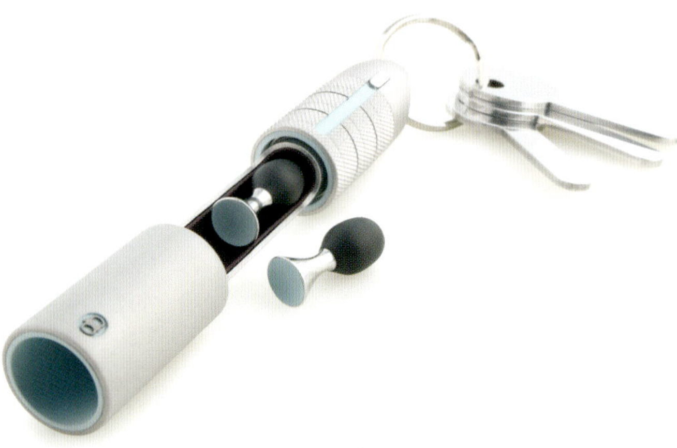

No alto 5.11. Priestman Goode, Chaveiro decibel com tampões de ouvido, 2005. Estes esboços de conceito para o chaveiro contendo tampões de ouvido concentram-se no acabamento superficial do corpo do chaveiro.

Acima 5.12. Priestman Goode, Chaveiro decibel com tampões de ouvido, 2005. O decibel atenua o ruído ambiente em transportes públicos, assim os passageiros não precisam aumentar o volume de seus aparelhos de MP3 para ouvir suas faixas preferidas.

de fabricação (Figs. 5.8, 5.13). E, à medida que o conceito se desenvolve, desenhos mais precisos serão necessários para confirmar ao designer que os conceitos iniciais vagos vão, de fato, funcionar. Usando os esboços de conceito iniciais, mais informações de cálculos, regras práticas, normas, requisitos adicionais do cliente e catálogos de itens particulares, o designer tentará então, um desenho de layout em escala para ver se, e como, tudo se ajusta. Isto vai estabelecer as dimensões-chave e, provavelmente, será desenhado à mão-livre em projeção ortográfica, como uma tentativa inicial bruta de desenho de conjunto (ver Capítulo 7).

Sobreposições em papel translúcido, papel vegetal ou filme de Mylar podem ser usadas para fazer experimentos com a localização dos componentes, para verificar se eles não conflitam uns com os outros e para avaliar os parâmetros de quaisquer envoltórias de movimento (Fig. 5.8). Se o layout for desenhado em projeção ortográfica, todas as três vistas devem ser desenhadas juntas, em escala – os componentes podem se ajustar perfeitamente numa vista, mas podem conflitar totalmente em outra. Cortes, vistas auxiliares (os eixos mais fáceis de desenhar podem não ser os mais fáceis de usar na

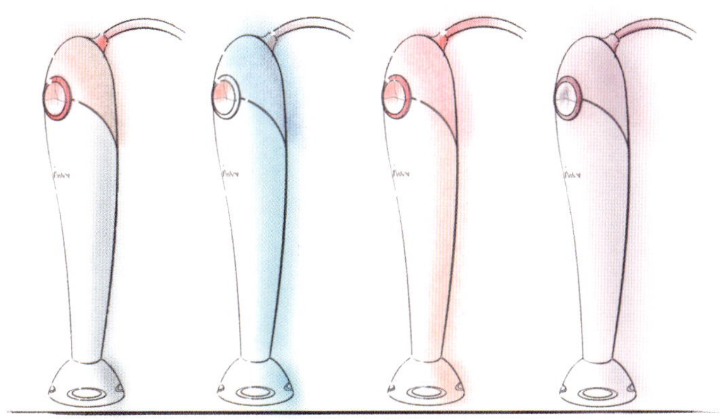

Acima 5.13. Youmeus Design, Ferramentas de cozinha, 2004. Caneta Bic e pastel. Estes esboços de conceito para a Kenwood foram feitos com caneta Bic e pó de pastel aplicado com algodão absorvente.

fabricação) e vistas ampliadas podem ser incluídas com as ortográficas para ajudar a esclarecer a solução proposta e para tentar eliminar qualquer ambiguidade.

Com o conceito testado, o designer satisfeito está, agora, pronto para seguir com os desenhos de apresentação do Capítulo 6 (para convencer o cliente e financiadores de que a solução proposta é o modo certo para se prosseguir) e, então, com os desenhos de conjunto do Capítulo 7, que se tornarão a chave para o número enorme de desenhos de fabricação necessários para produzir e montar.

O Computador Pode Ajudar?

Até recentemente os computadores desempenhavam um papel relativamente pequeno na etapa conceitual do design do produto, a etapa na qual o designer está sozinho, pensando em voz alta com lápis e papel, numa busca solitária para produzir algo novo e nunca visto antes, mas algo que também satisfaça a proposta de projeto. É um processo iterativo de esboçar, avaliar, reesboçar. Haveria benefícios óbvios se estes esboços, em vez de estarem isolados do restante do processo do design à produção, pudessem formar parte da entrada num modelo integrado em computador que pudesse ser usado novamente mais tarde.

O problema é que, a despeito das necessidades do cliente e dos engenheiros, o designer não quer se comprometer a uma geometria e a dimensões fixas neste estágio, mas deseja continuar flexível e sem decidir o maior tempo possível. Sistemas de computador atuais demandam muita precisão, muito cedo.

O uso de computadores no design de conceitos é uma área controversa e altamente carregada. Para muitos é sinônimo de inteligência artificial ou projeto automatizado por computador, se é que existe tal coisa, promovendo a ideia de que computadores podem *pensar* por si mesmos. Mas se houver tal possibilidade enquanto projeto sistemático e se tudo o que os designers fazem quando trabalham for resolução de problemas – isto é, casar um conjunto de parâmetros de fabricação com um conjunto percebido de critérios de desempenho dispostos numa especificação feita pelo pessoal de marketing e restrito por considerações de custo e estado da arte em matéria de tecnologia – então, certamente, todas as chaleiras teriam a mesma aparência, haveria sempre uma forma ideal e ótima, com a forma acompanhando a função. Que eletrodomésticos da linha branca – geladeiras, máquinas de lavar, micro-ondas – (e mesmo carros) – pareçam todos iguais não abranda o argumento.

No mundo capitalista os designers estão no negócio das mudanças rápidas da moda – design enquanto diferenciação. Computadores – mesmo os ditos sistemas especialistas – ainda não têm o tipo de cérebro que possa absorver, reciclar e apropriar-se de todas as ideias diversas e influências que bombardeiam o designer do mundo das artes, da cultura popular e de outros lugares. Se o computador ainda não é capaz de fazer o design, o que ele *pode* fazer é atuar como um ajudante capaz e incansável, fazendo o equivalente em várias coisas e apontar lápis, manter os arquivos acessíveis e efetuar cálculos tediosos – mas nunca se metendo onde não é chamado (Fig. 5.14).

Design do conceito sempre foi a Cinderela do CAD. Nos anos 1960, teóricos mais excitados – especialmente em arquitetura de sistemas e eletrônica – elaboraram esquemas para design automatizado ou "sistemático", confortados pelo fato de que os meios para implementar seus sistemas visionários existiriam apenas no futuro distante, com hardware barato e disponível e que estavam muito além da capacidade dos computadores mainframe de sua época (que tinham a capacidade equivalente de um microprocessador de relógios digitais e calculadoras descartáveis dos dias de hoje).

Aplicações mais modestas e pragmáticas para computadores, tais como sistemas de desenho 2D que emulam os métodos manuais do escritório tradicional de desenho, dominaram desde então – os onipresentes sistemas de desenho de baixo custo, baseados em PCs, em vez de liberarem os designers, meramente perpetuam ultrapassadas convenções Vitorianas.

À esquerda 5.14. Pearson Lloyd Design, Cadeiras de avião para a Upper class da Virgin Atlantic, 2001. Estes conceitos em CAD foram modelados no Cobalt para visualizar pensamento conceitual inicial e ideias de material além de mostrar como as formas se relacionam umas as outras em múltiplos.

Conceitos de Modelamento Sólido 3D

Agora os desenvolvedores de processadores e memórias estão dando as cartas e o hardware, com a capacidade para lidar com tarefas de uso intensivo de computador e gerenciar grandes quantidades de memória, tornou-se muito mais acessível. Desenvolvedores de CAD estão usando este excesso de capacidade de processamento para tornar mais amigáveis as interfaces de seus sistemas e os softwares mais inteligentes – usando técnicas de OOP (Programação Orientada a Objeto) de modo que os designers possam ter mais confiança se seus designs estarão certos da primeira vez e possam tentar cenários alternativos, além de terem mais responsabilidade pelo sucesso final do produto projetado.

Você poderia perguntar: o que é Programação Orientada a Objeto (OOP)? Historicamente, os programas eram vistos como procedimentos (de modo que podemos entendê-los como "verbos") que operam sobre os dados. OOP é uma abordagem modular com a visão de que os programas devem começar por pensar a respeito dos dados ("substantivos"). O resultado é um software que é mais simples e robusto para ser desenvolvido e mantido, como módulos testados e comprovados, além de componentes chamados "objetos" que são reutilizados e herdam os atributos de outros objetos – veja mais no item a seguir.

O problema com muitos sistemas comuns de CAD é que os designers, normalmente, precisam saber exatamente o que eles querem fazer antes de sentar diante de uma tela de computador. E isto é precisamente o que não quer um designer de conceitos – a fase de esboços iniciais no design é aquela na qual os designers lutam para formular e exteriorizar suas ideias. A última coisa que querem é um computador os chateando com pedidos de dimensões precisas, ângulos e tolerâncias, que servem apenas para fabricar um protótipo funcional.

O paradoxo é que a maioria dos sistemas atuais precisa de toda a informação a respeito do produto acabado antes que eles possam iniciar a modelagem. Mas, livres desta "condição inicial de completude" que os rígidos sistemas CAD atuais insistem em ter, os designers podem realmente começar a desenhar criativamente, dizendo ao sistema o que eles querem, ao invés de perder tempo explicando ao sistema como seguir adiante e onde encontrar informação.

Sistemas Orientados a Objeto

Em sistemas orientados a objeto, um "objeto" – que pode ser tão primitivo quanto uma linha ou um arco, ou tão complexo quanto uma montagem – é definido em termos de um conjunto de itens de dados mais todos os procedimentos para manipulá-lo e controlá-lo. O objeto não apenas sabe o que é, mas também o que é capaz de fazer realisticamente e como se segue adiante para realizar e, também, está ciente de suas relações com os outros objetos, com os quais tem de interagir.

Objetos semelhantes são agrupados em classes e estas podem ser divididas em subclasses que podem "herdar" as estruturas de dados e funcionalidades dos "pais". A classe "linha" pode ter uma subclasse "tubo" que herdará os métodos de mover, mostrar e apagar, mas cuja estrutura de dados também incluirá atributos, tais como material e diâmetro. Assim, o novo elemento gráfico pode ser definido com o mínimo de duplicação e uma menor quantidade de variação, o que torna a manutenção do software consideravelmente mais fácil.

Códigos comuns podem ser divididos por muitas classes no sistema e, onde existirem diferenças, basta indicar as modificações. OOP permite que engenheiros de software e designers desenvolvam aplicações novas tomando as vantagens de objetos previamente desenvolvidos e herdando toda a inteligência destes.

Objetos levam o CAD aos confins da geometria física; o designer pode tentar variações de um design usando materiais diferentes, enviando uma série de designs, digamos, para a análise estrutural, em que cada um deles poderá ser explorado mais prontamente.

Todo o histórico do processo de designs pode ser automaticamente registrado, de modo que pode ser repetido, alterado ou avaliado a qualquer tempo – uma característica indispensável para designers de conceito que gostam de jogar com as ideias antes de se comprometerem com um protótipo físico. Uma função "história" também permite que os designers adquiram um conhecimento a respeitos das implicações de suas decisões de estilo na fabricação, nas propriedades físicas (peso, volume, momento de inércia) e nas prováveis implicações no custo de produção. *Programas devem permitir que o designer mude de ideia*, diz o guru em pesquisa sobre design, John Frazer, *permitindo definições precisas de componentes para propósitos de avaliação, ao mesmo tempo permitindo a modificação fácil das formas e proporções fundamentais. Com modeladores sólidos CSG* (sigla em inglês para Geometria Sólida Construtiva) (ver Capítulo 2) *isto não é sempre possível. A menos que você possa ter uma árvore de operações booleanas usadas para se chegar àquela forma, o processo de design será irreversível.*

Programas de design também precisam entender às necessidades do designer, usando palavras familiares – retiradas do vocabulário da manufatura ao invés de jargão usado em computador, tais como Booleana ou Euler – criando modelos de computador a partir de blocos, tarugos, chapas, peças torneadas ou extrusões em realidade virtual, usando operações entendidas pela indústria como furar, puncionar e chanfrar, da mesma forma que componentes reais em metal são feitos na oficina.

Tudo isto se resume ao fato de que as empresas de software têm como objetivo produzir modeladores sólidos 3D que sejam mais fáceis e flexíveis, exijam menor precisão e que sejam mais fáceis de usar que os atualmente no mercado, de modo que possam ser usados mais cedo no processo de design.

Uma Abordagem Híbrida

Até que estejam disponíveis no mercado modeladores mais flexíveis e fáceis de usar, os designers têm optado por uma abordagem híbrida, combinando métodos manuais com auxílios computacionais e tipos diferentes de software. Embora existam pacotes de software projetados especificamente para esboço 2D rápido e fácil, usando uma mesa digitalizadora e caneta para entrada de dados, tais como o Alias SketchBook Pro (fig. 5.15), a maioria dos designers, mais provavelmente, ainda iniciará o processo usando lápis e papel, então o resultado é escaneado para que o desenho seja limpo e colorido usando um programa de "pintura", tal como o Adobe Photoshop. Usar camadas e traçados (tanto em folhas de papel translúcido, quanto no computador) deixa o processo um pouco mais flexível e entendível. O desafio é converter estes esboços 2D em modelos 3D, razoavelmente fiéis, com um mínimo de

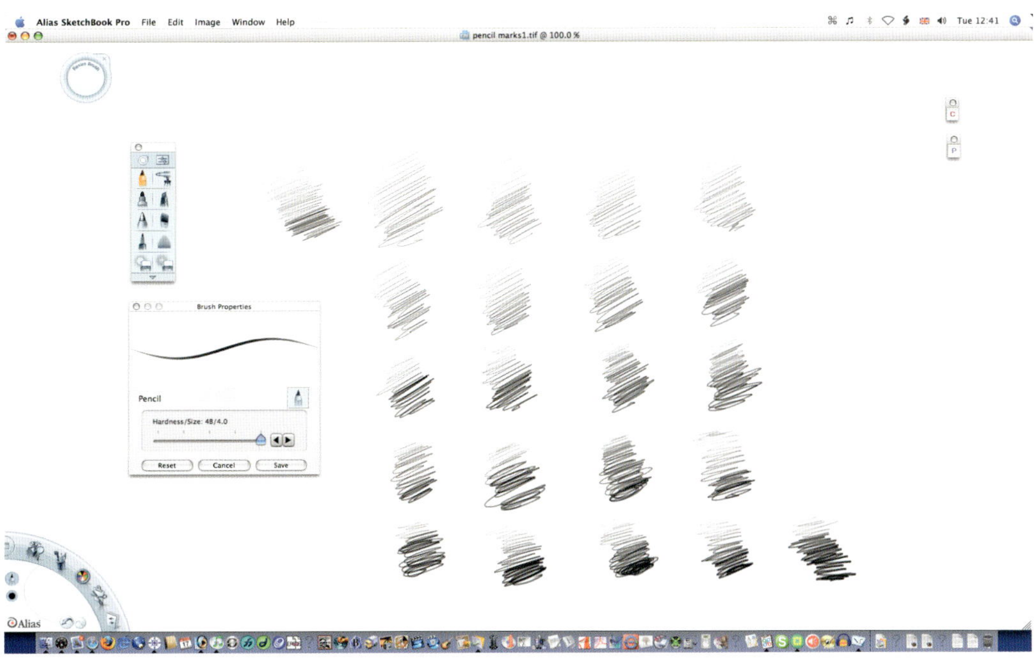

À direita 5.15. Captura de tela do Alias Sketchbook Pro mostrando graus de lápis simulados de 4H a 4B em marcações de tamanhos distintos.

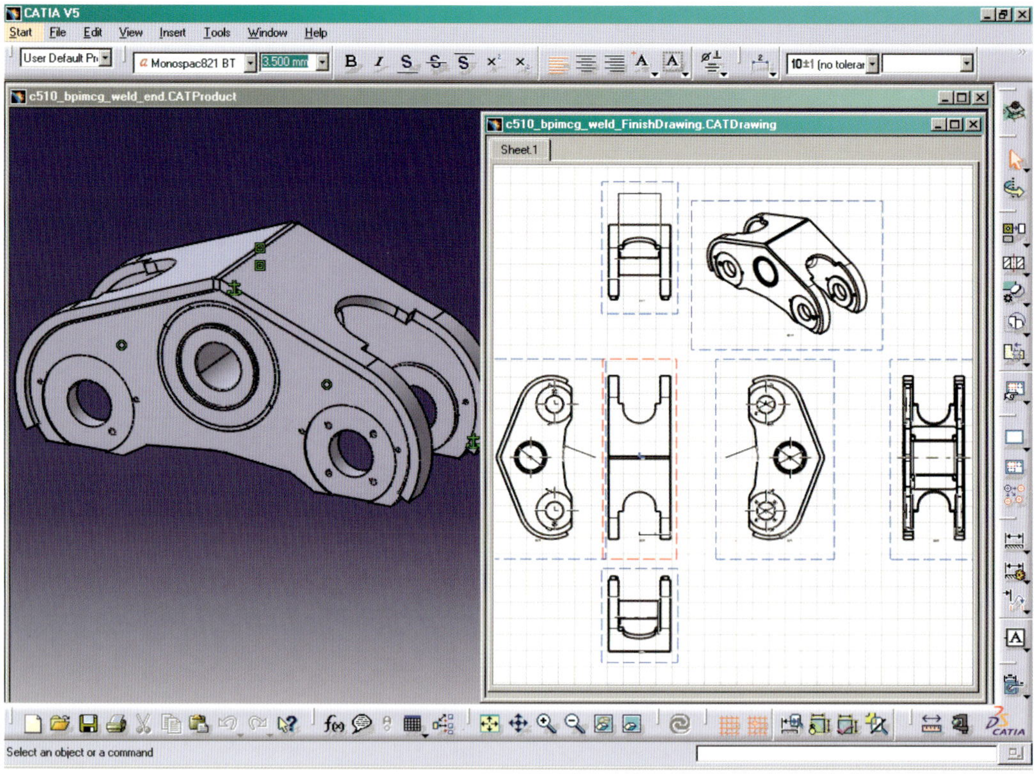

À direita 5.16. Captura de tela do Programa de CAD Catia da Dassault Systèmes mostrando uma peça modelada em 3D próxima a sua representação ortográfica.

esforço, para que possam ser usados mais tarde para fazer desenhos de apresentação, instruções para máquinas de corte de comando numérico e outros dados para a fabricação.

Esboços ortográficos (planta e elevação) parecem, atualmente, mais adequados para retirar medidas e para estabelecer pontos de ancoragem e curvas como base para um modelo 3D, especialmente se há alguma simetria envolvida no produto, ao redor da linha do centro de um automóvel ou telefone celular, por exemplo (fig. 5.16). Esboços em perspectiva podem parecer convincentes, mas, com efeito, são distorções e não são realmente precisos o suficiente para extrair dados auxiliares na criação de um modelo 3D útil.

Soluções Computadorizadas Comerciais

Há muitos produtos de software no mercado que buscam agrupar as ferramentas necessárias para levar um conceito até a próxima etapa do design. Alguns designers podem trabalhar com argila real ou virtual para entrar dados num modelador 3D, como o SolidWorks (ver Passo a Passo 2), para capturar a geometria bruta do conceito. Pro/Concept é um programa voltado especificamente ao design de conceito e é a linha de frente do modelador sólido paramétrico Pro/Engineer da PTC.

Usando o Pro/Concept, o designer seleciona na barra de ferramentas um lápis, marcador ou outra ferramenta virtual de desenho e começa a criar um esboço de conceito. Há ferramentas de edição de imagem, tais como warp, para aplicar extensão ou substituir a cor, gerando esboços alternativos. O esboço pode, então, ser expandido num modelo aramado (wireframe) por meio de linhas mestras de desenho e seções através do modelo. Isto já pode ser informação suficiente para capturar o conceito e repassar para os engenheiros de CAD para que criem o modelo sólido. Ou ainda o designer pode desejar desenvolver um pouco mais as formas 3D combinando técnicas de lofting e primitivas de objetos para construir formas básicas 3D, usando várias ferramentas de edição globais e locais para refiná-las ou adicionar detalhes.

Quando o modelo estiver completo, ferramentas similares àquelas usadas no esboço original – dobrar, curvar, pintar, entre outras – podem ser usadas diretamente no modelo. O software é flexível o suficiente para permitir que os designers iniciem em qualquer ponto do fluxo de trabalho do design conceitual – esboço, layout ou argila virtual – e então ir qualquer ponto adiante. Para iniciar na fase de layout, por exemplo, o designer pode iniciar entrando as curvas “herdadas” de um design existente ou escaneando um modelo existente. Para iniciar com a fase de argila virtual, dados de facetas de modelos 3D existentes podem ser introduzidos. Então, a qualquer instante, o designer pode simplesmente pegar a ferramenta de esboço, ou apagador, ou pincel e seguir adiante.

Para dar acabamento a um design, um designer pode "pintar" um modelo 3D para explorar ideias antes de comprometer uma geometria para o modelo. Para experimentar ideias diferentes para um teclado de celular, por exemplo, um designer pode mapear uma imagem 2D de um teclado por sobre um modelo, revê-la, removê-la e experimentar outra. Uma vez que o estilo preferido seja encontrado, a geometria real do teclado pintado pode ser adicionada ao modelo. Com execução e iluminação realistas, a equipe de projeto pode apresentar e avaliar designs com maior realismo muito mais cedo no ciclo de desenvolvimento do produto.

Desenhando no Espaço

A maior dificuldade para se trabalhar em 3D em algum meio bidimensional como a tela do computador é imaginar onde você está no espaço. A tela 2D do computador é meramente uma janela para o mundo virtual do modelador sólido 3D. E, diferentemente dos modeladores usados em computação gráfica para filmes e jogos, onde só há a representação física dos objetos 3D, em um CAD há muito mais propriedades, tais como peso e volume.

Para desenhar e esculpir diretamente no espaço 3D, com realimentação táctil, designers podem usar dispositivos tácteis (fig. 5.17), encontrados mais comumente em aplicações robótica e médicas. Produtos como o Omega podem acelerar a transição de esboço para modelo ao importarem arquivos 2D de programas de desenho e ilustração, construindo modelos 3D a partir de curvas 2D e entregando um único arquivo 3D no lugar de vários desenhos 2D que podem ser mal interpretados. Podem também criar interpretações de design 3D de baixo custo mais cedo no ciclo do projeto, ao reformatar ou decorar modelos em argila, renderizando e animando modelos para testar diferentes direções de design, antes de se comprometer com protótipos físicos e designs mais detalhados.

Para reiterar a colocação feita no capítulo precedente, um bastão é montado num dispositivo com seis graus de liberdade, com sensores de posição, que realimenta rigidez e força de modo que o designer tem a percepção de que está realmente esculpindo um objeto físico real. A saída do sistema inclui apresentações fotorrealistas, arquivos para prototipagem rápida e em formatos 3D selecionados.

Como mencionado no capítulo 2, Pro/Engineer (fig. 5.18) é um exemplo de um modelador sólido paramétrico que permite que modelos sejam construídos e modificados dinamicamente – o designer adiciona ou apaga do modelo base sem sofrer as penalidades dos modeladores "estáticos" convencionais. A necessidade de informação dimensional precisa foi quase eliminada – a forma geral é capturada parametricamente, e as dimensões podem ser modificadas ao se entrar um valor, estabelecendo uma relação com outras dimensões paramétricas ou ao definir uma relação com uma tabela de peças. O designer pode estabelecer pontos de

À direita 5.17. Um dispositivo táctil comercial Omega com três graus de liberdade e com realimentação de força. Cortesia Force Dimension, Suiça.

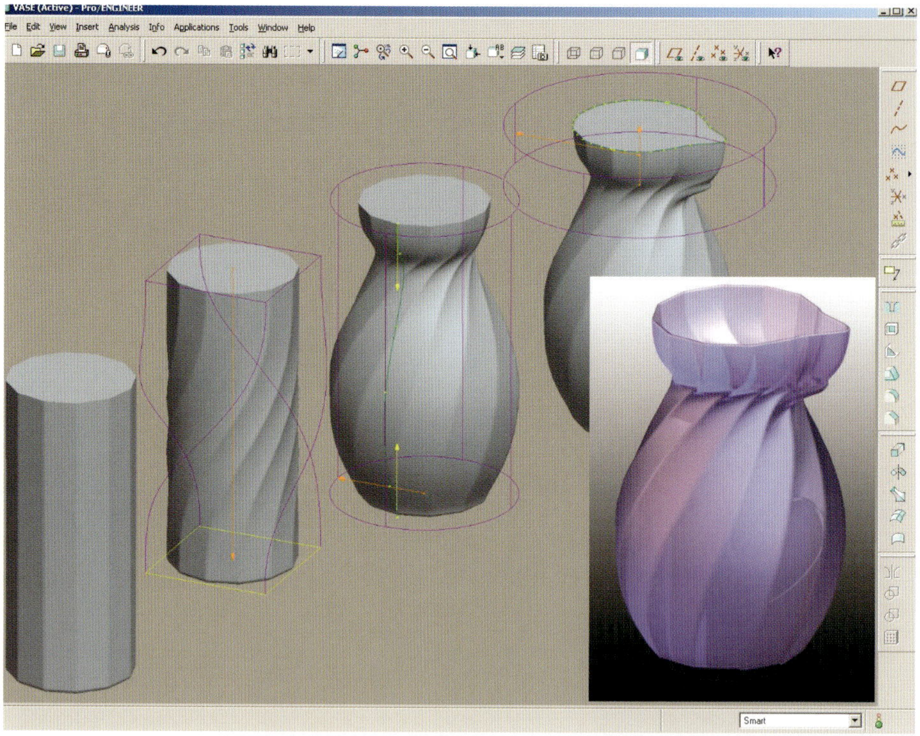

À direita 5.18. Uma captura de tela do Pro/E mostrando um vaso criado a partir de um prisma/cilindro torcido e manipulado.

Abaixo 5.19. Pearson Lloyd, cadeira em balanço avançado Soul, 2006. Person Lloyd usou Pro/E para desenhar esta vista lateral para a Fritz Hansen (Produzida subsequentemente pela firma britânica Senator International). Seria quase impossível fazer este desenho 2D desta cadeira à mão, por conta de sua forma fluida de peça feita por injeção.

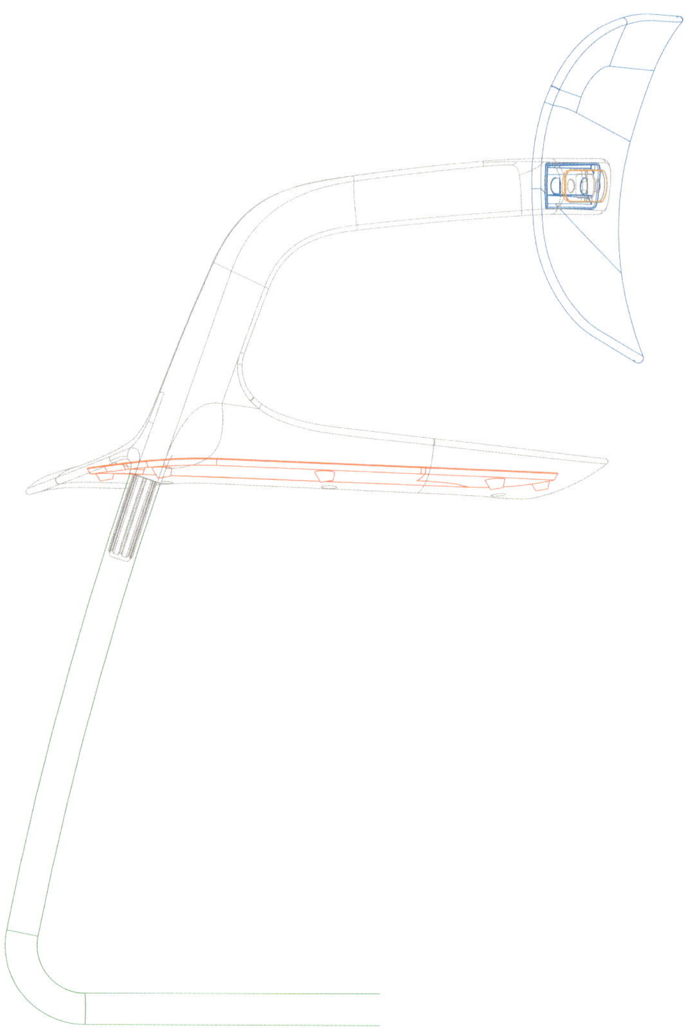

referência (*datum points*), eixos e envelopes de espaço, pode esboçar uma peça e, então, gerar um modelo do componente que poderá, mais adiante, ser refinado pela adição de características, tais como furos, relevos e flanges. É capaz de modelar objetos com qualquer número de superfícies planas, cilíndricas, cônicas, esféricas, toroidais ou esculpidas. Modelos de montagens de peças podem ser vistos e sombreados a partir de ângulos prefixados, podem fornecer dados para produção em massa, usados para produzir desenhos 2D associativos e cotados automaticamente e diagramas explodidos (Fig. 5.19). O termo "associativo" significa que modificações feitas no desenho são automaticamente feitas no modelo e vice-versa.

Criando Formas Orgânicas

Enquanto formas semelhantes a blocos são fáceis de construir usando um modelador sólido CSG, a habilidade de criar formas livres sem restrições de maneira fácil e controlada tem sido uma espécie de Santo Graal para os pesquisadores de CAD (Figs. 5.20, 5.21). O escultor William Latham (Fig. 5.22) é um pioneiro em tentar obter formas "orgânicas" de modeladores sólidos mais usados para lidar com componentes massudos de engenharia. Ele desenvolveu a sua inspiradora forma, baseada em regras, "árvore evolucionária" no Royal College of Art, em Londres. Ele, então, tornou-se pesquisador no centro científico da IBM inglesa em Winchester, trabalhando numa tese de doutorado intitulada "Um Sistema Interativo de Computação Gráfica para Desenho de Formas

À direita 5.20. Alvar Aalto, Vasos de vidro, 1936. Crayon e colagem em papelão. O designer fez estes desenhos de conceito para a vidraria Italla, da Finlândia, para a feira mundial de Paris em 1937. Estes vasos foram os precursores dos vasos Savoy do mesmo Aalto e foram inspirados pelas Eskimoerinden Skinnbuxa (calças de couro das mulheres Eskimó). Cortesia Iitala Group, Helsinki, Finlândia. (Ver Também figura 14)

Abaixo 5.21. Alvar Aalto, Vaso Savoy, 2007. Para o septuagésimo aniversário do vaso Savoy, que foi assim batizado por conta do restaurante Savoy em Helsinki ter sido o primeiro a usá-lo, a Iitala trouxe esta versão em azul-gasolina. Cortesia Iitala Group, Helsinki, Finlândia.

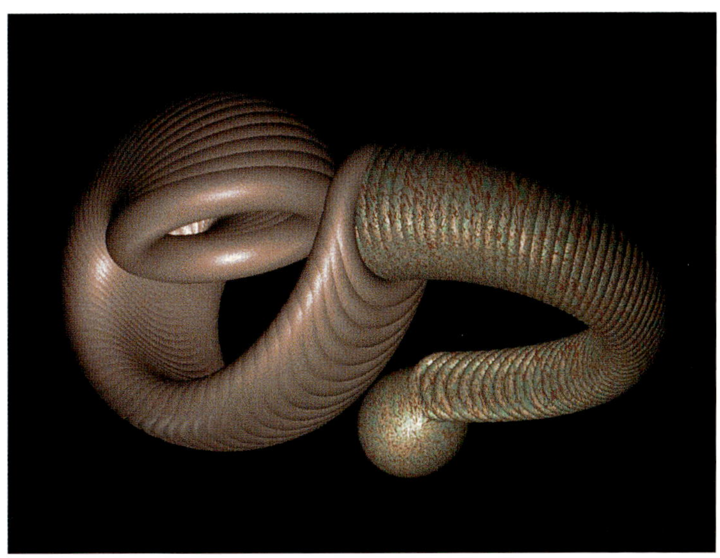

Acima 5.22. William Latham, Mutation X ribbed, 1993. William Latham tornou-se um pioneiro ao tentar obter formas "orgânicas" de modeladores sólidos, enquanto trabalhava como artista-residente no centro científico da IBM do Reino Unido em Winchester, Hampshire.

Abaixo 5.23. El ultimo grito, Assento e canteiro Land Ho!, 2003. Este esboço enganosamente simples para a Nola mostra um oásis urbano baseado no conceito de ilha deserta.

Conclusão

No estágio conceitual do processo de design, o designer está mais preocupado com evoluir produtos e formas de produtos novas, enquanto lida com as restrições da proposta de design (Fig. 5.23). Esboços simples e layouts à mão-livre, mais notas associadas e cálculos, foram, no passado, suficientes para esta tarefa.

CAD convencional, neste estágio inicial, pode conter a criatividade ao insistir que o designer forneça ao sistema informações dimensionais e geométricas precisas. Mas há sistemas em desenvolvimento que podem fornecer ao designer valorosas análises – pesos, volumes, momentos de inércia e informações sobre detecção de folgas e interferências – sem que ele ou ela precise se comprometer a uma forma ou formato final. Mas até que estes programas sejam intuitivos, baratos e amigáveis, os designers ainda irão depender de um lápis e de qualquer pedaço de papel à mão para registrar pensamentos conceituais espontâneos.

Complexas". O Form Syth de Latham foi criado para ajudar designers com o tipo de produto 3D que precisam satisfazer certos requisitos funcionais, mas ainda permitem escopo na forma geral: produtos como sofás, luminárias e garrafas.

Aramados (wireframes) que podem ser criados e orientados interativamente são enviados para serem texturizados, iluminados, recebem acabamento de cantos com arredondamentos e finalmente passam por "Ray tracing", para que tenham uma aparência autêntica, conforme as leis da óptica. A textura é gerada no 3D usando técnicas fractais de modo que o objeto pareça que tenha sido esculpido a partir de um bloco sólido texturizado. Latham descobriu que a menor quantidade de textura adicionada a um objeto em metal polido ou plástico brilhante faz com que pareça ainda mais realista (mais a respeito de apresentação feita em computador no Capítulo 6).

Dica Quente:
Praticando desenho à mão-livre

Pratique seu desenho à mão-livre ao escolher um item comum e desenhá-lo em perspectiva desde pontos de vista incomuns e em diferentes escalas extremas. Seja como o artista "pop" americano, Claes Oldenburg, e aumente um objeto pequeno, como uma caneta ou relógio até um tamanho monumental, usando exagero para dar um efeito dramático, alto em relação ao horizonte e com pontos de fuga mais próximos uns dos outros do que deveriam normalmente estar.

Estudo de Caso 3:
Carro conceito "punk"
Linda Andersson

Linda Andersson foi criada na Suécia e estava intrigada sobre como um país, que é tão famoso por suas atitudes tão progressistas e bem estar social, podia também adotar os carros customizados e "hotrods" ao estilo americano, numa subcultura rockabilly conhecida como raggare (uma palavra com alguma correspondência ao termo em inglês "pick-up artist"). Ela começou a trabalhar numa pesquisa sobre como numa cultura de produção em massa definida por marcas, alguém – neste caso, um personagem hipotético, John, idade 49 – poderia expressar-se através do carro que ele dirige. O resultado estava no seu projeto de final de ano no Royal College of Art de Londres, o punk car.

Linda vem de um local próximo a Gotemburgo e estudou engenharia mecânica por dois anos em Luleå. Ela também amava a arte e, assim, assistiu a um curso vespertino de desenho em Umeå. Ela trabalhou durante três verões como estagiária na Volvo, onde desenvolveu um interesse em estudar design de transportes. Então, matriculou-se no terceiro ano do curso de Mestrado de Design na Universidade de Coventry, na Inglaterra. Patrocinada pela SAAB, Linda desenvolveu um hovercraft com duas rodas frontais para manobrabilidade adicional. Ela foi vista por Julian Thomson da Jaguar, também baseado em

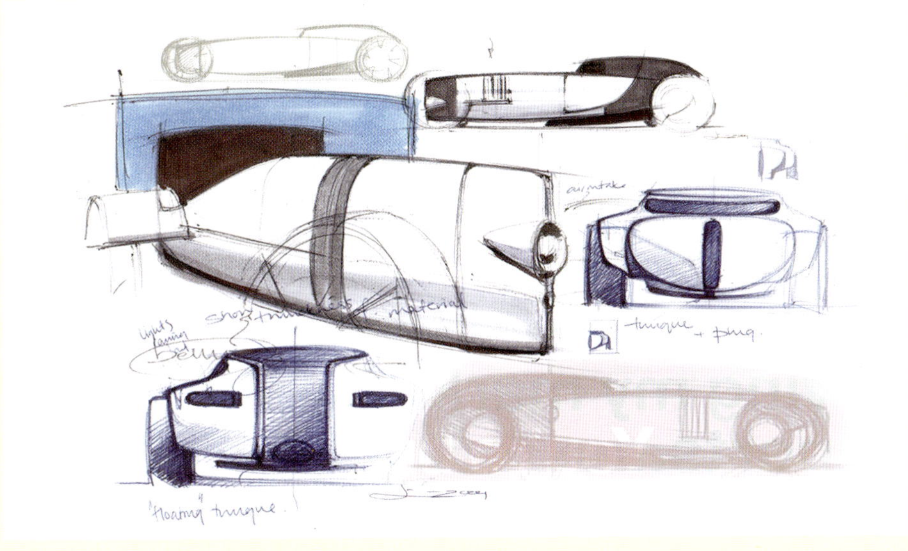

À direita em cima CS 3.1. Carro conceito para o design avançado da Jaguar, 2003: Desenho a lápis aerografado no Photoshop e colado com o detalhe do interior.

À direita em baixo CS 3.2. Esboços de conceito do carro Punk, 2004: Lápis, esferográfica e marcador, acabamento e colagem no Photoshop.

Coventry, que a patrocinou durante o curso de mestrado em Design de veículos no Royal College of Arts (RCA). Desde a formatura no RCA, ela trabalhou no Design Avançado de Veículo da Jaguar, um dos quatro designers desenvolvendo carros conceitos (Fig. CS 3.1).

O título de seu projeto no RCA foi "autoexpressão e individualização". Linda tinha como alvo a faixa etária dos 45 aos 60 anos, com renda extra e que nasceu nos anos 1950 e 1960. "Há a necessidade de um conceito provocativo e rebelde", ela explicou, "um rebelde contra o carro simples, para mostrar uma direção nova dentro e fora da estrada. Um carro com uma "cara" pessoal que batalha para satisfazer as necessidades do usuário por individualidade". Sua ideia era de um carro que pudesse ser customizado pelo usuário, com faces destacáveis distintas em materiais distintos, contrastando a frente do carro com a traseira (Fig. CS 3.2).

Linda queria saber como encapsular a essência do *raggare* na forma e decidiu-se por um cubo (Fig. CS 3.3). Desenvolveu esta forma um pouco mais adiante usando materiais contrastantes: madeira na extremidade fluida, emocional; metal na ponta mecânica, muito parecido com um revólver com seu cabo ergonômico em madeira e seu frio tambor funcional (Fig. CS 3.4). Outros detalhes incluíam pneus divididos com luz neon brilhando e visor escuro, como em óculos de sol.

Linda considerou cuidadosamente o uso do espaço pessoal no seu design de carro. Ela pesquisou qual cômodo de suas casas o carro das pessoas representava – banheiro, quarto, sala de estar? O exterior de seu carro conceito era para se mostrar, para expressar-se aos outros, mas o interior era o espaço vital ou de entretenimento de um indivíduo. Para Linda, o que o espaço interior transmitia em sensação era mais importante do que a sua aparência.

Linda usou caneta esferográfica e marcador em seus desenhos e, depois, colagem e os acabou no computador usando Photoshop (Fig. CS 3.5). Ela também fez um modelo em madeira, em um quarto de escala e outro, em argila, que foi fotografado e adicionado aos desenhos (Fig. CS 3.6). Tudo o que ela precisa agora é de um patrono rico para tornar este carro conceito uma realidade, embora, com suas rodas expostas, a versão atual não seja legalizada para uso nas ruas.

Página oposta no alto CS 3.3. Modelos conceituais em madeira examinando a "forma de tubo de pasta de dente".

Página oposta abaixo CS 3.4. Colagem da vista lateral, aerografada no Photoshop, com esboços de conceito (incluindo o desenho de contexto de uma arma de fogo).

Acima CS 3.5. Perspectiva dramática vista de trás do carro Punk desenhado usando lápis, com tinta derramada e aerografado no Photoshop.

À direita CS 3.6. Fotografia do modelo em um quarto de escala do carro Punk acabado em colagem feita no Photoshop, com a cena das planícies salgadas e escrita adicionada.

O designer nunca se pareceu com o Pensador de Rodin, que se senta solitário em meditação, mas, ao contrário, tem sempre externalizado seus pensamentos não apenas como produto final na forma de um design, mas como parte integral do processo em si mesmo na forma de desenhos e esboços.

Bryan Lawson *How Designers Think* 1980

6 Desenhos de apresentação

Página oposta Mario e Claudio Bellini, Panela em aço My Lady, 2003. Esta é uma renderização fotorrealista feita no Rhinoceros para a Barazzoni SpA.

Após a sempre solitária fase conceitual do design, agora é hora do designer ser um membro de uma equipe e, por conseguinte, haverá a necessidade de comunicar estes esboços vagos para outros profissionais usando desenhos mais acabados em marcador ou coloridos em computador (Fig. 6.1). Vários detalhes contribuindo para o design acabado, tais como os fatores ergonômicos, tecnológicos e estéticos, ainda têm que ser satisfeitos. A fase de apresentação precisa cobrir cada um e todos os aspectos do produto, para que os departamentos de marketing e engenharia sejam capazes de terminar o design para a etapa de produção.

Esta é chamada de fase de desenvolvimento do design. Há, agora, uma escolha de designs que podem ser trabalhados e o resultado será uma única proposta de design, embora alguns aspectos do design ainda possam não estar completamente pensados. Os detalhes refinados serão resolvidos na próxima fase (Capítulo 7).

Desenhos de apresentação 3D muito bem realizados (Fig. 6.2) tornaram-se cada vez mais importantes, como desenhos ortográficos 2D dos engenheiros – o conjunto de planta e elevações desenvolvido ao longo dos anos na busca por uma representação completa e sem ambiguidades de um objeto projetado – têm sido cada vez mais difíceis de entender ou de se "ler", especialmente por aqueles a quem se pede para pagar as contas (o cliente, gerente ou contador). Isto é condenado por designers tais como Dick

Acima 6.1. Michael DiTullo, Telefone Móvel, 2005. Lápis prismático de azul índigo no verso de um envelope pardo.

À direita 6.2. Factory Design, Assentos do Concorde, 1998. Marcadores e pastel com caneta. Este projeto foi resultado do trabalho de uma equipe colaborativa contendo designers da própria British Airways e da Conran & Partners para criar o novo interior da aeronave quando esta voltou a operar.

À direita 6.3. Pilipili Product design, Produtos para limpeza doméstica, 2004. Modelos 3D renderizados de utensílios de limpeza doméstica para a PDC Brush, feitos usando software UGS NG.

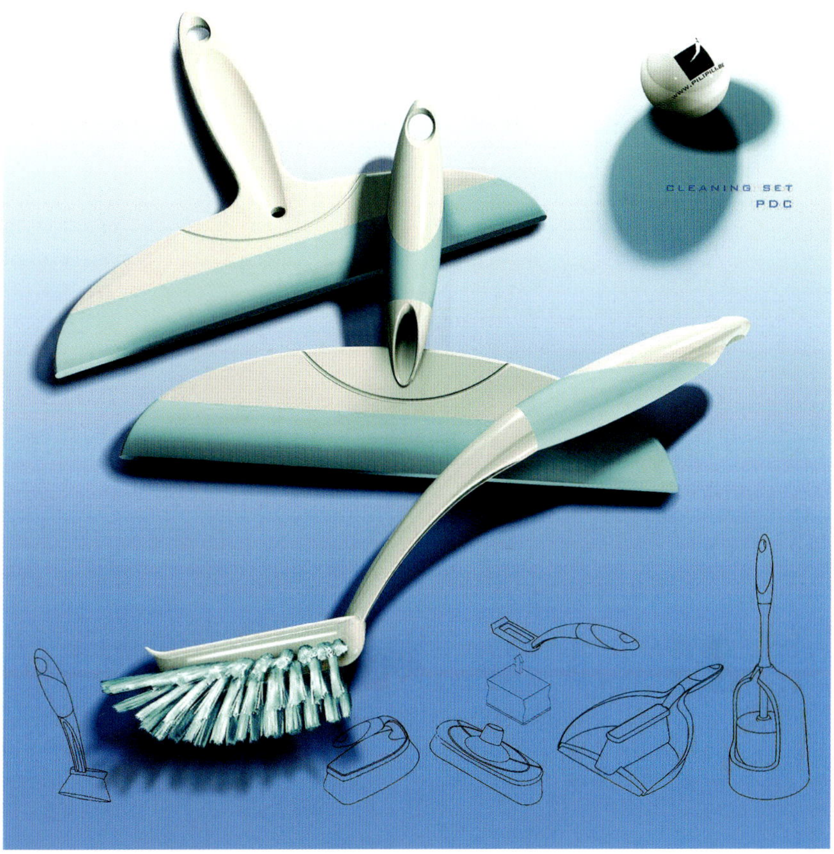

Powell, da consultoria londrina Seymourpowell, que lamenta a passagem de uma geração que cresceu na prática do desenho de engenharia e que, com base em experiência, pode visualizar em sua mente um objeto 3D apenas ao olhar para um conjunto de desenhos ortográficos – sendo capaz de usar plantas e elevações renderizadas e de fabricar modelos físicos.

Por exemplo, para fazer um modelo rápido, uma vista lateral pode ser colada a um bloco de isopor e a forma pode ser cortada com uma serra de fita. O isopor é remontado e a vista superior é colada ao isopor para ser cortada com uma serra. Finalmente, as peças em isopor são montadas de volta e a elevação final é cortada. Resultado: um método rápido e fácil para produzir um modelo simples. É claro, nem todos os designers levam o CAD tão cedo para o processo e nós deixaremos discussões futuras sobre desenho 2D para o Capítulo 7.

Um conjunto de desenhos 2D em papel, feitos à mão ou com auxílio de um sistema CAD, é ainda necessário, uma convenção remontando aos tempos Vitorianos. Um modelo 3D em computador contendo uma descrição completa do produto é uma aspiração muito mais desejável. Uma superfície em computador ou modelo sólido são capazes de exercer os dois papéis: como uma representação geométrica precisa do produto virtual e como uma visualização fotorrealista, completa com sombreamento e efeitos de luz e sombra (Fig. 6.3).

Entretanto, o computador não poder fazer tudo por si mesmo, e alguns designers ainda gostam de mostrar "a mão do artista" em suas apresentações na forma de desenhos feitos à mão; seja à caneta, a lápis ou marcador, apesar de sempre acabados no computador e "aerografados" usando um programa de "pintura" em computador, como o Adobe Photoshop (Figs. 6.4, 6.5) ou o Corel Painter. Alguns designers também produzem desenhos de apresentação usando programas vetoriais, tais como o Adobe Illustrator, utilizando geometrias em CAD para entrada. Imagens vetoriais têm vantagens sobre pacotes de "pintura" (bitmap), pois nos primeiros é possível mudar o tamanho da imagem sem perda de resolução e ocupam menos espaço em disco. Entretanto, a qualidade das texturas de apresentação não é tão realista.

Apresentar modelos em computador altamente renderizados tem, entretanto, dois perigos: os clientes podem perceber que a renderização lisa representa o produto acabado definido; e a dificuldade de modificar o modelo pode, mesmo no nível subconsciente, fazer com que os designers indiquem os vários aspectos do processo para os quais, de outro modo, eles teriam outras ideias e teriam preferido modificar.

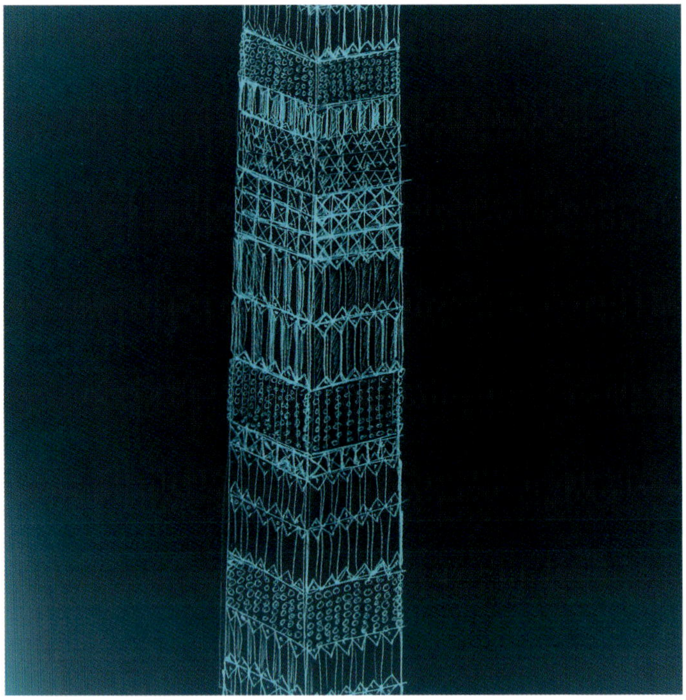

À direita 6.4. George Baldele, Candelabro Glitterbox, 2002-05. Esferográfica e Photoshop. O designer desenhou o candelabro para o Projeto do Palácio de Cristal Swarovski, a partir de um esboço feito em esferográfica, revertendo-o em Photoshop e então o colorindo em azul.

Abaixo 6.5. *Factory Design*, Secador de cabelos Big Shot da Remington, 2005. Este desenho de apresentação começou como um esboço feito à mão que, em seguida, foi escaneado e colorido no Photoshop.

Da Aquarela aos Marcadores

Em tempos Vitorianos, desenhos de apresentação eram meramente versões mais grandiosas dos desenhos 2D de trabalho, feitos em caneta e tinta, coloridos com aquarela, sempre – como o nome sugere – apresentados ao cliente na conclusão do trabalho (Fig. 6.6). À medida que se tornou um requisito a duplicação reprográfica de desenhos na forma de cópias azuis – não havia copiadoras coloridas naquela época! – para fins de legibilidade, o colorido foi substituído por hachuras em linha preta, bem como outros padrões de sombreamento.

Com o crescimento das consultorias independentes de design desde 1940, tornou-se necessário "vender" conceitos ao cliente, e um desenho frio de engenharia era inadequado e não apropriado. Designers tinham que apresentar uma realização realista, mostrando ao cliente exatamente o que ele receberia em troca de seu dinheiro. Habilidades de apresentação tornaram-se novamente importantes. Alguns designers empregavam artistas da aquarela para produzir seus gráficos de apresentação. Raymond Loewy, um ilustrador de moda por formação, era capaz de fazer suas próprias apresentações (Fig. 6.7). Designers Italianos, tais como os do Grupo Memphis, que tiveram um treinamento mais próximo à arquitetura, tinham a divisa: o ato de desenhar foi sempre uma alegria para os arquitetos. Guache e aerógrafo, um dispositivo desenvolvido originalmente para retocar fotos, reinaram durante meados do século XX, e um designer tal como Syd Mead, em sua obra para a Ford e

À direita 6.6. J. Farley, Locomotiva "Long Boiler" de Robert Stephenson, 1841. Tinta com aquarela. Neste desenho ortográfico note como a chaminé foi cortada para caber no papel, e note o corte na caldeira na vista em planta para mostrar as bielas. A elevação frontal mostra duas seções diferentes.

Abaixo 6.7. Raymond Loewy, A locomotiva S-1 para a ferrovia de Pensilvânia, 1936. Desenho em perspectiva em um papel amarelo de desenho. O lápis marca no verso facilitando o traçado da imagem em outra folha, mas também aumenta o sentido de velocidade das linhas aerodinâmicas. Cortesia Cooper-Hewitt National Design Museum, Smithsonian Institution, Washington, DC.

US Steel, era rei, mas hoje, de todos os métodos manuais, apenas existem desenhos a lápis, à caneta e com marcador.

Pintando com Números

As habilidades necessárias para produzir desenhos de apresentação são muito diferentes daquelas necessárias em design de conceitos. O Designer Richard Seymour, o outro sócio da firma londrina Seymourpowell, afirma que um desenho de apresentação consiste em "pintar com números" e qualquer um que faça os exercícios do excelente livro de seu sócio, Dick Powell, será capaz de produzir resultados aceitáveis. Desenho de apresentação tem tudo a ver com colorir e renderizar e é um acessório no processo de design do produto. Não obstante, sem uma apresentação de sucesso – e aprovação subsequente pelo cliente – o processo de design dificilmente seguirá adiante.

De modo interessante, após ter escrito o livro, Powell simplificou seu estilo de apresentação: usando mais modelos físicos, com os desenhos conceituais seguindo um esquema padrão de cores – desenhado em branco em uma prancha graduada com sombreado em azul – de modo que os clientes não se distraiam ou sejam influenciados pelas cores usadas na apresentação da alternativa de projeto escolhida muito cedo no processo (ver Estudo de Caso 1). Agora, ele desenha usando uma caneta de ponta porosa e acaba o desenho no Photoshop, pare ser impresso num relatório em formato A4 ou projetado de seu computador, usando PowerPoint, durante uma reunião.

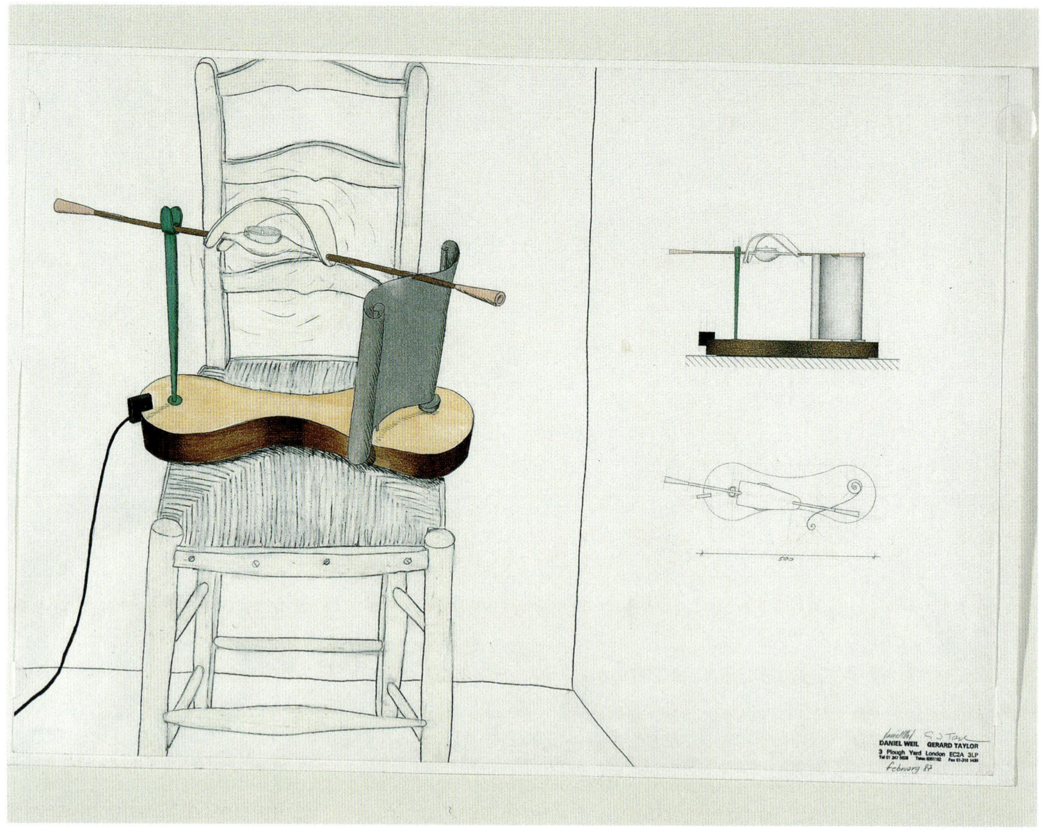

À direita 6.8. Daniel Weil (agora da Pentagram) e Gerard Taylor, Luminária H-Arp, 1987. Estes designs foram feitos para a Anthologie Quartett na Alemanha. Na visão de Weil, caixas simples são reflexos desesperadoramente inadequados das maravilhas que contêm. Weil e Taylor usualmente desenham de forma caótica sobre rolos enormes de enchimento de papel de parede, mas aqui eles restringiram o objeto a uma cadeira van Gogh.

Abaixo 6.9. Dieter Rams e Hans Gugelot, Rádio-vitrola SK4 (apelidada caixão da Branca de neve), 1956. Estes desenhos foram feitos por Rams para a Braun.

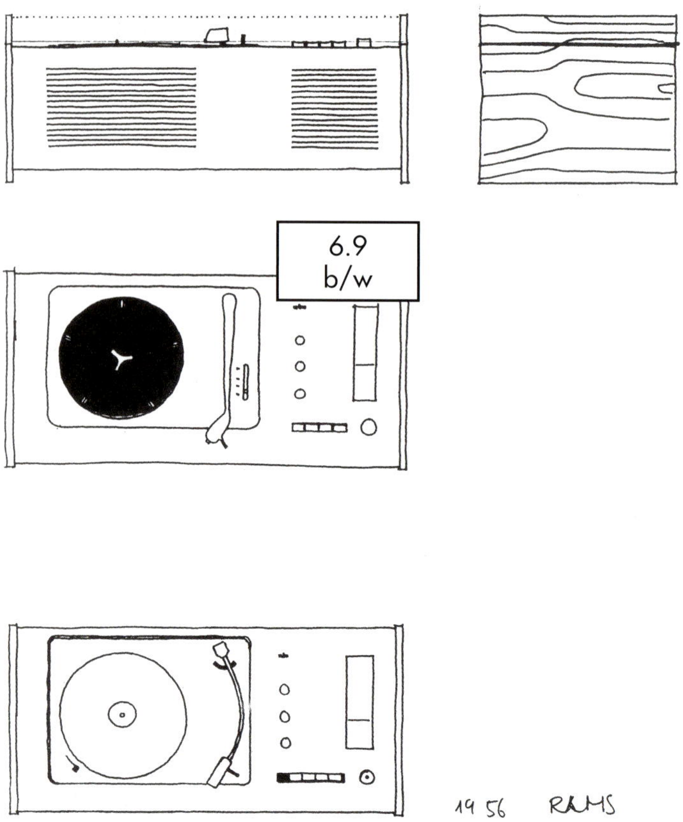

É também verdade que quanto mais famoso for o designer, menos desenhos de apresentação ele ou ela terá que mostrar. Estrelas do design são muito conhecidas e são contratadas pelos clientes para colocarem sua marca de personalidade num produto (Fig. 6.8). Elas sempre recebem carta branca e aparecerão com uma solução que, nas considerações dele ou dela, é aquela que é a correta para este cliente em particular. Entretanto, de uma consultoria de design "média" espera-se que apresente três ou quatro conceitos, dos quais um deve ser o favorito do designer e será o seu poder de persuasão e diplomacia que guiarão o cliente na escolha de uma abordagem em particular.

Desenho para apresentação tem tudo a ver com fazer um desenho estiloso – provavelmente para ter um apelo sobre o cliente – da forma mais rápida possível. Atalhos e convenções serão usados aqui e em outras partes subsequentes do projeto. Designers também vão batalhar para que os desenhos sejam reconhecidamente deles, quer eles neguem, quer ou não. Eles também não são imunes às mudanças na moda. Assim, os coloridos carros fantasia de Syd Mead para a Ford, ou os de designs de aparelhos de som de Dieter Rams, podem ser enquadrados nos anos 50 e 60 (Fig. 6.9); desenhos com linhas de marcador estriadas e mais soltas identificam esta técnica em particular com os anos 1980 e 1990.

À medida que a profissão de design evoluiu de "arte aplicada" e artistas comerciais tornaram-se designers, eles quase que se envergonhavam de suas raízes artísticas, preferindo a identificação, mais afeita aos negócios, de solucionador de problemas industriais. As habilidades de execução de desenho sofreram uma inevitável piora. Mas, à medida que o design tornava-se estilização e ameaçava ser apenas mais um ramo do marketing, uma reação na forma do pós-modernismo restaurou detalhe e decoração no design do produto (e por que não?). Habilidades de desenho nunca foram tão buscadas.

A Arte do Design

Bons desenhos de apresentação devem mais à arte do que à realidade, seja ao interpretarem o que vemos diretamente ou o que vemos fotograficamente através das lentes de uma câmera. Os aspirantes a designer fariam bem em estudar os mestres – o designer londrino David Crisp coloca Degas (cujas composições eram influenciadas pela fotografia, com seu reenquadramento e o efeito de imagem borrada devido ao movimento) como um exemplo para que os estudantes aprendam a desenhar; Tucker Viemeister, da firma nova-iorquina Springtime-USA, cita Leonardo da Vinci como um herói.

Realismo fotográfico – pois a fotografia com seu ponto de visada único e profundidade fixa do campo de visão é o paradigma atual de "realidade" – é uma aspiração limitada. As técnicas que os pintores tiveram que desenvolver ao longo dos séculos para apresentar pistas visuais e pistas que exploram a capacidade da mente de relacionar imagens com experiência e emoções prévias não podem ser ignoradas.

A arte – e o desenho de apresentação – está mais preocupada em transmitir uma impressão desejada e não necessariamente representar com precisão geométrica e física. Isto virá mais tarde, nos desenhos de conjunto e de detalhamento para a fabricação (Capítulo 7). Colocando de forma bem direta, um desenho de apresentação deveria ser mais como uma caricatura, em que as características são exageradas, ainda que sutilmente e pela escolha da vista, para transmitir uma mensagem com um mínimo de esforço. Deveria ser lembrado que artistas como Matisse e Picasso se esforçaram bastante para fazer com que seus desenhos parecessem simples – Matisse desenhava durante o dia inteiro "para ir acostumando a sua mão", descartando imagens à medida que prosseguia, para, à noitinha, produzir talvez somente um desenho perfeito e fluido que parecia ter sido rabiscado em segundos.

Imagens de um conceito do designer deveriam ser convincentes o bastante para que o cliente tomasse uma decisão importante de comprometer recursos para seguir adiante com o ciclo de design. O designer deveria ser ousado e abordar a execução do desenho sabendo que provavelmente precisará de duas ou três tentativas para ganhar confiança e atacar a versão final. Se marcadores, uma base com o contorno inserida sob papel translúcido, podem ser usados como guia, e vale bem a pena gastar tempo para fazer certo em primeiro lugar – nenhuma habilidade de execução do desenho pode disfarçar uma perspectiva mal produzida.

Designers deveriam desenvolver um sentido forte de equilíbrio gráfico. Isto quer dizer composição, e as regras e convenções (a proporção áurea, a lei dos terços e assim por diante) que podem ser usadas – e abusadas. O próprio ato de desenhar nos ajuda a entender a estrutura dos objetos. Desenhar a vida – desenho de observação – é uma prática jamais desperdiçada. Desenhar tem tudo a ver com observar – analisar cuidadosamente a disposição de tons, reflexos, destaques e sombras numa cena. O processo é iterativo, com as habilidades do designer melhorando e seu vocabulário visual aumentando o tempo todo. Entretanto, no trabalho o designer vai muito provavelmente ficar de frente com uma folha em branco, ou com alguns esboços de conceito, e espera-se que produza um desenho a partir de nada mais que sua imaginação – um feito nada pequeno.

Truques Visuais

Economia de estilo pode levar a clichês visuais e estes podem ser até bem usados se o designer estiver a par deles. "Cromo Califórnia", um truque de artista do aerógrafo, admite que o objeto brilhante sendo desenhado fique cercado por areia amarela brilhante sob o céu em azul profundo, que vai graduando até o branco no horizonte, onde se encontra com o deserto escurecido. Isto é patentemente ridículo em muitas situações, mas já foi usado com grande efeito quase que universalmente, a despeito da real localização do produto. Carrocerias brilhantes de automóveis sempre refletem a paisagem com arranha-céus de uma cidade. Os detalhes, nem sempre aparentes à primeira vista, dão ao observador pistas visuais a respeito do estilo de vida do aspirante a usuário final. Estes efeitos podem ser aplicados manualmente ou no software de execução dos desenhos.

Há outras convenções que se somam ao vocabulário dos desenhos de apresentação. Quando um objeto curvado for representado, é comum deixar uma faixa estreita de luz "refletida", em vez de desenhar a sombra direto da aresta limite da superfície adjacente. Janelas quadradas, preferencialmente as reticuladas em estilo antigo, fazem destaques efetivos num produto brilhante, mesmo que estas janelas não sejam encontradas no ambiente mostrado. Histórias em quadrinhos são boas fontes de estudo a respeito de dicas de execução do desenho, por exemplo, como usar reflexos de alto contraste e iluminação teatral. Em particular, desenhos feitos com marcador exageram as qualidades de uma superfície para serem informativos e transmitirem excitação (Fig. 6.10).

À direita 6.10. Este esboço de conceito de 2002 para o telefone móvel Sony Ericsson T610 foi executado em lápis e marcadores, com as linhas de construção mantidas para uma sensação mais imediata.

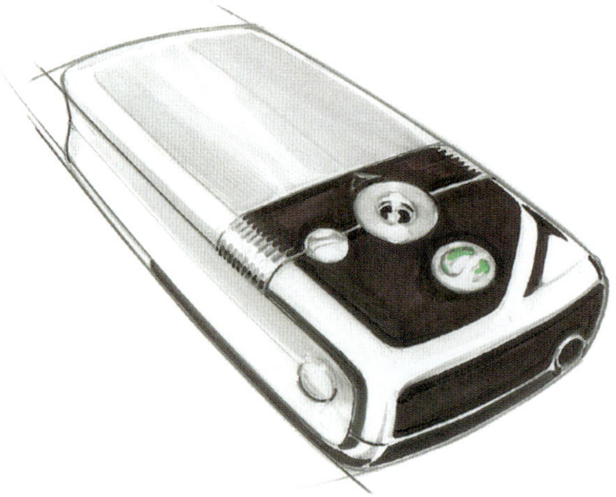

Fazendo Desenhos com Marcador

Marcadores são usados para desenhos de apresentação por seu imediatismo e resultados rápidos (Fig. 6.11), além de suas faixas de cores e compatibilidade com outros meios. Diferentemente da aquarela, eles necessitam de pouca preparação e nenhuma limpeza posterior, mas é preciso usar papel translúcido que não deixe a tinta passar para o verso. Desenhos em marcador são pelo menos tão bons quanto, e sempre mais apropriados, desenhos feitos em guache ou aquarela. Eles oferecem apenas uma oportunidade limitada para misturar e manipular o valor tonal, mas, não obstante, eles ajudam o processo de design a seguir no passo rápido que

Abaixo 6.11. Jonas Hultqvist, Sapatos à prova d'água para exercício urbano Concrete-Project, 2002. O designer usa o marcador livremente para executar estes esboços para o fabricante sueco de calçados Tretorn. Além de usar marcadores, Hultqvist também usou pastel seco para os efeitos de esmaecido e guache para os realces. Para pós-produção ele usou o Adobe Photoshop para colocar o logotipo e ajustar cor e contraste.

se espera dos designers de hoje em dia, além de permitirem que um número maior de conceitos seja comunicado ao cliente e a outros membros da equipe de design.

Desenhos de apresentação são criados com marcador e colados ou compostos em um mural, desenhados diretamente em quadros próprios ou, se eles forem subsequentemente retocados e limpos no computador, impressos e montados em quadros de espuma. O designer, inicialmente, tem que desenvolver um desenho em linhas precisas a lápis ou esferográfica (a última é preferível porque não mancha quando o marcador for aplicado), com delineação suficiente para definir a quantidade apropriada de detalhe. Este desenho pode ser feito a partir do desenho de conceito (é bem comum apresentar uma vista acabada 2D do produto – por exemplo, um telefone celular ou bicicleta – e este pode ser facilmente visto deste modo), de outra maneira, uma representação pictórica 3D – um isométrico ou perspectiva precisa ser gerada.

Em seguida, é comum estabelecer as sombras usando um marcador de cor contrastante para evitar confusão. Quando feito em papel translúcido, o desenho de linhas pode ser posicionado sobre uma folha limpa, sobre a qual vão as primeiras linhas feitas com o marcador. Áreas riscadas com o marcador podem ser mascaradas de maneira semelhante à feita com aerógrafo tradicional, para restringir a execução a uma área fechada específica. À medida que o processo de desenho com o marcador avança, as linhas de contorno podem ser feitas mais encrespadas (usando lápis colorido ou caneta de ponta porosa preta) e destaques são introduzidos (usando guache branco, fluido corretor ou lápis colorido), já durante os estágios finais, assegurando que todas as linhas iniciais feitas com esferográfica sejam ocultadas.

Ajustes de valores também, às vezes, podem ser feitos ao se aplicar o marcador no verso do papel translúcido, com uma cor mais clara aparecendo do outro lado. Lápis colorido, pastel ou aerógrafo podem ser usados para um sombreamento mais sutil e mistura de cores, além do marcador base. Ou o marcador pode ser misturado em quantidade limitada usando fluido de isqueiro e cotonetes. Máscaras e pedaços adesivos podem ser usados para construir uma história do produto: por exemplo, começando com um chassi de carro, adicionando o motor e peças, então terminando com os painéis da carroceria.

Programas de Computador 2D: "pintura" e vetor

Hoje a maioria dos designers começará a desenhar usando um lápis ou caneta de ponta porosa sobre papel e, então, usará um scanner para colocar a imagem em um computador para ser colorida e renderizada, usando um programa de computador. Conforme mencionado no Capítulo 5, há alguns programas, tais como o Alias SketchBook Pro, desenvolvidos especialmente para se fazer esboço à mão – eles são mais rápidos para se aprender e usar, além de terem uma interface mais simples que os programas mais comuns de "pintura", como o Photoshop e o Painter. Como o próprio nome quer dizer, o Photoshop, do mesmo modo que o aerógrafo que ajudou a tornar obsoleto, foi criado originalmente como uma ferramenta de retocar fotografias, mas se tornou rapidamente o padrão, de fato, da indústria para "pintar" em um computador.

Em software, existem duas maneiras distintas de se produzir imagens, referidas como "desenho" (ou vetor) e "pintura" (ou bitmap – mapa de bits). Um documento "pintura" é armazenado na memória do computador na forma de mapa de bits, uma sequência de bits correspondendo aos pixels (pontos) que aparecem na tela – embora a imagem virtual possa ser muito maior que o tamanho da tela. Em um programa deste tipo, digamos, um círculo interceptado por uma linha é apenas um padrão de pontos e só pode ser movido em bloco. Não é possível editar "globalmente" – modificar todo círculo em uma figura, por exemplo – usando apenas um comando.

Um documento "desenho" ou vetorizado é armazenado na memória do computador na forma de "lista de exibição" de pontos e linha que compõem a ilustração, além das fórmulas para quaisquer círculos, elipses e curvas, usando uma linguagem chamada PostScript (o mesmo formato usado para descrever as formas das letras de uma fonte). Isto é similar a um sistema CAD 2D e também é conhecido como gráfico orientado a objeto, pois todo objeto – um círculo, linha ou curva – pode ser levado em conta separadamente. Neste tipo de programa, é possível mover a linha sem afetar o círculo, pois eles existem como duas entidades distintas, mas eles também podem ser agrupados e formar outro objeto. Por não serem armazenados como mapas de bits, a resolução da saída, digamos, em uma impressora a laser, é independente da resolução da imagem.

O sistema de pintura original foi o Quantel Paintbox, mais conhecido por produzir efeitos especiais para televisão. Com computadores cada vez mais poderosos e memórias mais baratas, muitas das funcionalidades do Paintbox podem ser agora reproduzidas por programas tais como o Adobe Photoshop. Existem também sistemas de pintura que são melhores para emular meios "naturais", como pintura a óleo e aquarela. O Painter da Corel, por exemplo, pode produzir efeitos convincentes de giz e pastel por meio do uso de um bastão sensível à pressão e uma mesa digitalizadora (Fig. 6.12).

Alguns designers também usam sistemas de pintura como ferramenta de colagem. Uma apresentação convincente pode ser montada a partir de esboços do conceito e imagens do contexto escaneadas ou fotografadas com câmara digital a partir de livros ou outras fontes (mas esteja alerta a respeito de violação de *copyright*).

Passo a Passo 3:
Apresentação de desenho automotivo feito com marcador por *Etienne Salomé*

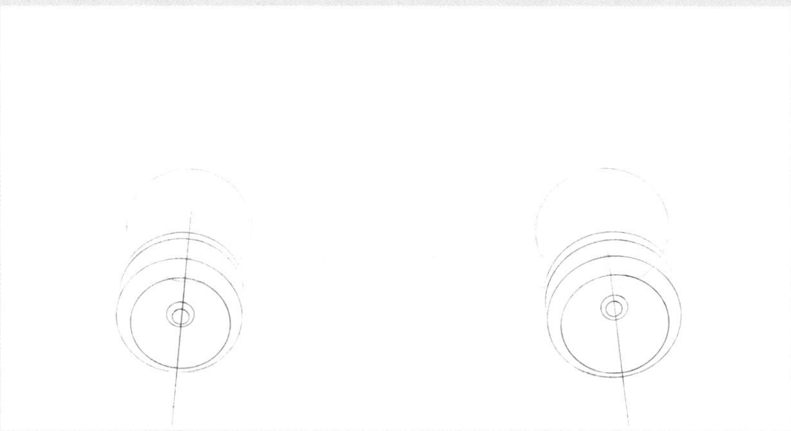

SS 3.1 Etienne inicia a construção, com um chassi virtual de quatro rodas, usando caneta esferográfica Bic. Ele desenha o carro usando uma perspectiva com um ponto de fuga, sendo que este se localiza atrás do carro. Note que ele pode desenhar as rodas no formato circular, pois o plano onde elas estão é perpendicular à linha de vista.

SS 3.2 Ele esboça o contorno do carro.

SS 3.3 Etienne adiciona as janela, faróis e outros elementos importantes.

SS 3.4 Ele desenha detalhes tais como espelhos, lanternas, rodas de liga e uma báscula.

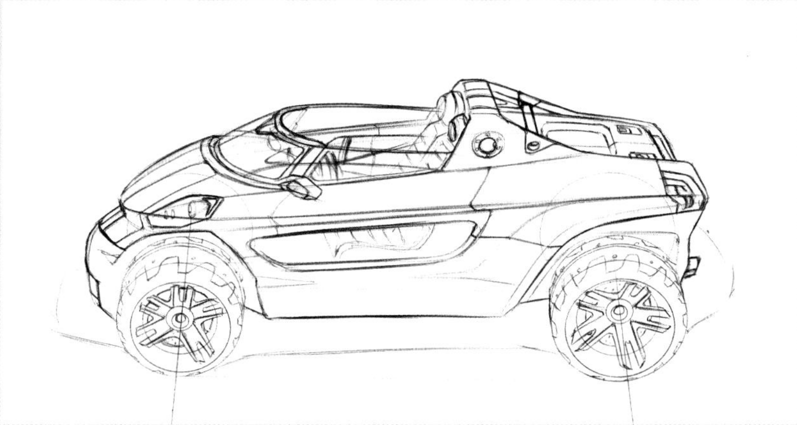

SS 3.5 Em seguida, Etienne adiciona os pneus, tampa do tanque de gasolina e a sombra no chão em maior detalhe e, então, ele pode mapear no interior do carro detalhes como os bancos.

SS 3.6 Ele começa a usar um marcador AD na cor cinza básico 4 para formar um bloco com os para-choques e a báscula.

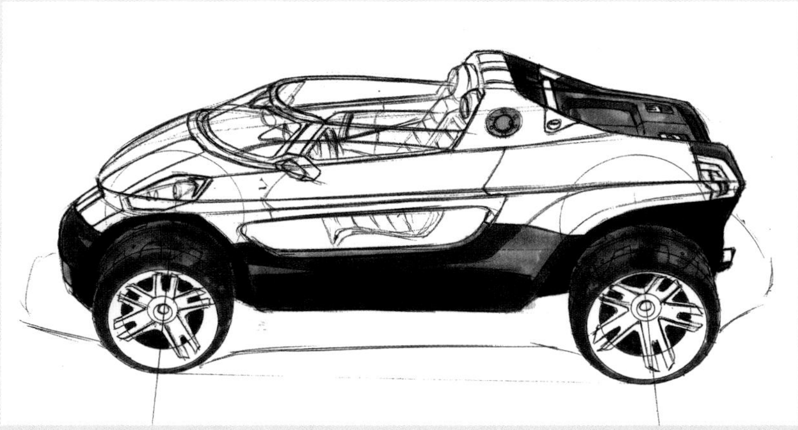

SS 3.7 Ele adiciona sombras e definição aos para-choques usando um marcador na cores cinza básico 5 e 6 e com marcadores cinza frio 3 a 5 para as rodas.

SS 3.8 Etienne colore a lateral do carro usando marcadores AD nas cores amarelo Nápoles P-135 e Verde grama P-122..

SS 3.9 Ele colore as rodas usando marcadores AD nas cores amarelo Nápoles P-135 e Verde grama P-122; os assentos, usando amarelo Nápoles. Ele forma um bloco com o restante do interior usando marcador AD cinza quente 3.

SS 3.10 Etienne desenha os reflexos nas janelas usando marcadores AD nas cores cinza quente (1 a 4) e as lanternas frontal e traseira, usando marcadores AD Salmão P-206 e cinza frio 5.

SS 3.11 Finalmente, ele colore a sombra do solo usando marcadores AD nas cores cinza quente (1 a 6) e escolhe alguns destaques usando lápis branco e marcador à tinta branca Posca.

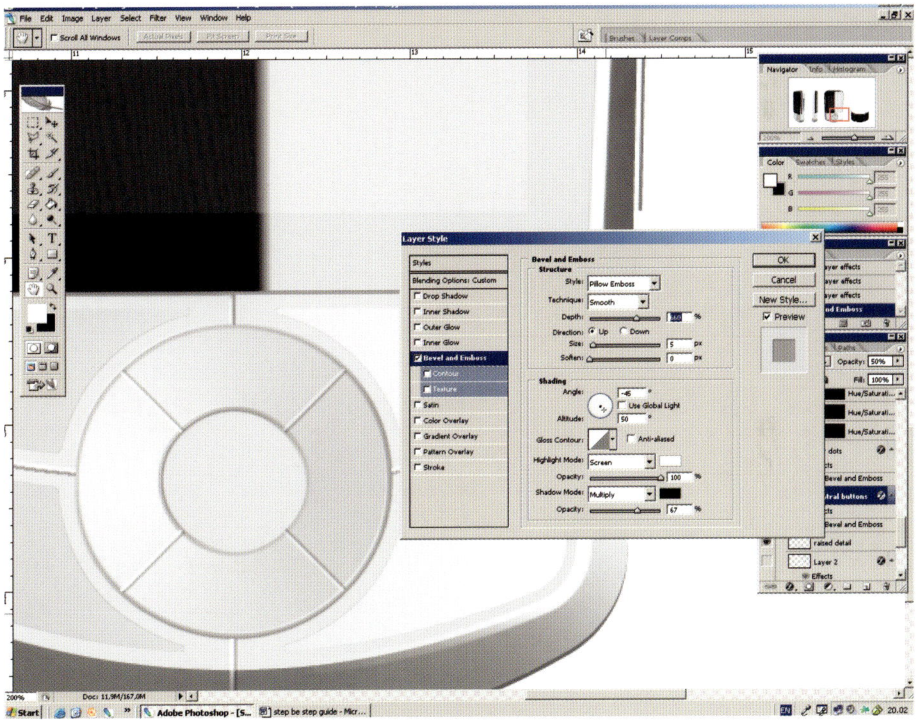

Acima à direita 6.12. Paul Collicut, At the Station, 2006, Corel Painter busca reproduzir meios naturais como a pintura a óleo e aquarela e é um dos favoritos de Ron Arad. Nesta captura de tela, o ilustrador Paul Collicut simula tinta acrílica aplicada usando um pincel com cerdas eriçadas.

À direita 6.13. Mark Jones, Telefone Celular, 2006. O Adobe Photoshop foi desenvolvido originalmente como um programa de processamento de imagens para fotógrafos, mas se tornou o padrão de fato para toda manipulação de imagem, incluindo desenhos. Aqui Mark Jones usa a ferramenta "bevel and emboss" na sua demonstração de telefone celular (ver também o Passo a Passo 4).

O computador permite que você brinque com as ideias – experimentando diferentes tipos de legendas, posicionamentos dos elementos, outra cor de fundo e assim por diante – até onde o cronograma permita. Como diz a designer americana April Greiman: *A tinta nunca seca*. E, desde que você salve as diferentes versões, não há chance de estragar o original.

Os irmãos Thomas e John Knoll começaram a desenvolver o Photoshop em 1987 e a versão 1 foi lançada pela Adobe em 1990. Desde o início, o programa foi projetado como uma ferramenta para manipular imagens que foram digitalizadas por um scanner que, naquela época, era um dispositivo muito caro. Durante o tempo

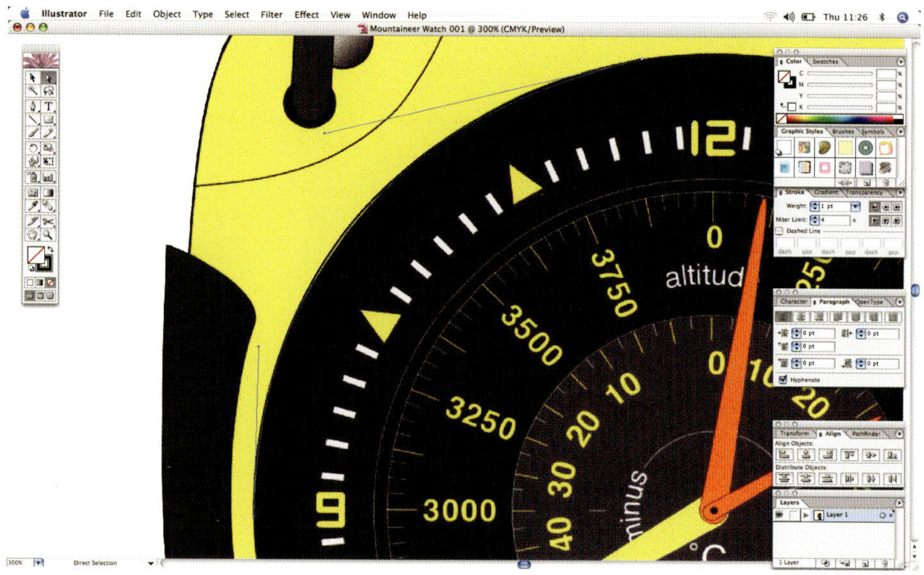

À direita 6.14. Alexander Åhnebrink, Relógio Mountaineer, 2000. Muitos designers começam desenhando num programa vetorial preciso tal como illustrator, como aqui, e depois transferem a imagem para o Photoshop para aerografia e acabamento (ver também as Figs. 3.20, 7.18).

em que este livro foi escrito, a versão mais recente do Photoshop no mercado era a CS2. CS refere-se à sua integração como o Creative Suite da Adobe (que também inclui o Illustrator) e 2 porque é a segunda versão lançada com a marca CS (Fig. 6.13).

Desde 1994 o programa tem a capacidade de trabalhar com muitas camadas (layers) diferentes (equivalentes a sobreposições físicas), de modo que a imagem escaneada original pode permanecer inalterada na sua própria camada de fundo, enquanto o trabalho pode ser feito numa camada duplicada, se adicionadas camadas extras para cores e variações. Camadas podem ser ativadas ou desativadas, tornadas visíveis ou invisíveis, e a "pilha" pode ser reordenada para produzir várias imagens diferentes para impressão.

Tipicamente, o designer desenharia e interagiria com o computador usando um bastão, semelhante a uma caneta, sobre uma mesa digitalizadora, tal como as feitas pela Wacom. Para "aerografar" um desenho, primeiro seriam feitas as máscaras, equivalente às feitas em filme Frisk usadas na aerografia real – a tinta virtual é impedida de aparecer no "papel" nos locais cobertos pela máscara. A grande diferença é que a máscara física tem uma aresta afiada (a menos que você segure um pedaço de cartolina sobre ela para borrar a aresta resultante); uma máscara no Photoshop pode ter uma máscara com aresta com graduação suave. E a máscara virtual nunca grudará no papel ou permitirá vazamento de tinta por baixo de suas arestas. No Photoshop, a ferramenta de apagar pode funcionar também como aerógrafo, para remover a cor. E se um erro for cometido, haverá sempre o comando *undo* (desfazer).

Programas de pintura, tais como o Photoshop, têm algumas capacidades vetoriais limitadas, para desenhar "caminhos", por exemplo, úteis para criar máscaras ou ilustrações recortadas. Programas de desenho, como o Adobe Illustrator, podem ser usados não só para desenhar, mas também para manipular escritos e layouts de páginas para a documentação da apresentação.

O Adobe Illustrator foi primeiramente desenvolvido para o Apple Macintosh, em 1985, como uma aplicação do software interno da Adobe para desenvolvimento de fontes e formato de arquivos PostScript, ocupando um nicho de mercado entre os programas de pintura e os sistemas CAD (Fig. 6.14).

Tanto o Illustrator como o programa similar, o Macromedia Freehand (recentemente adquirido pela Adobe e, na época da elaboração do livro, tinha futuro incerto), usam curvas de formas livres controláveis (chamadas curvas de Bézier em homenagem ao engenheiro francês que as inventou), as quais podem ser manipuladas e preenchidas para produzir complexos desenhos precisos. Imagens escaneadas ou desenhos bitmap de um programa de pintura podem ser importadas e convertidas em caminhos. Apesar de seu nome, FreeHand não é um programa fácil de se desenhar à mão livre e é mais semelhante a um programa de CAD 2D na maneira como os desenhos são construídos a partir de linhas e formas. Preenchimentos com cores podem ser planos ou granulados, mas a despeito de ferramentas mais sofisticadas para a produção de misturas sutis ao usar malhas para controlar a transição entre cores, os programas de "desenho" ainda não permitem a aerografia de modo tão livre quanto os programas de pintura. Provavelmente, designers usarão uma combinação de programas de desenho e pintura (e programas de CAD), passando arquivos de programa a programa para produzir um desenho de apresentação acabado – usando o que for preciso para produzir o resultado desejado.

Outras ferramentas em programas vetoriais são usadas para criar caixas, linhas, elipses e cantos. Camadas (*layers*) também estão disponíveis, de modo que o desenho pode

Passo a Passo 4:
Renderização em computador com "Aerógrafo" por *Mark Jones*

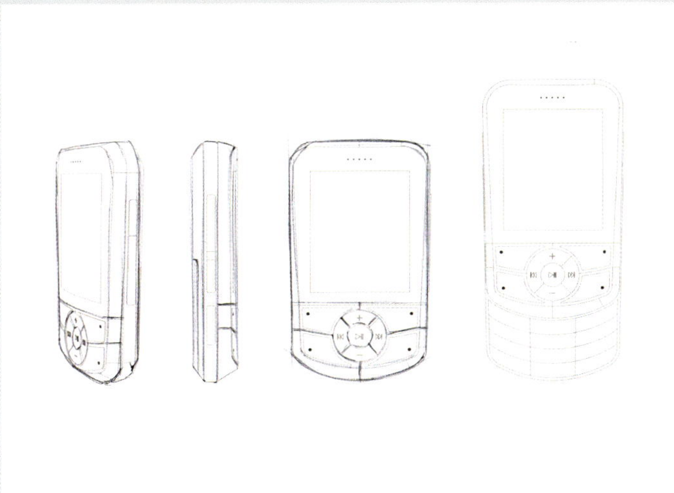

SS 4.1 Mark traça seus esboços de conceito no Adobe Illustrator usando a ferramenta caneta (PEN) com espessura de linha igual a 0,5 pt, garantindo que não existam vazios entre linhas adjacentes.

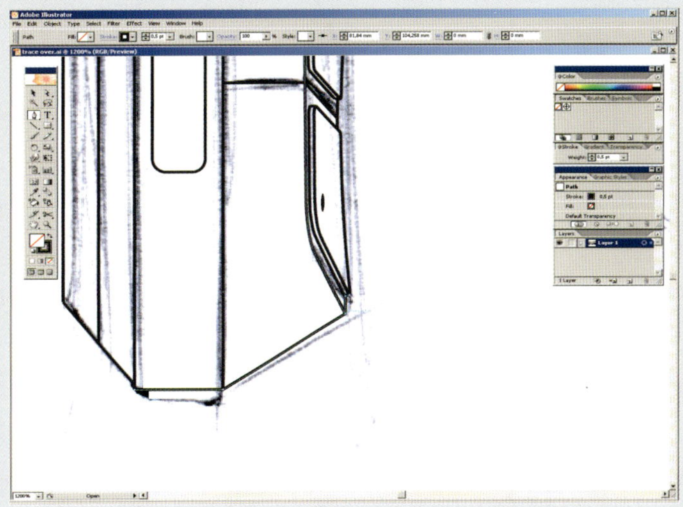

SS 4.2 Ele cola a arte na forma de pixels em um documento RGB do Photoshop com 300dpi, e rebatiza a camada "line art". Ele colaria elementos gráficos como logotipos, texto de rodapé ou pequenos furtos para o auto-falante em camadas separadas para tornar mais fáceis seleções posteriores com a "varinha mágica" (Magic Wand). Ele, então, cola novamente a arte feita no Illustrator na forma de caminhos, garantido que as duas imagens alinhem-se corretamente. Finalmente, ele cria grupos de camadas para cada uma das vistas e as batiza de maneira apropriada, por exemplo, "vista frontal", ou "vista lateral".

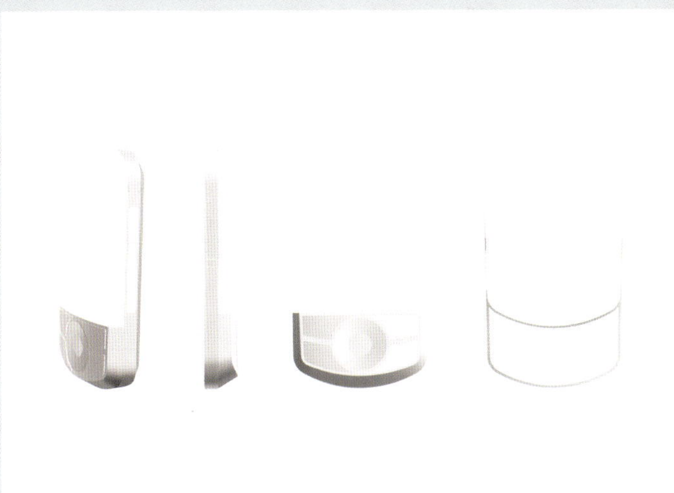

SS 4.3 Mark usa a Ferramenta Magic Wand para selecionar uma área do produto que será sombreada. Ele pode corrigir manualmente a seleção usando o Laço Poligonal para somar (pressionando a tecla Shift) ou subtrair (pressionando a tecla Alt) áreas. Da barra de menus selecionar (select) ele escolhe Modificar (Modify) > Expandir (Expand) e expande por um pixel. A seleção agora está no centro de uma linha com 0,5pt de espessura.
É importante que não haja espaços entre as áreas sombreadas.

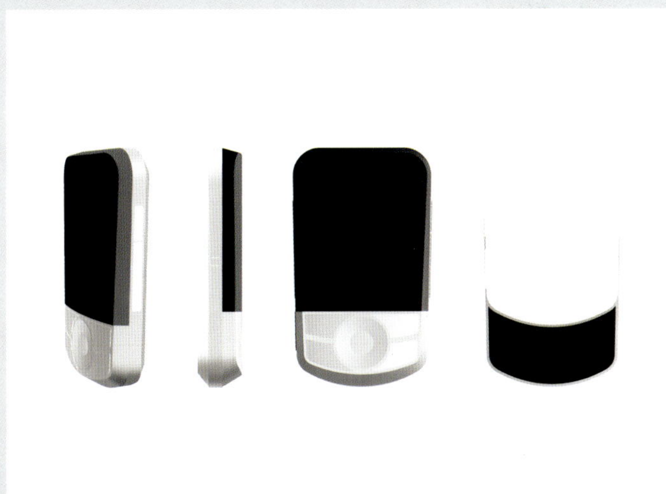

SS 4.4 Para sombrear usando o pincel de pintura, Mark faz sua seleção e cria uma camada (layer) nova no grupo de camadas apropriado. Ele ajusta a opacidade do layer para 50%. Isto permitirá que ajustes sejam feitos mais tarde, caso algumas áreas apareçam demasiado claras ou escuras. Mark prefere trabalhar em branco e preto, adicionando cor posteriormente, usando uma camada Matiz/Saturação. Isto faz com que ele se concentre em obter os valores tonais corretos. Usando um pincel grande e macio e com opacidade ajustada em aproximadamente 25% (para prevenir saturação imediata), Mark inicia o sombreado da área.

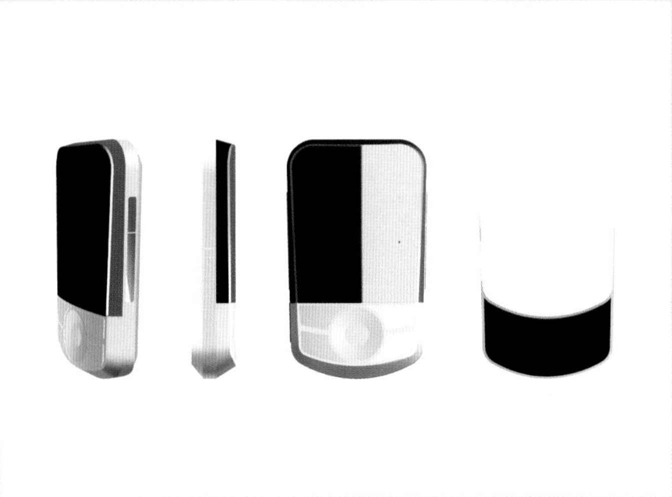

SS 4.5 Para criar destaques de contorno, como aqueles que passam ao redor da tela escura, Mark cria, primeiro, uma nova camada para o destaque, lembrando de batizá-la apropriadamente. Na janela dos caminhos, ele seleciona a camada criada no início. Usando a ferramenta de seleção de caminhos, ele "clica" num caminho individual e define onde ele quer que o destaque esteja.

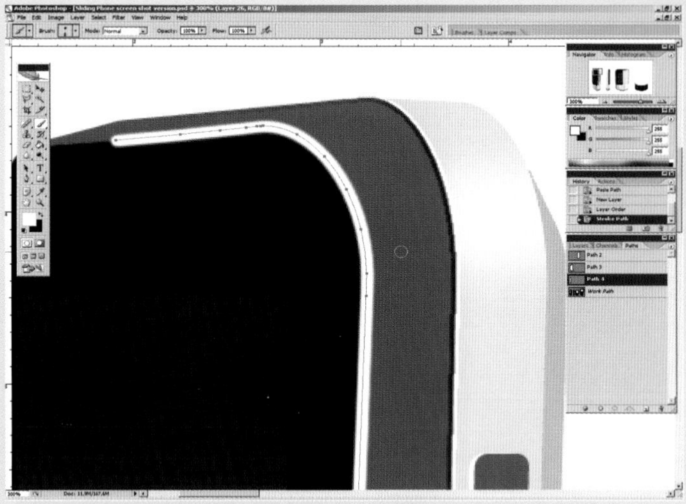

SS 4.6 Mark escolha a ferramenta pincel e seleciona um de tamanho 8 com dureza 70%. Ele deixa a opacidade igual a 100% e assegura que a cor do primeiro plano seja ajustada em branco para um destaque ou preto para uma sombra. Ele escolhe o botão da trilha da pincelada na base da janela. A linha será feita de maneira precisa com o pincel que Mark escolheu. Agora, com um apagador mole, ele pode clarear ou remover as áreas onde o destaque não é necessário. Dica: esta técnica pode ser usada na criação rápida (mas imprecisa) de linhas de divisão. Simplesmente faça o processo duas vezes, uma vez em branco e, em um layer separado, em preto, então separe diagonalmente as linhas.

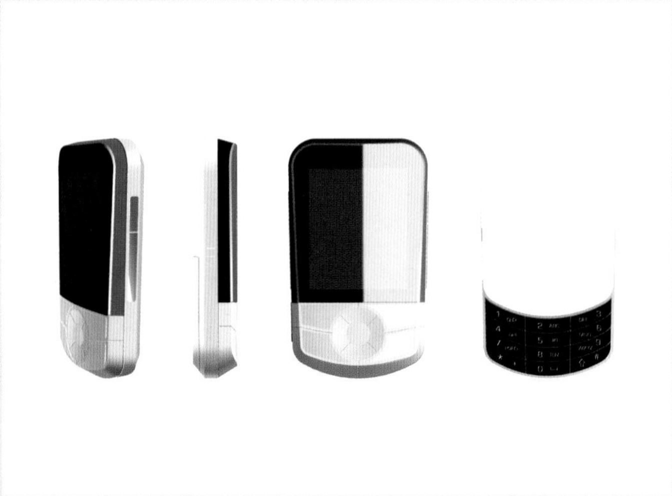

SS 4.7 Para criar linhas de divisão precisas e cantos arredondados, Mark retorna ao layer "arte em linha" e esboça uma área num dos lados da linha de divisão desejada. Do menu "select" ele escolhe "Modify>Border" e ajusta a espessura da borda para 2 pixels. A aresta exterior está agora no ponto central da linha. Usando as ferramentas "Lasso", ele pode ter que corrigir a seleção manualmente para aparar as intersecções e remover áreas indesejadas. Mark, agora, cria uma camada nova e sombreia ajustando a opacidade dos layers de modo a obter o equilíbrio correto.

SS 4.8 Mark dá um duplo click no layer contendo o sombreado. A janela do layer estilo aparece. Ele seleciona as opções "Bevel" e "Emboss". Existem muitos parâmetros com os quais ele pode experimentar para atingir o efeito desejado. Uma vez escolhidos, os efeitos do layer podem ser reajustados mais tarde, caso seja preciso.

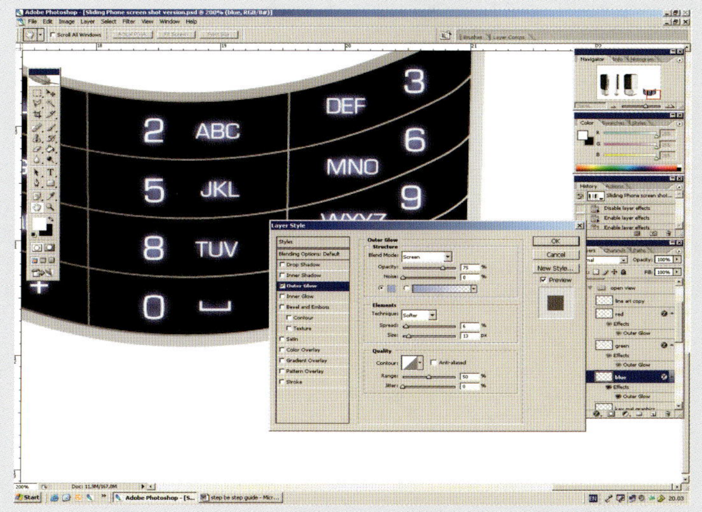

SS 4.9 Há muitos outros layers de efeitos úteis. Por exemplo, Mark usa uma sombra interna na área de exibição da tela para dar profundidade, e coloca uma sombra atrás dos orifícios do alto-falante para conferir um efeito de pintado em preto além de dar aos números do teclado um brilho externo.

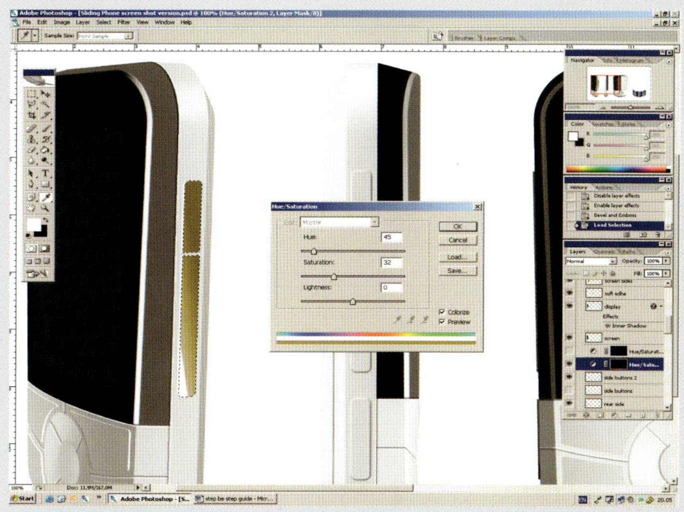

SS 4.10 Mark Seleciona áreas onde ele quer adicionar cor. Ele pressiona Ctrl e clica no ícone do layer para selecionar áreas. Ele cria um novo layer de ajuste ao clicar no ícone circular na base da paleta de layer. Ele escolhe "Hue/Saturation" e em seguida a opção "Colorise" e ajusta os parâmetros para obter a cor desejada. Ele pode alterar o layer de ajuste novamente a qualquer tempo ao dar um duplo click no ícone que aparece na barra de layer.

SS 4.11 Para criar uma cena de fundo, Mark primeiramente salva o desenho acabado em formato JPEG e o coloca em um documento novo. Ele usa a Magic Wand para selecionar o fundo branco e eliminá-lo. Ele duplica este layer e o vira ao longo do plano horizontal de modo que ele tenha uma imagem espelhada. Usando um apagador mole e muito grande, ele a passa sobre a base de maneira que a imagem esmaeça até sumir. Ele reduz a opacidade do layer para obter um reflexo convincente. Para obter a imagem refletida correta desde perspectiva da vista, ele inclina a imagem e redesenha algumas áreas com a ferramenta "Pen", e então as sombreia. No novo layer, por trás da renderização, Mark usa uma ferramenta com gradiente para criar um esmaecido natural no fundo. Novamente, em um layer separado, desta vez acima da renderização, ele aerografa uma linha suave ao longo do horizonte. Isto cria o plano base e completa o desenho.

ser dividido em elementos separados que podem ser mostrados e editados individualmente. Atributos de linha, padrões de preenchimento e cores podem ser salvos numa folha de estilo no computador e aplicados, mais tarde, em outros elementos para manter uma consistência ao longo de uma série de desenhos. Existem comandos para girar, mudar o tamanho, espelhar, inclinar e esticar elementos. Desenhos assim criados podem ser exportados em arquivos no formato EPS (Encapsulated PostScript) para pacotes de layout de páginas, tais como o QuarkXPress ou o Adobe InDesign. Eles podem ser combinados com textos, originados de um sistema de processamento de textos, para produzir documentos de apresentação.

Cada vez mais os designers criarão apresentações em computador – imagens que podem ser enviadas diretamente para programas de editoração sem trabalho intermediário de arte. Entretanto, haverá sempre lugar para as imagens feitas usando materiais tradicionais e os designers de hoje precisarão saber como fazer o melhor uso de ambos, nos anos vindouros.

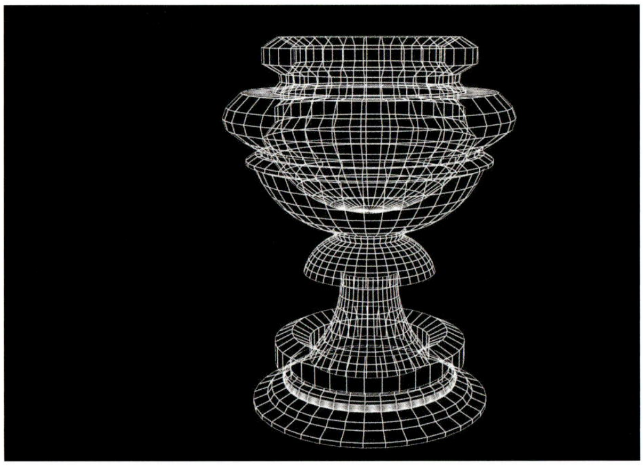

Estilo 3D Auxiliado por Computador

A principal diferença entre um desenho de apresentação feito manualmente com marcador, ou uma imagem criada usando programas de "pintura" ou "desenho" e uma visualização CGI (sigla em inglês para Imagem Gerada por Computador) é que as primeiras são ilusões 2D, enquanto a imagem criada no computador, se foi modelada em 3D, existe num espaço virtual, tridimensional.

Imagens CGI podem ser giradas, observadas de ângulos e pontos de vista diferentes (embora não necessariamente em tempo real – uma nova vista pode demorar algum tempo para ser gerada, dependendo da complexidade) e o objetivo do chamado "estilo auxiliado por computador" é sombrear, texturizar e iluminar um modelo aramado (wireframe), enviando os mesmos estímulos ao cérebro do observador, que seriam experimentados ao ver um objeto físico real em um ambiente natural.

A busca por fotorrealismo (e uma fotografia simulada com sua profundidade de vista restrita, embaçado devido ao movimento e fundo desfocado, de algum modo parece mais "real" que a realidade vista) tem acrescentado algumas palavras estranhas e maravilhosas ao vocabulário de computação gráfica: sombreamento Phong e Gouraud, fractais, *ray tracing* e radiosidade.

Criando Realidade Virtual

Existem cinco passos para a criação de uma cena artificial. Primeiro, um modelo 3D deve ser feito no computador, definindo a geometria do objeto e seu ambiente.

O modo mais simples de construir o modelo é usar um software chamado modelador sólido (discutido no Capítulo 2), que produzirá uma descrição completa e sem ambiguidades do modelo no espaço 3D ao realizar tanto operações booleanas (união, diferença, intersecção) em formas primitivas tais como cones, cubos, cilindros e esferas, quanto por extrusão de um perfil 2D, rotação de um perfil ao redor de um eixo ou por alguma combinação de todos estes métodos. As formas resultantes são unidas, ou pedaços são subtraídos, até que o designer chegue à forma desejada. Verificações no programa certificam que a topologia esteja sempre correta, evitando que objetos impossíveis, à maneira dos desenhos de Escher, sejam criados.

Alternativamente, pode usar como entrada um objeto com parede fina gerado em um modelador de superfícies. Esta classe de modelador é mais apropriada para lidar com superfícies de dupla curvatura, tão apreciadas pelos designers de carroceria de automóvel e aparelhos telefônicos, que têm formas mais livres e orgânicas do que as criadas a partir de formas geométricas maciças. Quando desenhadas, elas podem aparentar tão substanciais quanto as de um modelador "sólido", mas não poderão conter nenhuma informação a respeito de propriedades de massa, como densidade do material, centro de gravidade e momentos de inércia.

Em seguida, cada vértice do modelo é transformado matematicamente para gerar uma imagem em perspectiva do objeto, em wireframe, no plano da imagem e a informação correta de profundidade é armazenada no banco de dados do computador (Fig. 6.15).

Na maioria dos sistemas, o modelo pode ser movido neste estágio para se encontrar uma posição melhor do ponto de vista estético, então, a forma oca em wireframe é renderizada e iluminada, com o computador resolvendo quais superfícies devem ser visíveis e quais estão ocultas para o observador (Fig. 6.16). Uma rotina de reflexo de luz é usada para prever as cores e a distribuição dos raios de luz refletidos, refratados e absorvidos por cada superfície na cena (Fig. 6.17). Finalmente, a imagem é renderizada na tela do computador selecionando-se as intensidades de vermelho, verde e azul de cada pixel (Fig. 6.18).

Por causa das restrições impostas pelo poder de processamento disponível e o custo da memória de computador, muitos atalhos tiveram que ser adotados para produzir resultados aceitáveis. Modelos são sempre apresentados como uma coleção de facetas planas – de modo que um cilindro vai parecer como aquele tipo de lápis que foi projetado para não rolar da mesa, ou como uma coluna grega. Formas com dupla curvatura serão compostas por uma malha de facetas poligonais. Quanto mais facetas houver, mais liso será o objeto, mas acrescentar mais facetas implica em aumentar a necessidade de computação.

Página oposta acima 6.15. Raysan Al-Kubaisi, Cálice de Ucello, 2003. O designer usou 3D Studio Max para recriar o cálice de Ucello (ver Fig. 1.1). Esta é a vista do aramado (wireframe), que lembra a construção original em perspectiva. O modelo é feito de facetas poligonais; quanto mais facetas houver, mais detalhada a imagem, mas o arquivo fica maior.

Página oposta no meio 6.16. Raysan Al-Kubaisi, Cálice de Ucello, 2003. O primeiro passo é sombrear as facetas do modelo e iluminá-las. Com sombreado plano, as descontinuidades nas arestas das facetas são óbvias e dão causa ao efeito Mach, que acentua o contraste.

Página oposta abaixo 6.17. Raysan Al-Kubaisi, Cálice de Ucello, 2003. O sombreamento Gouraud calcula as superfícies normais nos vértices dos polígonos, que são, então, ponderadas por todos os polígonos que se encontram em cada ponto. Estes valores de cor são, então, interpolados ao longo das arestas dos polígonos. Sombreado Phong é usado para adicionar os reflexos especulares (realces).

Página oposta em baixo 6.18. Raysan Al-Kubaisi, Cálice de Ucello, 2003. Finalmente, um fundo é adicionado, com sombras usadas para aumentar o realismo do objeto virtual.

A modelagem com subdivisão de superfície usa um processo de refinamento repetido – uma sequência de malhas é gerada que converge de uma construção rudimentar para uma malha mais lisa, com mais elementos poligonais. Áreas com facetas menores estão concentradas ao redor de características importantes do objeto. Carpinteiros usam uma técnica semelhante para arredondar os cantos de uma madeira. Primeiro, eles fazem um corte a 45º, então, dois cortes pelos cantos retos e assim por diante até que os cortes sejam pequenos demais para serem percebidos e exista uma aresta arredondada.

Sombreando um Modelo em Computador

Tentativas iniciais de renderização em computador usavam sombreamento de valor constante – o computador calculava uma intensidade única para a faceta poligonal inteira, colorida de modo mais claro ou escuro, conforme estivesse na direção da fonte de luz ou contra ela.

Agora, um cilindro realmente não se parece com uma coluna estriada de um templo grego, algo chamado de efeito de banda Mach acentua as fronteiras das superfícies facetadas. O sombreamento Gouraud foi criado, em 1971, por Henri Gouraud para interpolar linearmente a sombra através de cada polígono, conferindo uma transição suave de uma aresta para a seguinte.

Reflexo especular apresenta realces e esquema de sombreamento, desenvolvido por Bui Tuong Phong, em 1973, é baseado na observação empírica que superfícies brilhantes refletem a luz de maneira desigual em direções diferentes. Apenas em espelhos perfeitos os ângulos de incidência e reflexão são iguais – a regra de óptica que aprendemos na escola.

Um objeto iluminado não parece real a menos que sombras estejam presentes; um algoritmo de sombreamento determina quais superfícies podem ser "vistas" pela fonte de luz virtual. Estas técnicas podem levar em conta múltiplas fontes de luz, tanto ambiente quanto local, e as luzes podem ser de qualquer cor. Assim, o designer é capaz de iluminar o objeto dramática e teatralmente, sem restrições de onde as luzes são colocadas.

Sombras difusas são tediosas de calcular, mas um truque que às vezes é efetivo consiste em colocar uma fonte "negativa" de luz, que tem o efeito de sugar a luz, por trás do objeto.

Nenhuma das técnicas discutidas até aqui leva em conta as propriedades de transmissão de luz das superfícies. Um estudo de pinturas mostrará que são as cores sutis encontradas nas sombras e reflexos que dão vida à pintura.

Ray Tracing e Radiosidade

Em 1980, Turner Whitted voltou às origens e aplicou as leis da física para a trajetória de um raio de luz ao redor de uma cena. Ele estabeleceu que, toda vez que um raio encontra uma superfície, ele se divide em três partes: luz refletida difusamente, luz refletida especularmente e a transmitida ou refratada. Cada raio que deixa uma superfície é a soma de contribuições variáveis destas três fontes.

À direita 6.19. Miroslav Mitrovic, Peças do sistema de válvulas, 2004. Ray tracing foi usado para calcular as trajetórias dos raios de luz ricocheteando ao redor desta cena com as peças do sistema de válvulas da Ducatti Desmo, produzindo reflexos convincentes e sombras. Foi modelado por Miroslav Mitrovic da Bluming, Inc., usando Solid Edge, e renderizada no Virtual Studio+ para uso promocional pela Ducatti USA em exibições de motocicletas por toda a América do Norte. Cortesia UGS e Solid Edge.

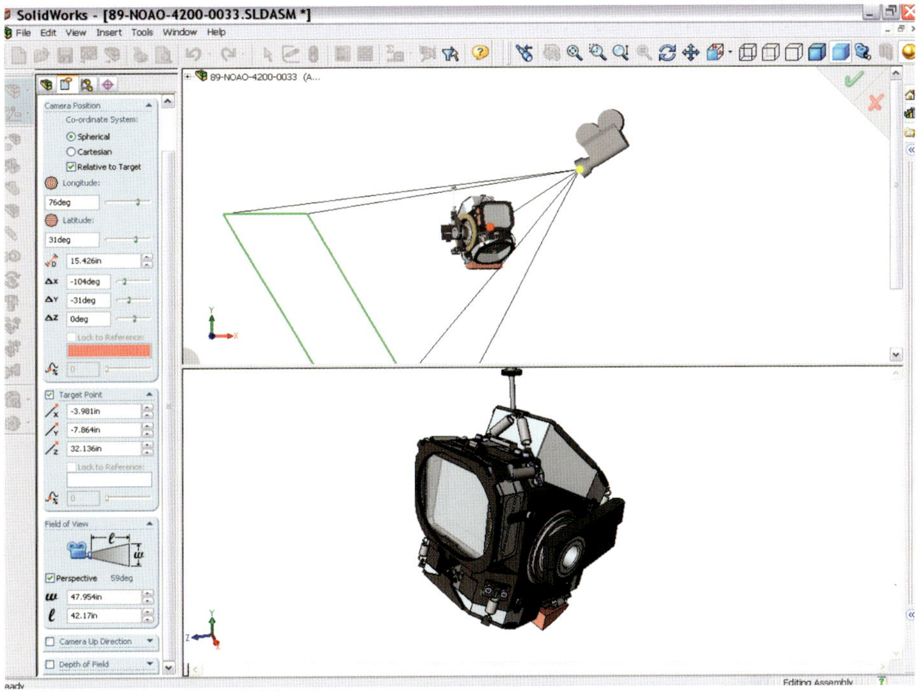

À direita 6.20. Modelos sólidos são iluminados usando fontes de luz de vários tipos localizadas no espaço virtual 3D e as renderizações são feitas colocando-se uma câmera virtual, com todos os atributos de uma câmera real, no espaço 3D, como mostrado nesta captura de tela do SolidWorks. Cortesia SolidWorks Corporation.

Se você pensa que cada raio cria uma "árvore" de raios refletidos toda vez que atinge uma faceta, não precisa de grande habilidade matemática para deduzir que a quantidade de computação necessária para calcular a óptica correta de uma cena seria enorme, se não infinita, especialmente quando pode haver múltiplas fontes de luz iluminando a cena.

Por sorte, a maioria destes raios vai para o infinito e, assim, reduzem o número de operações necessárias, o cálculo é feito ao contrário – os raios são rastreados desde os olhos do observador (fotografado, com efeito, através de pixels na tela) e rebatidos ao redor da cena, retornando finalmente para a fonte de luz. Daí o termo *ray tracing* – rastreio de raios (Fig. 6.19).

Mesmo com estas economias, nós ainda estamos falando a respeito de uma tarefa colossal para o processador. Um mostrador com resolução 1280 x 1024 pixels tem mais de um milhão de raios para tratar e, mesmo com uma cena modesta contendo, digamos, 10.000 polígonos, você veria como a técnica força até o computador mais poderoso. Imagens iniciais com *ray tracing* foram criadas com supercomputadores Cray, levando horas de cálculos. Entretanto, placas gráficas especiais, dedicadas a esta tarefa, vieram em socorro e, hoje, a técnica pode ser feita em estações de trabalho e PCs mais possantes.

A despeito da abordagem global, *ray tracing* falha em certas circunstâncias – não mostraria o halo de luzes locais obscurecidas, vazamento de cor ou "borrados" de um objeto sobre o outro, por exemplo. E cada imagem é dependente da posição corrente do observador – mudança de ponto de vista ou posição da câmera virtual e toda a cena precisa ser recalculada (Fig. 6.20).

Radiosidade é uma abordagem que determina o equilíbrio de energia luminosa de todas as superfícies em um ambiente estático, que é independente da posição do observador. Isto requer que o computador resolva um grande número de equações simultâneas, mas, uma vez que a cena tenha sido computada em termos de seus fatores de forma e intensidade, será apenas preciso compor quaisquer outras vistas adicionais.

Depois que a primeira vista tenha sido computada, luzes podem ser alteradas ou apagadas sem ter que recalcular a geometria, e a próxima vista pode ser produzida relativamente rápido. Muda-se a posição do observador e apenas o processo de renderização tem que ser repetido.

Maxwell Render, da Next Limit, é um programa acessório para modeladores, tais como 3D Studio Max, Lightwave e Maya. Ele considera que a luz é uma onda eletromagnética definida por um espectro de frequência que vai do infravermelho ao ultravioleta (Fig. 6.21).

Uma vez que o Maxwell tenha completado o procedimento de renderização, cada pixel na imagem de saída tem quantidades diferentes de energia espectral – originada das fontes de luz na cena – que atinge o filme virtual ou a retina do observador. É descrito como um renderizador não tendencioso – dado tempo suficiente para a execução, o programa sempre convergirá para o resultado correto sem a introdução de artefatos.

À direita 6.21. Peter Schuster, Secador de cabelos, 2005. Maxwell Render é um software acessório (plug-in) que não usa nem *ray tracing*, nem radiosidade, mas é baseado na física da luz real usando iluminação global. Todos os emissores de luz, materiais sombreadores e câmeras são baseados em modelos fisicamente precisos.

Adicionando Texturas

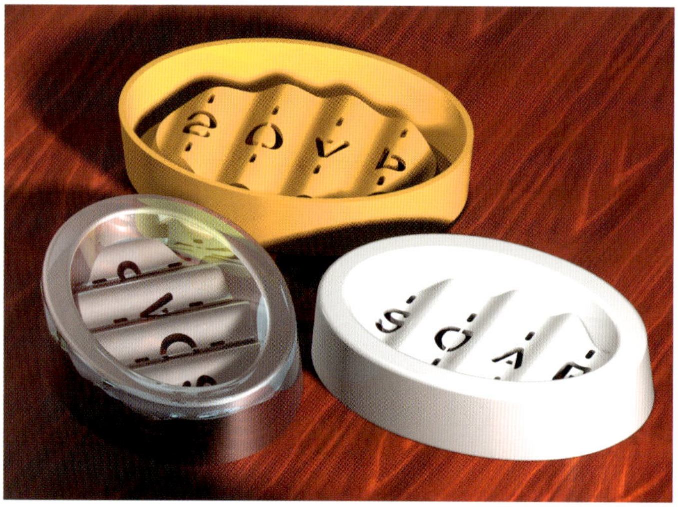

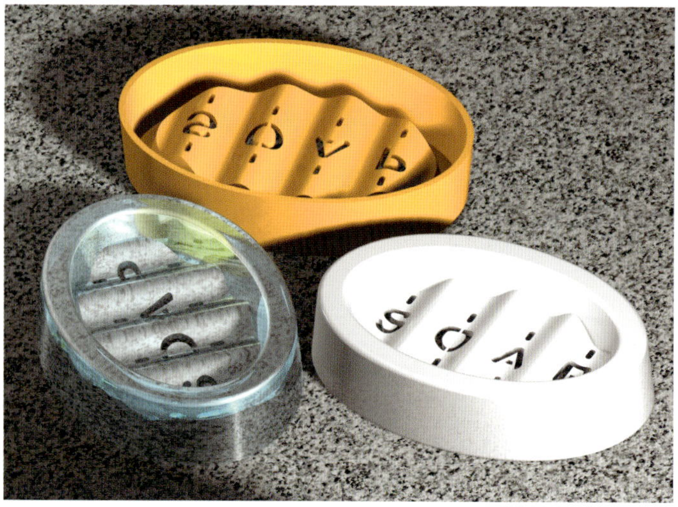

Superfícies mais reais não são lisas, elas têm texturas, e várias técnicas foram desenvolvidas para conferir detalhes microscópicos a uma superfície. O método mais antigo consiste em "mapear", ou embrulhar, a superfície curva do objeto com uma fotografia escaneada, ou textura, artificial 2D produzida em um sistema de "pintura".

James Blinn, do laboratório de propulsão a jato, em Pasadena, foi o pioneiro deste efeito, usando-o com sucesso em suas simulações dos planetas. Quando as imagens reais de fotografias processadas chegavam das naves espaciais, elas saiam muito parecidas com as simulações. Outros métodos "perturbam" a superfície para dar o efeito de rugosidade. É, agora, possível reproduzir sinteticamente quase qualquer textura superficial, e não é difícil produzir, nos dias de hoje, texturas 3D, tais como madeira ou marmoreado, (Figs. 6.22 e 6.23) que vão diretamente dentro do objeto e aparecem como deveriam, caso o objeto fosse fatiado.

No topo à esquerda 6.22. Várias texturas de materiais podem ser mapeadas sobre uma superfície, ou sólido, para fazê-los parecer mais realistas. Esta saboneteira, modelada pela Rio21 usando Cobalt da Ashlar-Vellum, é mostrada em cores e graus de transparência diferentes sobre uma superfície de madeira.

Abaixo à esquerda 6.23. Aqui a mesma cena e geometria 3D da fig. 6.22 foram renderizadas desta vez com as saboneteiras sobre uma superfície de mármore.

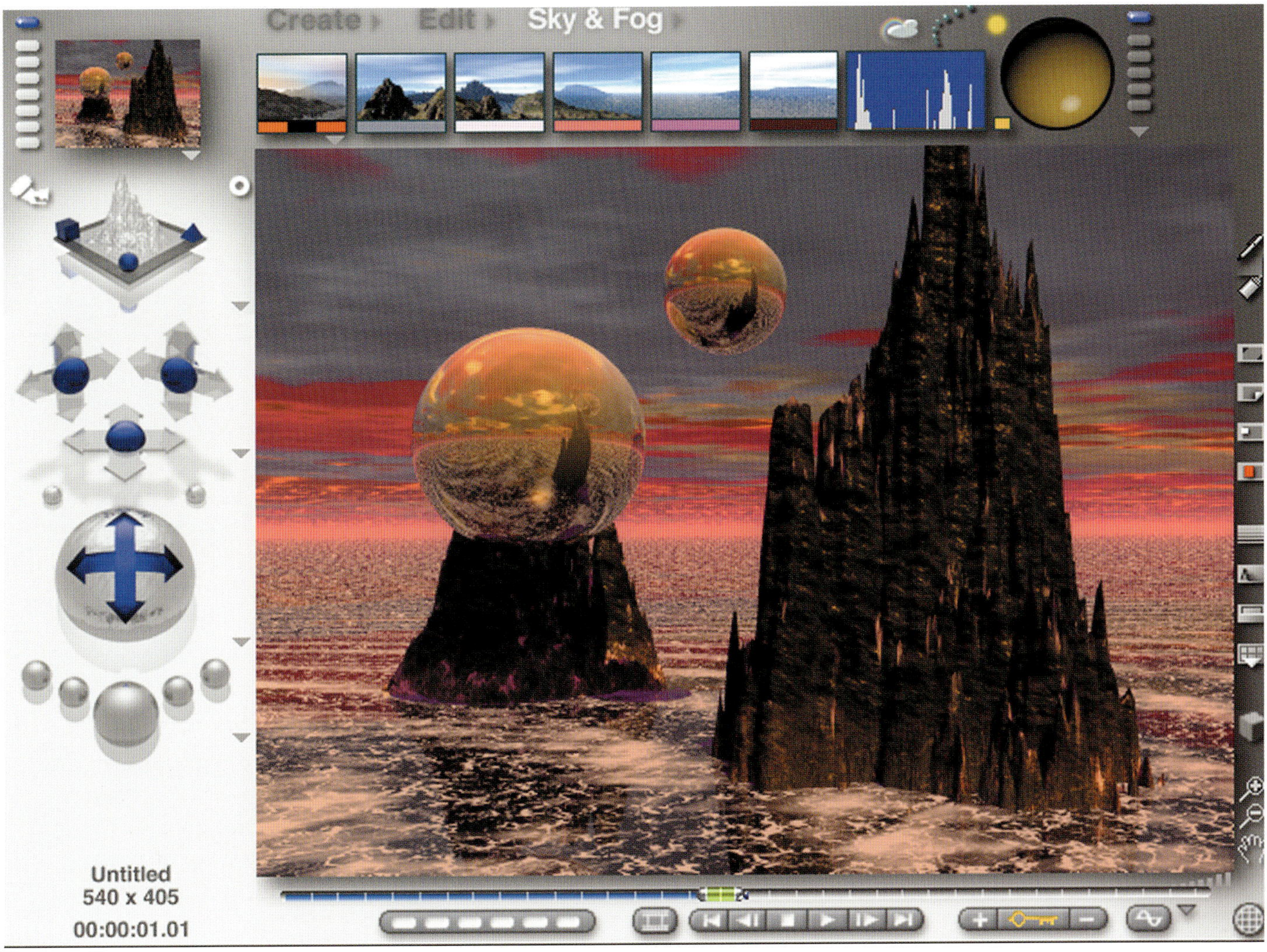

Acima 6.24. David O'Connor, Captura de tela, 2006. Bryce é um programa que usa fractais para desenhar texturas naturalistas aparentemente aleatórias como montanhas, nuvens e água, como nesta captura de tela.

Fractais

Usar facetas para criar objetos com aparência natural, tais como cadeias de montanhas e nuvens, seria uma tarefa hercúlea e, por ser feita por pessoas, provavelmente não aparentaria aleatória o suficiente. Assim, os entusiastas da computação gráfica se voltaram para o trabalho feito, nos anos 1930, por um homem chamado Benoit Mandelbrot, para dar sentido aos aspectos aparentemente aleatórios da natureza. Ele inicialmente saiu a medir o comprimento de uma costa, mas achou a tarefa frustrantemente difícil. Os detalhes vão se complicando à medida que você vai de uma baía para uma enseada, até um grupo de seixos. Entretanto, o que ele descobriu foi que havia um grau alto de semelhança entre as macro e as formas micro e, olhando ao redor, encontrou este princípio repetido por toda a natureza – um graveto, por exemplo, parece com uma árvore, um fato que não passou despercebido pelos entusiastas de modelos de ferrovia. O resultado de sua pesquisa está em um livro intitulado "A geometria fractal da natureza".

Fractais, em computação gráfica, iniciam com um gerador – uma série de pontos de coordenadas ou, para uma cadeia de montanhas, uma malha de polígonos. Esta forma é ampliada e girada para caber entre o par inicial de pontos, chamados de iniciador e, cada novo par de pontos, na forma resultante, é subdividido recursivamente. Tudo isto pode ser implementado com somente algumas linhas de código e produz uma superfície de complexidade infinita. Um fractal é definido como "uma curva de comprimento infinito com um nível de detalhe infinito". Não importa o quão de perto você olhe, detalhes novos serão revelados sempre. Os exemplos mais espetaculares de fractais são as paisagens de montanhas (Fig. 6.24), mas eles também foram postos em uso prático para gerar texturas.

Partículas são similares a fractais, mas podem flutuar livres e são usadas para criar "montagens" naturalistas como o fogo, fumaça, nuvens e folhas em CGI.

Modeladores Comerciais

O pacote de modelamento de superfícies 3D e renderização, preferido por muitos designers, é o Maya, da Alias, uma companhia formada em 1995 quando, a empresa de workstations Silicon Graphics comprou a Alias Research (fundada em 1983) e a Wavefront Technologies (fundada em 1984) e as fundiu. Alias foi, depois, adquirida pela Autodesk, uma fornecedora de sistemas CAD.

O modelador de superfícies Maya, nome originado da palavra em sânscrito para "ilusão", foi lançado inicialmente em 1998 e está, agora, na sua sétima versão. Ele tem ferramentas para NURBS (sigla em inglês para B-Splines Racionais, Não uniformes, uma técnica para gerar e representar curvas e superfícies, uma generalização das splines de Bézier, encontradas em programas de desenhos), facetas poligonais e modelagem de superfícies por subdivisão, partículas, mapeamento de texturas e *ray tracing* usando software próprio, o Mental Ray. Outros modeladores com renderização incluem 3D Studio Max (às vezes chamado de 3ds Max), Cinema 4D e o Cobalt da Ashlar-Vellum (Fig. 6.25).

Mas esteja alerta: conforme mencionado antes, modeladores comerciais de sólidos e superfícies têm, hoje, como condição inicial, necessidade de o design estar 100% completo para que se produza um modelo de apresentação. E, como aponta Dick Powell, antes da renderização em computador ser comum, os clientes costumavam ser capazes de julgar a capacidade do designer pela qualidade de seus desenhos de apresentação, mas hoje apenas o *nerd* mais dedicado de CGI pode ser capaz de dizer o quão bom o designer realmente é a partir de uma imagem no computador.

Enquanto os modeladores sólidos 3D do mercado têm sido usados, principalmente, para produzir imagens e verificar conflitos em montagem complexas somente após o design ter sido fixado e apresentado como uma série de projeções ortográficas 2D, o ímpeto para usar o computador como uma ferramenta para design na etapa conceitual provavelmente virá do trabalho de computação gráfica para televisão ou das artes plásticas auxiliadas por computador.

Em muitas aplicações para produtos orientados ao consumidor, tais como carros, há uma demanda para uma relação muito mais próxima do que a já existente entre estilistas e engenheiros. Automóveis caros são comprados por conta de sua aparência, e os reflexos especulares na superfície do carro são um elemento do design agora tão importantes quanto o perfil ou as proporções.

Realismo credível e de baixo custo no início do processo de design, quando os financiadores estão se decidindo a respeito do apoio ao projeto e integração com a produção para manter as intenções do designer por todo processo de projeto, são parâmetros fundamentais em qualquer futuro sistema de CAD 3D.

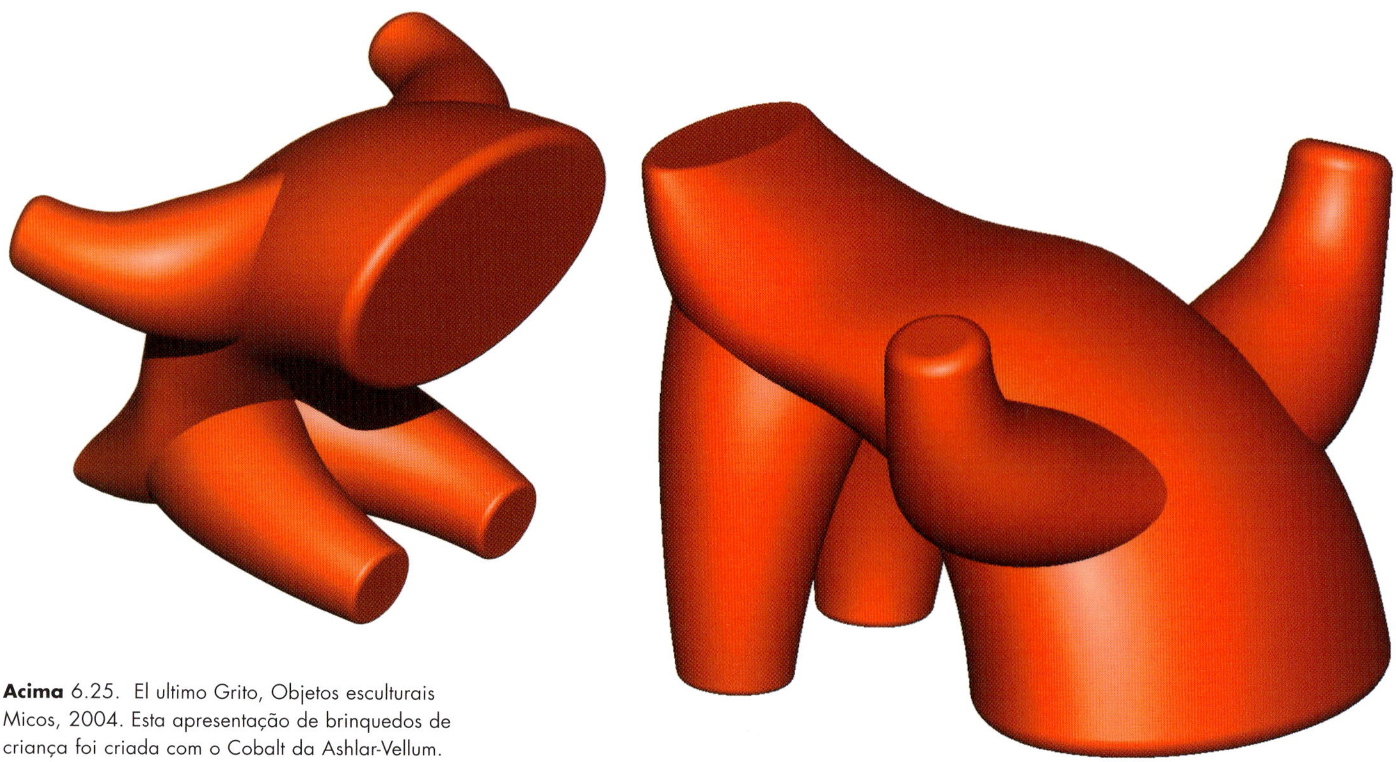

Acima 6.25. El ultimo Grito, Objetos esculturais Micos, 2004. Esta apresentação de brinquedos de criança foi criada com o Cobalt da Ashlar-Vellum.

Conclusão

Não deve ser esquecido que o papel principal de um desenho de apresentação é fazer com que o cliente se sinta feliz que o projeto esteja avançando satisfatoriamente e que ele estava certo na sua escolha do designer. Tudo vale, e o estilo da apresentação é sempre cuidadosamente adaptado ao cliente. Com uma relação duradoura, um designer pode se safar com as mais corridas e esboçadas imagens de apresentação – e estas podem ser apropriadas para um cliente mais afeito ao design e à moda.

Um capitão da indústria mais convencional, usando uma consultoria particular pela primeira vez, pode precisar ser seduzido de maneira mais sutil e requerer uma performance teatral, como numa agência de publicidade (que pode incluir vídeo e conceitos gerados em computador). A ideia é transmitir as ideias com sucesso e inspirar confiança em um cliente – que pode estar comprometendo-se com custos de desenvolvimento substanciais de um projeto ainda intangível – da maneira mais conveniente que seja humanamente possível. O designer deve também ter em mente que, se o projeto segue adiante, o produto terá que ser fabricado e montado e os desenhos de apresentação, ou modelos de computador, tornar-se-ão a base para os desenhos de detalhe e modelos necessários para a próxima fase do projeto, como será discutido no próximo capítulo.

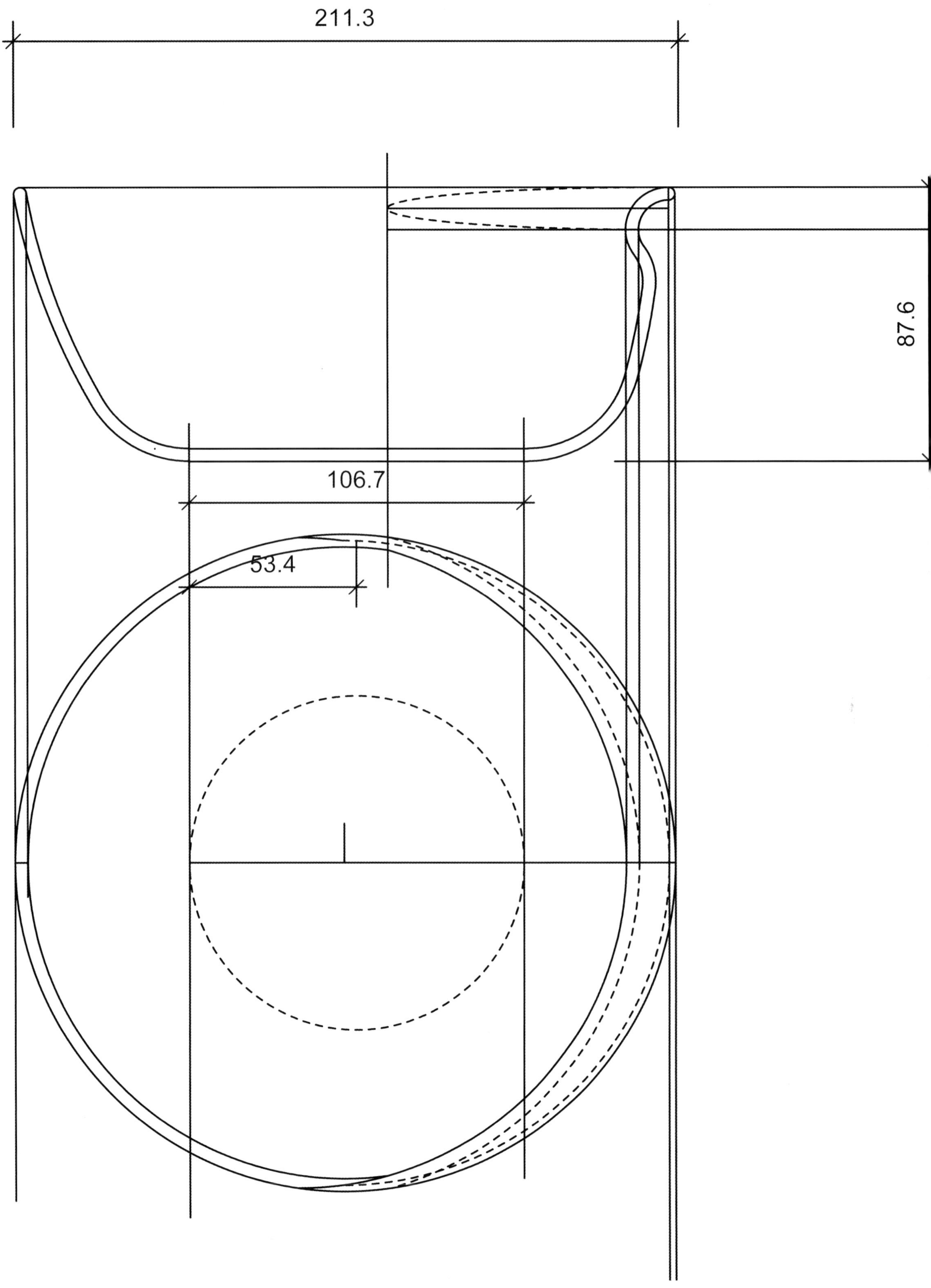
211.3
87.6
106.7
53.4

Um desenho de trabalho é meramente uma carta para um construtor dizendo-lhe precisamente o que é pedido a ele – e não uma imagem com a qual se seduz um cliente idiota.
Sir Edwin Lutyens

7 Do desenho de conjunto à produção

Página oposta Torsten Neeland, Tigela empilhável de porcelana, 2005. Este é um desenho em CAD 2D feito usando VectorWorks para a Guzzini.

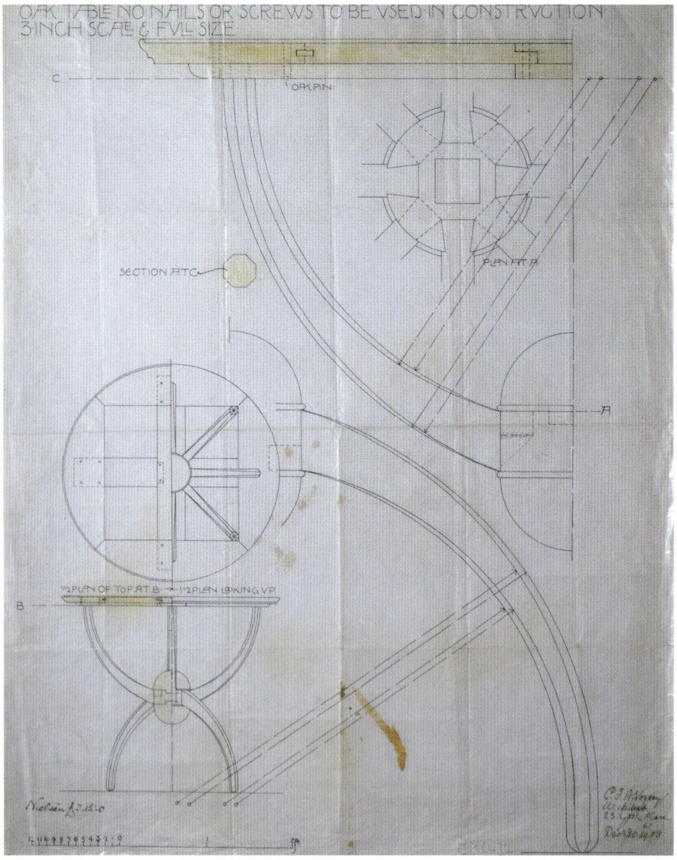

Acima 7.1. Charles Voysey, Mesa em carvalho, 1903. Tinta e tecido de desenho. Este desenho de conjunto tradicional desenhado pelo designer da Arts and Crafts é um projeto de uma mesa em carvalho, com os detalhes da perna mostrados em escala real. Cortesia RIBA (Royal Institute of British Archtects), Library Drawings and Archives Collection, Londres.

Um dia, este capítulo inteiro pode tornar-se redundante, mas não ainda, não por um longo tempo. Teóricos do design podem desejar, e trabalham para isso, um modelo completo em computador do objeto projetado que seja bom o suficiente para guiar todas as máquinas necessárias para fabricar o produto e seus componentes, sem nenhuma interpretação no papel necessária entre as fases do processo de design. Entretanto, até que este dia chegue, designers e engenheiros continuarão a usar desenhos 2D – quer produzidos manualmente (raros, nestes dias), quer gerados em computador – em algum ponto, para comunicar seus designs àqueles responsáveis pela produção e manufatura. Haverá, inevitavelmente, todo um conjunto de desenhos, com a chave para ele sendo o desenho de conjunto (ou de montagem), que tem a forma de uma planta e vistas ortográficas. O desenho de conjunto mostra o produto completo e vai gerar os outros desenhos separados de detalhes ampliados, peças componentes e submontagens (Fig. 7.1).

Desenhos de engenharia podem ser tediosos para o designer aspirante a voos mais altos, mas, como uma vez afirmou o artista alemão George Grosz: *A neutralidade e clareza de um desenho de engenharia são um modelo melhor para ensinar sobre arte do que toda a tagarelice incontrolável sobre cabala, metafísica e o êxtase da santidade*. Então vamos ficar sérios e viajar de volta aos tempos Vitorianos numa busca para transformar os desenhos de conceito e apresentação do designer numa descrição detalhada, precisa e sem ambiguidades que pode ser usada para fabricar o produto e todas as suas peças.

No futuro, um único modelo sólido 3D em computador englobará a geometria do produto e todas as suas especificações associadas, mas nós ainda não chegamos lá e o melhor que temos para mostrar atualmente são os desenhos em vistas ortográficas – a planta – ainda que criadas com o auxílio de um sistema CAD.

Sem ambiguidades são as palavras-chave. Um segmento memorável do filme de rock paródia "This is Spinal Tap" ocorre quando uma réplica em miniatura de Stonehenge é abaixada no palco atrás da banda – eles olham surpreendidos, pois esperavam uma réplica em tamanho real com 18 pés de altura do antigo monumento, mas ao invés disso, são apresentados a um modelo patético com 18 polegadas, feito exatamente como indicado no desenho original que o personagem de Christopher Guest, Nigel Tufnel, havia feito muito rapidamente (com duas enfáticas aspas após o 18) e passado para o empresário da banda para que fosse providenciada uma maquete. Erros podem ocorrer facilmente, especialmente quando você pensa que o computador é infalível. Considere apenas que os verificadores ortográficos deixam passar a palavra errada desde que esteja grafada corretamente!

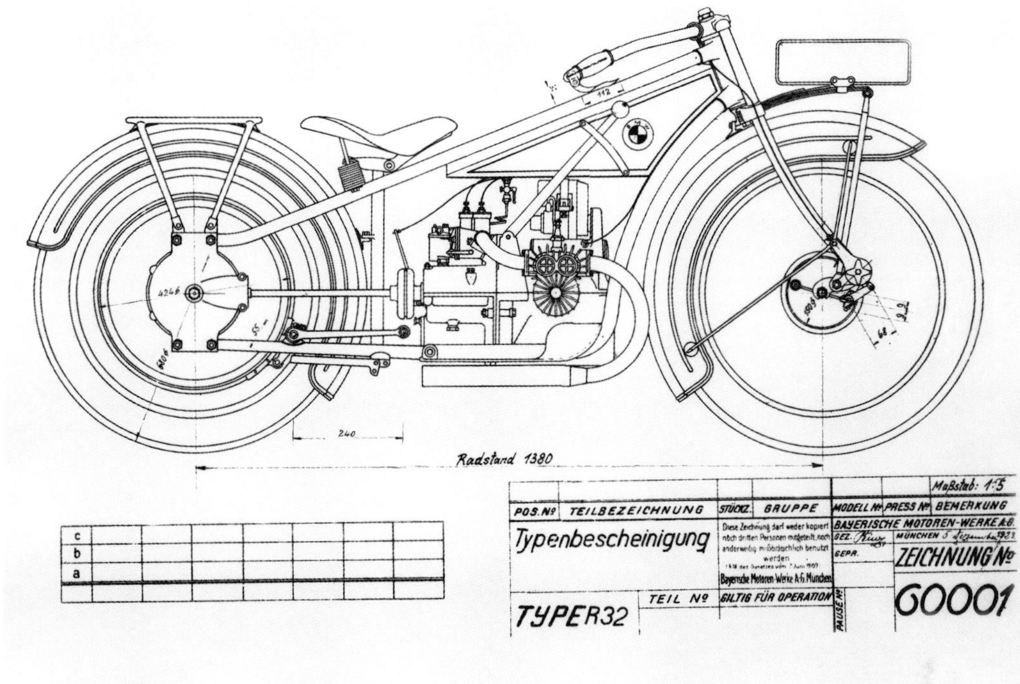

À direita 7.2. Max Friz, Motocicleta BMW RS2, 1923. Uma vista lateral da primeira motocicleta BMW com motor de dois cilindros e eixo de acionamento, aparenta ter um mínimos de cotas. Cortesia BMW AG.

Abaixo 7.3. Com um sistema de desenhos 2D é fácil criar objetos que parecem certos, mas que seriam impossíveis de fabricar. Um sistema de modelagem sólida 3D asseguraria que a topologia e a geometria estivessem corretas.

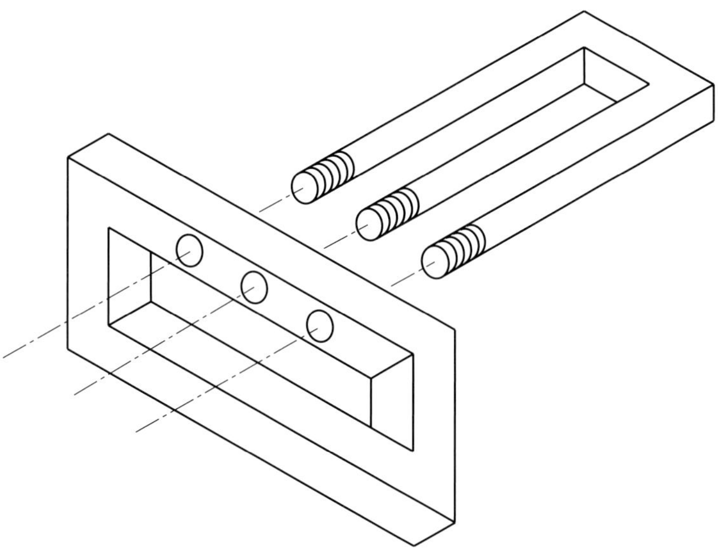

As origens de um designer de produto podem sempre ser detectadas a partir dos desenhos de detalhes – um "engenheiro" de produto o fará segundo as regras, tipos mais artísticos podem tomar mais liberdades e correm o risco de enfurecer os tipos mais obstinados no chão de fábrica e mesmo na própria oficina de modelos do designer.

Desenhos de engenharia são versões basicamente muito mais arrumadas dos esboços de conceito, com as linhas endireitadas, em escala e com as dimensões reais adicionadas, tomadas talvez de componentes já existentes que devem ser incorporados ao produto que está sendo projetado (Fig. 7.2). O familiar desenho de engenharia, ou planta, já foi desenhado à tinta ou a lápis polimérico sobre filme de Mylar e copiado em papel corado em azul, mas hoje são mais comumente impressos a partir do computador; eles têm um propósito básico: comunicar os conceitos de um designer àqueles responsáveis por fabricar os componentes do produto e montá-los, com itens próprios, para criar o produto acabado. Para tal, os desenhos devem ser completos, confiáveis e, como eu venho repetindo, sem ambiguidades (Fig. 7.3).

Para prevenir quaisquer erros de interpretação, os desenhos de produção são altamente codificados e, para um observador não treinado, podem parecer confusos e difíceis de ler; é sempre difícil ver a forma do objeto, perdida no meio de todas as cotas e informação das tolerâncias. Como a fabricação e a montagem do produto são muitas vezes feitas em países ou até continentes diferentes, os desenho precisam ser independentes dos idiomas. As regras que ditam estas convenções são estabelecidas por organizações normalizadoras e, embora cada país tenha a sua, a mais importante é a ISO (International Standards Organization).

Documentação Técnica do Produto

O termo moderno que designa um conjunto de desenhos de engenharia é TPD (sigla em inglês para Especificação Técnica do Produto), que engloba não apenas os desenhos tradicionais em papel, mas também outros tipos de informação, tais como metodologia para implementação do design, os meios de verificação (metrologia e medidas de precisão), controle de qualidade, documentação técnica e informação sobre qualquer outra ferramenta e equipamentos relacionados. Sempre que uma norma nova é publicada ou uma antiga for atualizada, o ano é acrescentado ao número de identificação ISO, por exemplo, ISO54562:1996 é intitulada "Desenho técnico – Métodos de projeção – Parte 2: representações ortográficas".

Desenhos de engenharia são executados sempre em projeção ortográfica: nos EUA e no Reino Unido, no terceiro diedro; nos outros lugares, no primeiro diedro (ver Capítulo 4). Entretanto, um designer pode usar uma forma apropriada ao tipo de objeto que está sendo projetado. Para um objeto longo e fino, tal como uma locomotiva, será melhor usar uma projeção no terceiro diedro de modo que a vista frontal, por exemplo, estará à direita e adjacente às vistas laterais. O tipo de projeção deve ser sempre indicado no desenho, geralmente por um símbolo convencional (Fig. 7.4) A projeção ortográfica é sempre acompanhada por vistas auxiliares (isto é, aquelas não ortogonais aos eixos x, y e z), vistas de detalhes que precisam ser observados mais de perto e talvez uma representação 3D, como uma isométrica ou outro tipo de perspectiva.

Desenho de Conjunto

O desenho de conjunto é o desenho mestre e chave para todos os outros desenhos (Fig. 7.5). É aqui que o layout final é decidido, dimensões são fixadas, considerações ergonômicas resolvidas e métodos de produção finalizados.

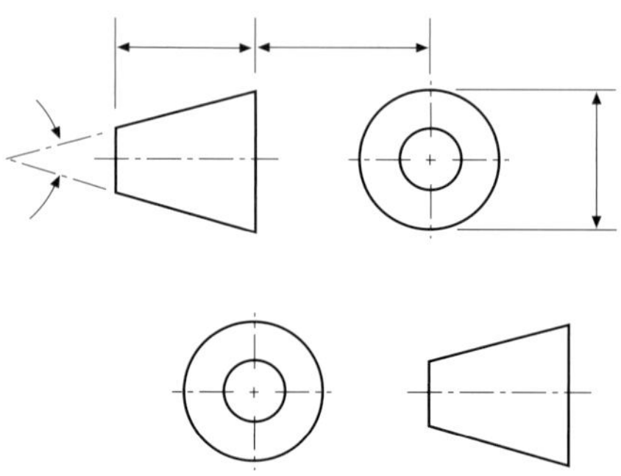

Acima 7.4. Para indicar se um desenho foi criado usando projeções no primeiro diedro (Europa) ou terceiro diedro (US), é comum incluir um destes símbolos em forma de tronco de cone: o símbolo de primeiro diedro está acima, o de terceiro diedro, abaixo.

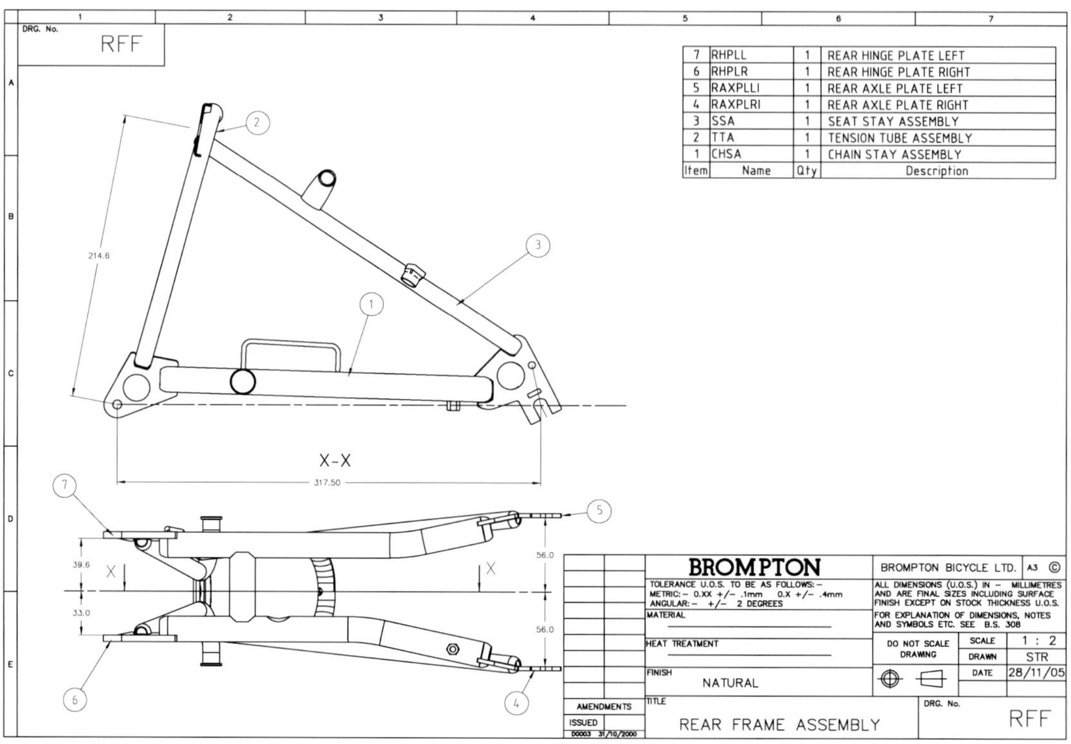

À direita 7.5. Um desenho de conjunto para o quadro traseiro da bicicleta dobrável Brompton. Note o símbolo para projeção no terceiro diedro. Os números nos círculos são denominados chamadas e referem-se a outros desenhos ou anotações (listados no alto, à direita).

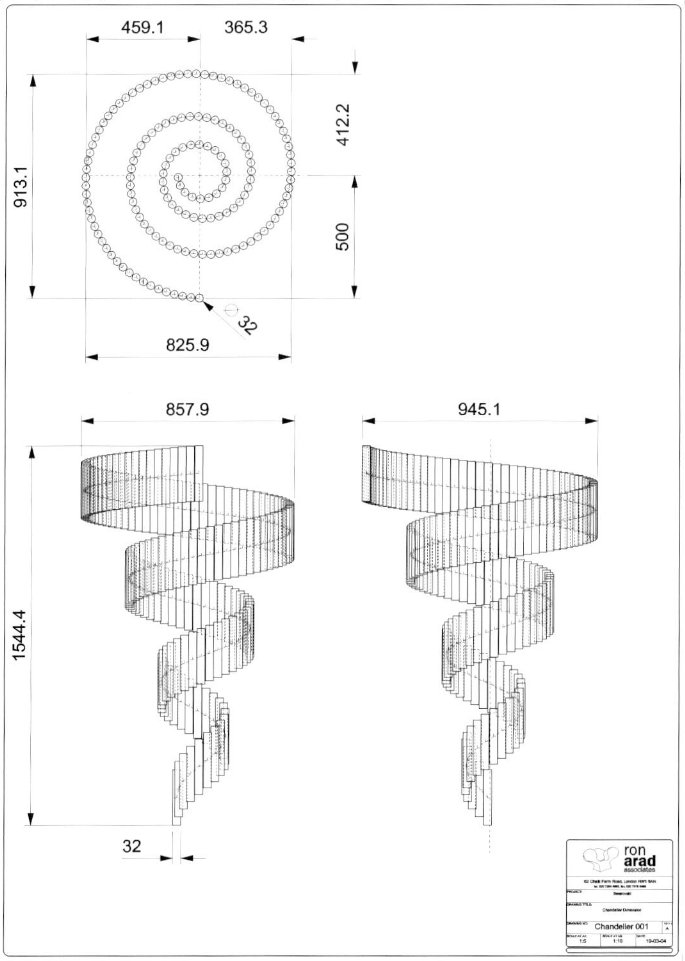

Acima 7.6. Ron Arad, Candelabro Lolita, 2004. Este desenho de conjunto feito em MicroStation para a Swarovski indica que se o desenho foi impresso no tamanho A1 a escala seria 1:5 mas no A3, seria 1:10.

O cliente está satisfeito e o designer está, teoricamente, pronto para iniciar a produção dos desenhos plenamente cotados necessários à produção: os desenhos de detalhe, os desenhos das ferramentas de prensa, estampos progressivos ou moldes, mais todo tipo de dispositivos e fixações que serão necessários para fabricar o produto. Pode também haver a necessidade de desenhos de montagem mostrando como os componentes e peças são unidos (Fig. 7.6). Todos estes desenhos, cujo número pode chegar à casa das centenas, podem estar em escalas diferentes e são coordenados com referência ao desenho de conjunto (Fig. 7.7).

Nos primórdios da Revolução Industrial, um desenho – executado como desenho de conjunto – já bastava. Um desenho de uma bomba ou motor a vapor por Boulton e Watt (ver Fig. 1.2), por exemplo, incorporaria as dimensões básicas para a construção, mas nenhuma concernente à fabricação. Como eles eram invariavelmente peças únicas, a produção das peças ficava a cargo de artesãos habilidosos. À medida que as máquinas se tornam mais padronizadas, mais e mais desenhos são necessários e suas produção foi delegada a projetistas e desenhistas (muitas vezes mulheres).

O desenho de conjunto fornece a disposição do produto, o arranjo de suas partes componentes e o modo pela qual elas são montadas (Fig. 7.8). Fornece as dimensões globais e, usualmente, inclui uma lista de peças que refere para o leitor toda uma hierarquia de

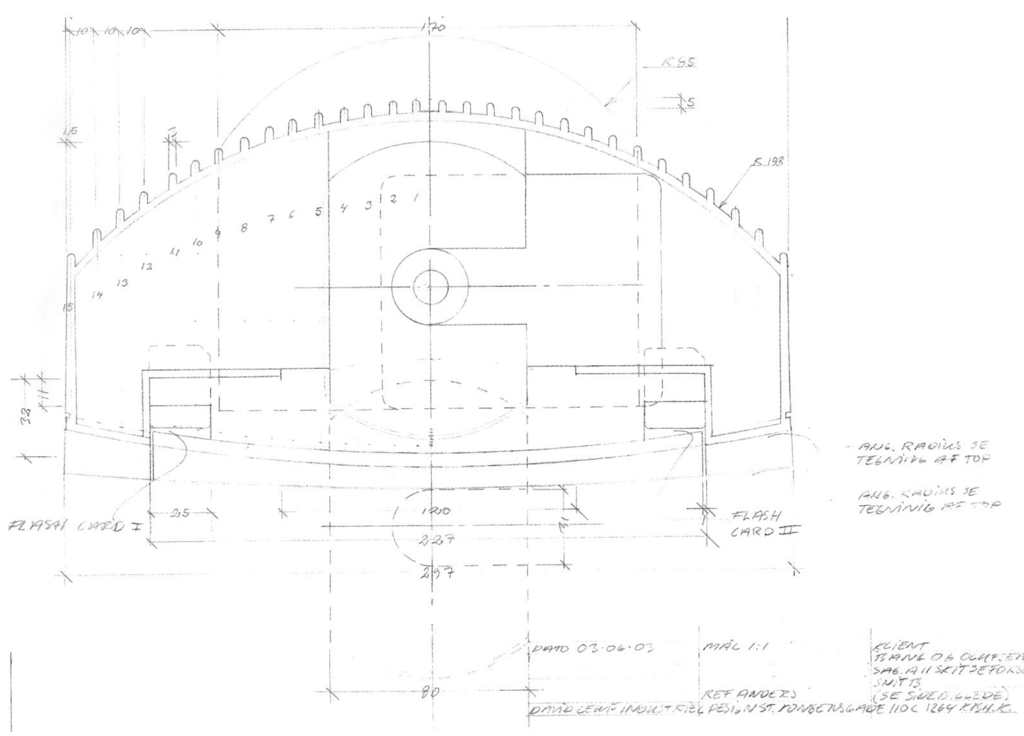

À direita 7.7. David Lewis, Detalhe de Rádio/tocador de CD, 2003. Este é um desenho de conjunto feito à mão para o Rádio/Tocador de CDs com cartão de memória SD embutido BeoSound4 da Bang&Olufsen.

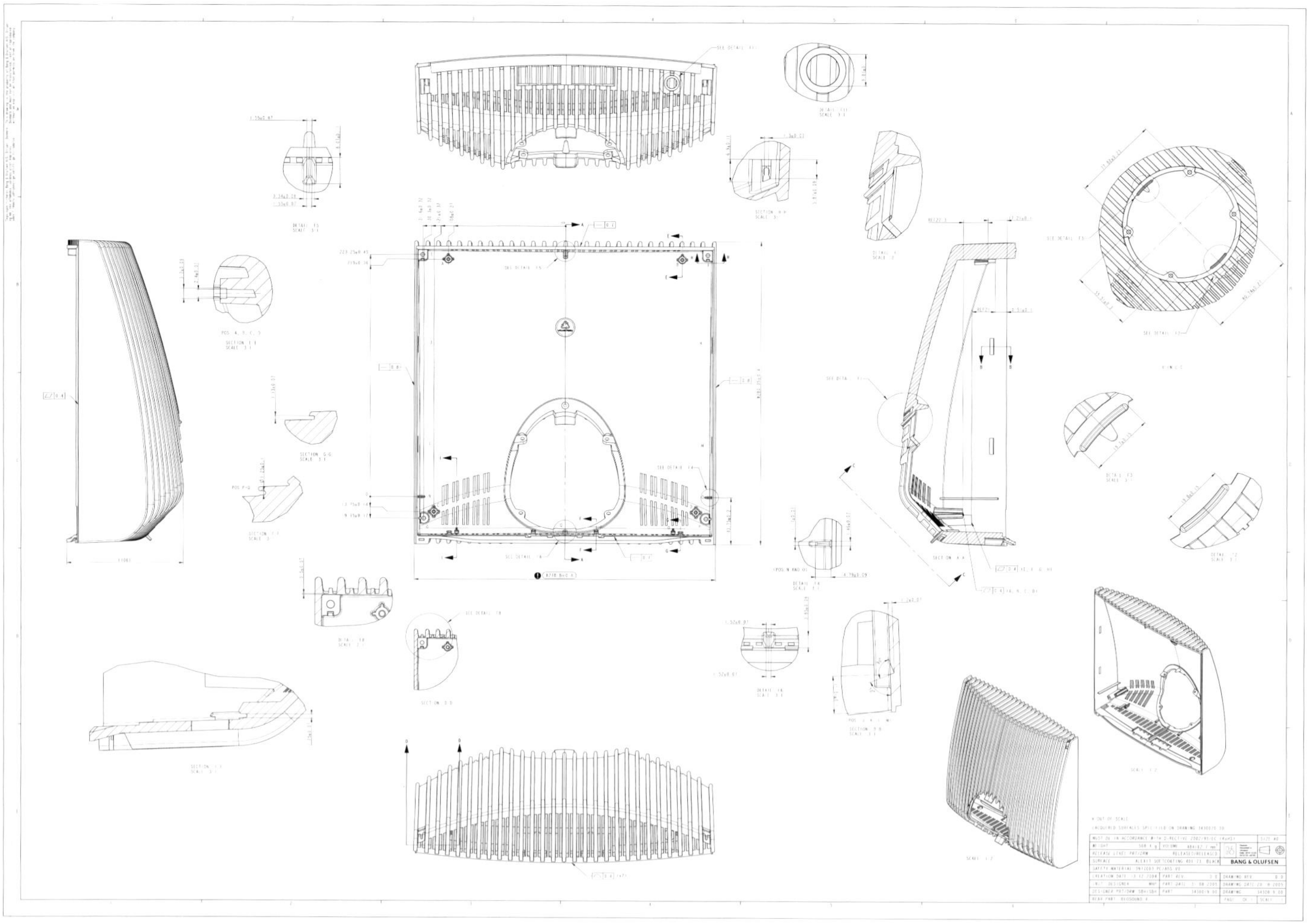

Acima 7.8. Rádio/tocador de CDs BeoSound4, 2005. Um desenho em Pro/E (com perspectiva em meia escala) para o painel traseiro do Rádio/tocador de CDs BeoSound4 da Bang&Olufsen. Note o símbolo de projeção no primeiro diedro e todas os cortes e detalhes.

outros desenhos mais detalhados: submontagens e montagens discretas, e os desenhos de detalhe individual e subdetalhe. Estes mostram partes mais manuseáveis do produto, com todas as dimensões essenciais e tolerâncias permissíveis documentadas (Fig. 7.9). Estes desenhos também incluem informação detalhando o material com o qual a peça deverá ser feita, seu acabamento superficial e tratamento (retificado, anodizado, pintado e assim por diante) (Fig. 7.10). A tolerância e o acabamento da peça têm um efeito significativo no tipo e precisão das ferramentas que podem ser usadas e, portanto, no custo de fabricação, assim, devem ser escolhidas e documentadas com extremo cuidado. Se uma peça deve ser fundida e, subsequentemente, usinada, o designer pode ter que fazer desenhos do fundido. Qualquer modo como o designer possa ajudar a otimizar o ciclo do design à produção será sempre apreciado (Figs. 7.11, 7.12).

Os desenhos que seguem o de conjunto já foram uma vez produzidos usando canetas técnicas e tinta, ou lápis polimérico, sobre folhas de filme de Mylar, pré-impressas com margens e um cabeçalho no qual eram colocadas informações sobre o desenho: seu número único e sua

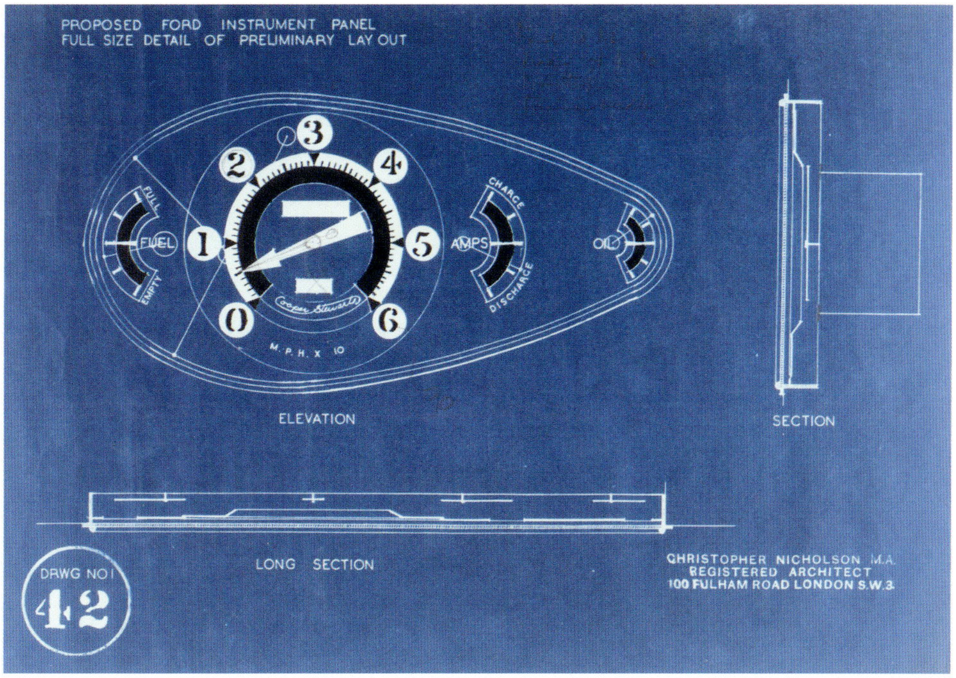

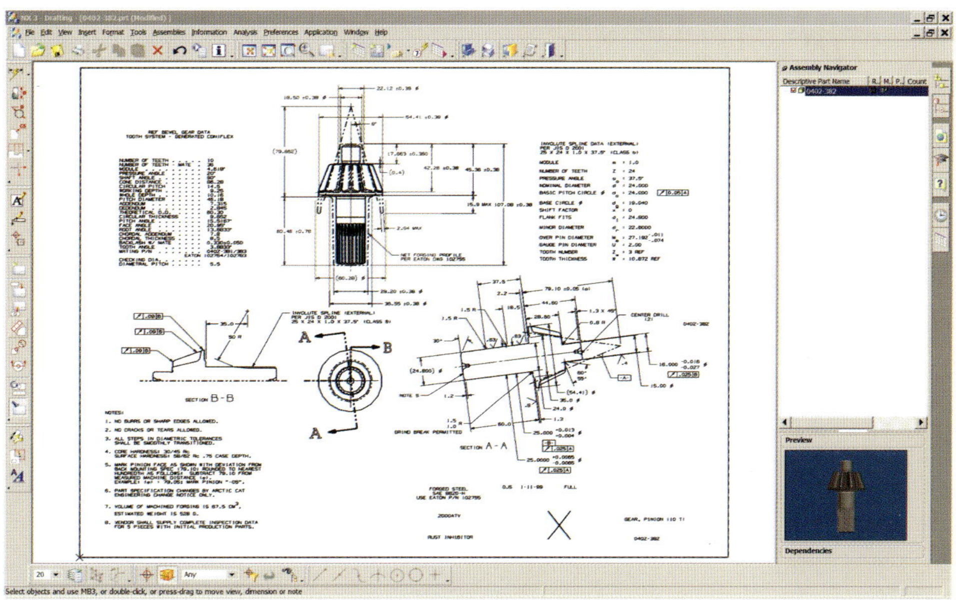

Acima 7.9. Christopher Nicholson, Painel de instrumentos de automóvel Ford, 1936. Esta é uma cópia de desenho para a Cooper-Steward Engineering Company Limited. Desenhos produzidos pelo processo de cópia impressa com contato de cianotipo eram o único modo de reproduzir desenhos à tinta antes da fotocopiadora e impressoras a jato de tinta se tornassem comuns. Cortesia RIBA (Royal Institute of British Archtects), Library Drawings and Archives Collection, Londres.

À direita 7.10. Uma captura de tela de um pinhão do Arctic cat, 2004. Desenhado usando o software NX da UGS, este mostra o corte (A-A) não ortogonal e uma prévia renderizada. O CAD permite que os designers mostrem engrenagens e roscas de maneira precisa. Antes, elas eram mostradas usando símbolos convencionais.

Abaixo à esquerda 7.11. Rio21 design, Saboneteira, 2004. Este desenho de conjunto simples foi feito usando o Cobalt da Ashlar-Vellum, não faz jus a uma geometria complexa. Ele mostra uma planta, dois cortes tomados ortogonalmente e um detalhe explodido.

Abaixo à direita 7.12. Ron Arad, Mesa Oh Void, 2005. O designer não deixa nada ao acaso neste desenho de instalação feito com Microstation para a exposição "Paved with good intentions" em Miami (2005). Alem de indicar escalas diferentes conforme o tamanho da cópia impressa, ele inclui um quadrado com 10mm de lado e uma instrução fora de escala com o desenho!

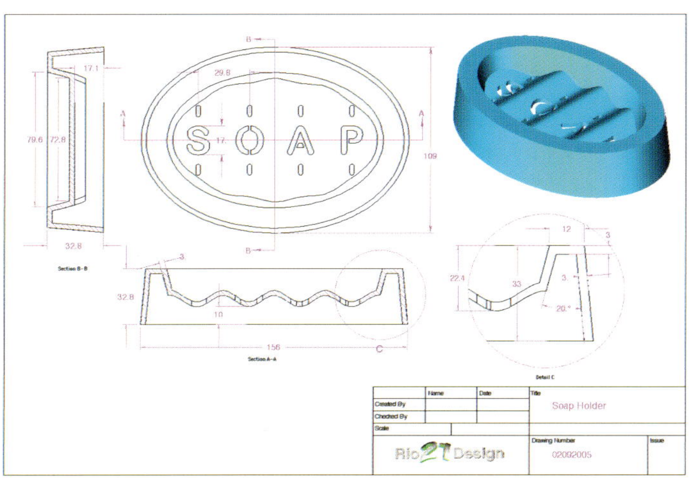

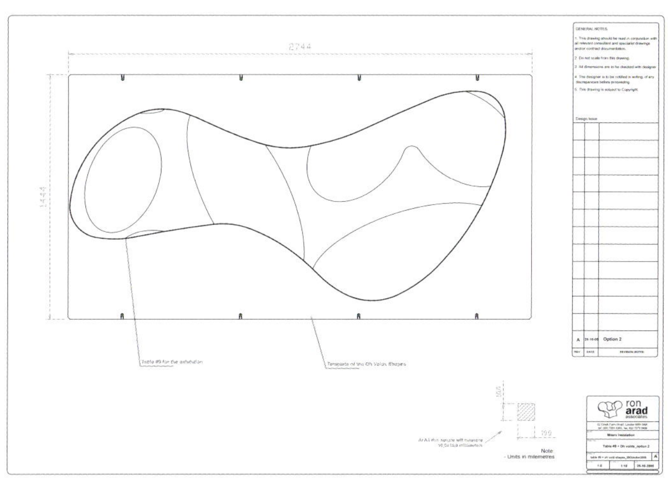

relação com quaisquer outros desenhos, o nome do designer, a data, um símbolo indicando o diedro usado (primeiro ou terceiro), a escala original e o título do desenho. Hoje estes desenhos são saídas impressas de um computador ligado à impressora a jato de tinta ou a laser, ou ainda, cada vez mais incomuns, plotter de pena.

Normas de Desenho

BS308, o primeiro padrão no mundo para desenho ortográfico de engenharia, foi a bíblia do designer/projetista desde 1927 e, em 1972, tinha três volumes grandes (dois dos quais eram dedicados apenas às tolerâncias), nos quais era detalhado o modo em que dimensões, tolerâncias, hachuras, entre outros, deveriam ser apresentados com consistência e clareza. Foi provavelmente único pela maneira que foi aceito universalmente no Reino Unido, tanto pela indústria, quanto pelas forças armadas. Uma versão métrica foi apresentada em 1985, mas o passo do avanço tecnológico acelerou no final dos anos 1980 e a BS308 não podia acompanhar, em 1992 a BSI (British Standards Institution – organismo normatizador do Reino Unido) decidiu aceitar todos os novos padrões ISO e rebatizá-los como Normas Britânicas. Naquela época, a BS308 continha 260 páginas de padrões; o manual ISO, contendo 155 padrões, resolvia-se em 1496 páginas. Em 2000, a BS308 foi retirada e substituída pela BS8888:2000, que é basicamente um roteiro com as 106 normas ISO apropriadas, mas também leva adiante algumas cláusulas contidas na BS308, mas não presentes na documentação ISO.

O título completo da BS8888:2000 era “Documentação técnica do produto. Especificação para definir, especificar e representar graficamente produtos”. Quando este livro foi escrito, a atualização mais recente era a BS8888:2004 Especificação Técnica do Produto e referenciava 151 normas ISO, incluindo a nova BS ISO 1101, que considera 20 anos de desenvolvimento da especificação geométrica do produto, BS ISO 1209-1 para cotagem de desenhos técnicos e BS ISO 16792 para documentação técnica do produto. Deve-se insistir que estas normas não se referem a qualquer método particular de desenho: desenhos à mão ou saídas do mais recente sistema CAD devem estar em conformidade com as mesmas normas e são livres de má interpretação.

O padrão americano ASME Y14.5M-1994, publicado pela sociedade americana dos engenheiros mecânicos, é um dos numerosos padrões emitidos por organismos tais como a NASA, as empresas e forças armadas. Os Estados Unidos são um dos poucos países do mundo que ainda usam as unidades do sistema Imperial (pés e polegadas) e, a despeito de sua influência global, tendem a seguir seu próprio caminho no que diz respeito às normas.

Por que Normas?

O propósito de um padrão de desenho é duplo: primeiro, e mais importante, é ser uma codificação universalmente aceita da prática para auxiliar na comunicação de ideias entre diferentes profissionais e disciplinas; segundo, conforme afirmado no prefácio da edição de 1943 da BS308, é ser “um guia útil que permitirá que o jovem engenheiro ou desenhista avance muito no seu trabalho sem que precise consultar frequentemente seus seniores”. Normas de desenho como a BS308 orientam o designer em questões tais como escalas recomendadas (1:1, 1:2, 1:5, 1:10, 1:20 e daí em diante), o tipo de linha a ser usada (linha grossa contínua para contornos visíveis e arestas, linhas traço-ponto para linhas de centro, trajetórias e linhas de passo, linhas contínuas finas em zig-zag para indicar limites de vistas parciais ou interrompidas e assim por diante) e como desenhar setas usadas nas cotas e linhas de indicação. Há recomendações para letras, como simplificar a representação de peças simétricas, como desenhar vistas “interrompidas” de objetos longos e simples e características repetidas, como furos num espaçamento circular. O desenho de cortes e vistas seccionais é tratado em grande detalhe, como são os métodos e convenções para hachurar.

Nem tudo é direto: por convenção, quando um corte passa longitudinalmente por elementos de fixação, como parafusos, porcas, eixos, nervuras, almas e raios de rodas, é praxe mostrá-los em vista externa (sem hachuras). Linhas de intersecção também são muitas vezes aproximadas por arcos e linhas retas, onde a projeção das linhas reais de intersecção é desnecessária. Superfícies planas em eixos podem ser indicadas por linhas diagonais cruzadas, recartilhado é indicado mostrando apenas parte da superfície assim tratada. Há também representação convencional para rolamentos e roscas. O acabamento superficial é indicado por um sinal próprio com a máxima rugosidade permissível mostrada numericamente. Itens comumente usados, tais como parafusos, molas e engrenagens não são desenhados realisticamente, mas são representados por símbolos.

De acordo com a norma, cada dimensão necessária para a completa definição do produto acabado deve ser indicada no desenho e deve aparecer somente uma vez. Há todos os tipos de regulamentos regendo a localização das linhas de cotas e o método de cotagem (paralelo, superimposto, encadeado). Métodos europeus e americanos de cotagem diferem no sentido de que todas as dimensões em desenhos feitos nos EUA podem ser lidos na horizontal; desenhos produzidos na Europa mantêm as dimensões paralelas às linhas de cotas – assim, as dimensões verticais são viradas de lado e devem ser lidas a partir da direita.

Pode ser depreendido do texto anterior que desenhos de engenharia, na sua busca por simplicidade e desejo de ser universalmente entendidos, de fato se afastaram cada vez mais da representação realista do objeto e, assim, tornaram-se inescrutáveis para qualquer um sem treinamento em desenho técnico.

Tolerâncias

Todas as dimensões estão sujeitas a tolerâncias, e tolerâncias são um assunto completo em si mesmas. Mais de dois terços da BS308 é devotado a tolerâncias e a maioria das maiores revisões na norma, desde sua introdução em 1927, tem relação direta com o modo em que a informação da tolerância é representada.

Uma tolerância especifica os limites de tamanho de uma dimensão particular e é de importância crucial se numa montagem de peças estas devem se ajustar e funcionar adequadamente. Há um compromisso a ser feito: uma tolerância não pode ser muito restrita ou o custo da peça começará a subir dramaticamente. Deve ser o suficiente, e selecionar a tolerância correta é parte da habilidade do designer. O que a norma faz é assegurar que as instruções do designer sejam transmitidas à produção com a mínima possibilidade de erro de interpretação.

A maioria dos designer dirá que, claro, eles podem produzir desenhos de acordo com a BS308 ou outra norma nacional equivalente se eles forem realmente obrigados. A boa notícia é que estas regras e convenções podem ser programadas nos sistemas CAD 2D para assegurar que os designers sempre vão "andar na linha". Alguns sistemas vão mesmo converter um desenho feito de acordo com a BS308 em outro segundo a norma americana Ansi (América Nacional Standards Instituto), Europeia/Alemã DIN (Deutsche Instituto foi Normung) ou ISO, ao toque de um botão, ou permitem que as dimensões sejam inseridas em uma mistura de unidades métricas e imperiais. Entretanto, esta não é considerada a melhor prática.

Desenho Auxiliado por Computador

Os rudimentos de desenho de engenharia foram sempre ensinados por exemplos e foram bem documentados em outro lugar. Este capítulo mostrará o que um sistema CAD 2D (que pode significar Projeto Auxiliado por Computador ou, mais modestamente, Desenho Auxiliado por Computador) pode fazer para auxiliar designers a produzir o mal necessário dos desenhos ortográficos com tolerância e plenamente cotados.

Com o CAD, é possível ao designer trabalhar em escala natural (1:1) em um desenho "mestre" do produto, a despeito de seu tamanho e complexidade, usando *pan* e *zoom* no computador para olhar para uma parte do produto completo que está sendo trabalhado. A maioria dos sistemas comerciais de CAD dispõe os desenhos em camadas (*layers*) ou níveis, equivalente às superposições, tal que, por exemplo, um desenho de conjunto relativamente não complicado pode ser colocado num único layer com os detalhes mantidos em separado em layers adicionais. Entretanto, porque o computador tem tantos layers disponíveis, bem como os meios de gerenciá-los, é usual – para ajudar com modificações posteriores – instalar o mais simples desenho em muitos layers: as linhas de construção em um, os contornos em outro, o texto em um terceiro e assim por diante.

Estes layers podem ser vistos e trabalhados isolados ou combinados, com saída em variações coordenadas em várias formas e escalas. Todos os diferentes profissionais

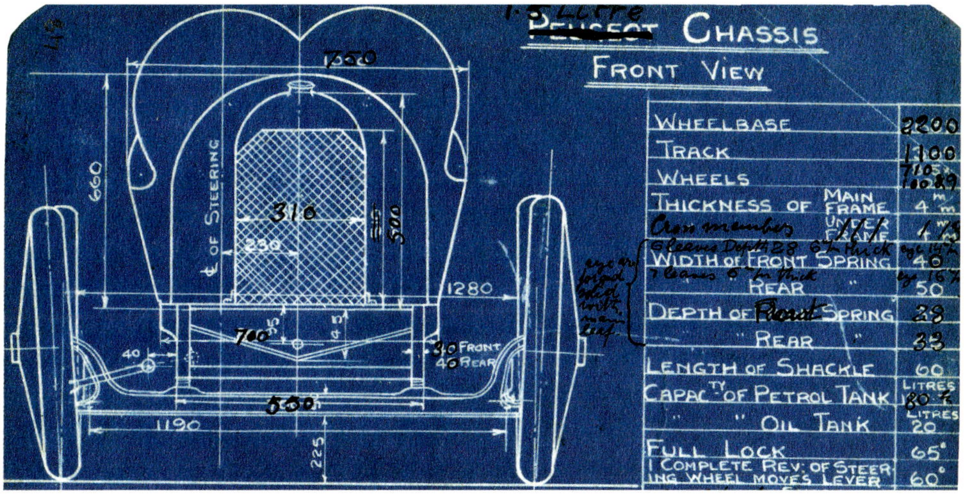

À direita 7.13. G.H. Roesch, Design Peugeot, 1923. Este é um desenho de uma vista frontal, com anotações de mudanças no design para voltar à prancheta, 3 1/8 x 5 1/2 pol. (8cm x 14cm). Cortesia Institution of Mechanical Engineers, Londres.

envolvidos no processo de produção podem ter, então, seu próprio desenho individual, customizado, atualizado e completo com qualquer modificação recente, ao invés de, como era comum, um desenho quase ilegível, rabiscado (Fig. 7.13). Com os sistemas conectados em rede, é também possível para membros diferentes de uma equipe multidisciplinar trabalhar no mesmo desenho mestre – com alguns tendo somente acesso para leitura e outros com autoridade para fazer modificações.

Construções Geométricas

Sistemas CAD atingem o máximo da produtividade na fase de detalhamento. Estes aumentos de produtividade são usualmente atribuídos à utilização de "bibliotecas" de símbolos ou componentes – que podem ser desenhados uma vez e usados muitas – ou, ainda, com o uso de programação paramétrica (mais dela, mais adiante) para gerar famílias de peças. Mas, mesmo para produtos únicos, é possível ganhar dos métodos manuais ao se fazer uso de todas as construções geométricas que os sistemas CAD têm a oferecer.

Os sistemas mais simples baseados em PCs têm comandos que podem desenhar círculos tangentes a linhas, arcos ou outros círculos. Um círculo pode ser desenhado passando por três pontos quaisquer, inscrito num triângulo ou outro polígono ou, digamos, tangente a duas linhas convergentes e outro círculo entre estas linhas. Arredondamentos, concordâncias e chanfros podem ser gerados automaticamente. Comandos como estes, mais réguas e calculadoras na tela podem, algumas vezes, tornar desnecessárias as preliminares de desenhar as linhas de construção. Linhas serão sempre retas, círculos sempre reais e ângulos retos sempre a 90 graus. Adeus às "licenças do desenhista".

Cotagem manual é uma questão de marcar o desenho com o valor que você sabe onde deveria estar. Um designer nunca deveria "medir" um desenho para ter certeza do comprimento real, pois você sabe que o desenho produzido manualmente é impreciso demais para a fabricação. Com o CAD, é o oposto: entrar os pontos precisamente desde o início assegura que o desenho (ou mais precisamente, o modelo no computador do qual o desenho é gerado) seja preciso. Você também pode "tomar" outras dimensões do desenho com confiança, e a maioria dos sistemas terá alguma forma de cotagem automática ou associativa em unidades métricas ou imperiais de acordo com normas nacionais ou internacionais, tais como a BS308.

O encaixe de pontos numa malha predeterminada assegura que um perfil, por exemplo, seja fechado, sem vãos, de modo que não é permitido improvisar. O desenho manual é limitado pela acuidade visual e com o CAD não é assim. Edição – com comandos tais como delete, alter, move, rotate, translate, mirror, trim, copy – é mais simples com o CAD e, assim, será mais provavelmente realizada.

Controlando Curvas

Antes dos computadores, os designers não pareciam se importar muito com a precisão de suas curvas. Se não pudessem ser feitas com compassos e gabarito de elipses, elas seriam feitas com a curva francesa mais à mão ou régua flexível, deixando o resto para ser resolvido pelo ferramenteiro no chão de fábrica. Designers de estradas e os habilidosos desenhistas das indústrias automotiva e aeroespacial tinham seus próprios truques do ramo – usando cordas de piano e pesos, ou tiras flexíveis de compensado mantidas na posição tensionada com pesos de chumbo – para gerar as linhas longas "certas" necessárias em suas aplicações particulares. (Fig. 7.14)

Quando as máquinas de comando númerico para fazer contornos ponto-a-ponto tornaram-se disponíveis

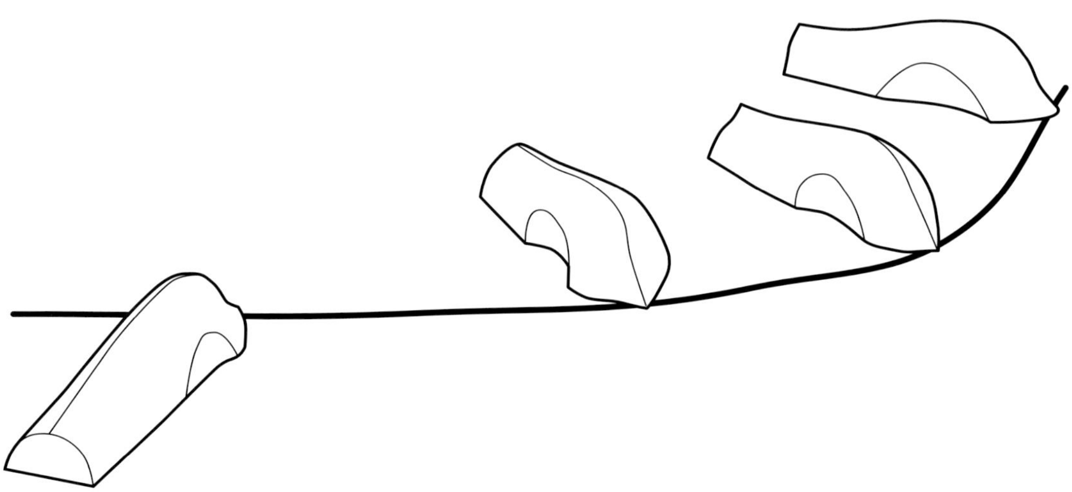

À direita 7.14. Antes dos computadores e curvas Bézier, designers usavam cordas de piano ou ripas de compensado mantidas na posição com pesos de chumbo para desenhar linhas corretas de formas livres.

nos anos 1960, eles demandavam software que lidassem com espaços paramétricos e superfícies com complexas duplas curvaturas que eram definidas total e precisamente. Estranhamente, os problemas associados com as superfícies 3D foram tratados antes dos mais simples associados a curvas 2D nos trabalhos de Steven Coons, nos EUA, e Pierre Bézier, da Renault, na França.

Superfícies complexas são importantes para o designer por duas razões distintas: primeiro, elas são formas que vêm sendo otimizadas por meio de experimentação rigorosa – pás de turbinas, cascos de barcos etc. – e segundo, há curvas estéticas criadas por estilistas – como os painéis de carroceria de automóvel – que devem montar, ou ficar afastadas, das peças adjacentes. Em ambos os casos, um meio preciso, previsível e controlável de definir curvas e superfícies é fundamental. A representação deve também ser econômica em termos de uso de memória do computador e velocidade de resposta.

Sistemas iniciais uniam pontos definidos por coordenadas cartesianas (x, y, z), medidas em vários locais na superfície, para criar uma rede de curvas, com cada malha da rede (um “retalho”) definida por um algoritmo que assegurava uma declividade suave ou continuidade de curvatura entre áreas adjacentes. Algumas vezes, o operador pode ajustar as derivadas matemáticas para melhorar a forma geral, mas é preciso ter cuidado para não alterar a continuidade geral.

O segmento paramétrico cúbico é a curva mais comumente usada em CAD. Isto requer que as coordenadas cartesianas x, y, z sejam expressas em termos de um parâmetro t, e as coordenadas variam como polinômios de t, neste caso, contendo um termo de t ao cubo. A forma Bézier é definida em termos de quatro pontos: o ponto de início, de fim e dois pontos nas respectivas extremidades tangentes. O posicionamento dos pontos de tangência é crítico – quanto mais adiante eles são movidos ao longo da linha tangente, mais curvado fica o segmento.

O designer faz como uma tentativa inicial – digamos colocando o ponto de tangência ao longo da reta tangente, a um terço do comprimento – e melhora iterativamente o posicionamento até que o formato global da curva esteja certo (Fig. 7.15).

A maioria dos sistemas CAD tem uma rotina de “spline” que automatiza a construção das curvas com vários segmentos paramétricos cúbicos. O designer especifica as extremidades dos segmentos e o sistema fornece os vetores das extremidades tangentes. O resultado é chamado de curva spline e modela as ripas ou cordas de piano dos artesãos que sempre ficam em posição sob o mínimo de tensão. Rotinas de spline são simplesmente programas para fixar vetores tangentes de modo razoavelmente consciente para se conseguir suavidade por toda a curva.

Modificar uma curva assim criada é outro problema. Uma spline é uma entidade em si mesma e só pode ser transformada em outra spline. Controle direto e total é uma quimera, especialmente se você só quiser mudar pedaços da curva. Mudanças de dados locais podem causar mudanças globais na forma. A B-Spline é uma definição ótima que confina a extensão das mudanças de forma e dá aos designers controle direto – mas não total –

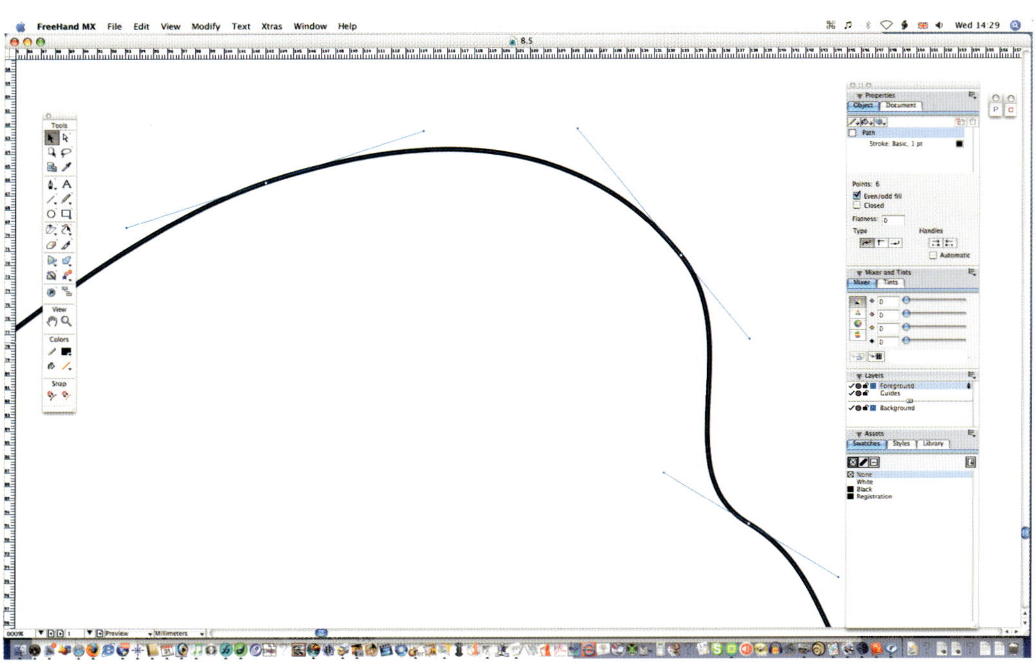

À direita 7.15. A matemática das curvas Bézier foi inventada por Pierre Bézier da Renault durante os últimos anos de 1940, em seu trabalho sobre fresadoras controladas numericamente e agora estas curvas são parte integrante (com outras de matemática mais sofisticada) de todos os CADs e programas de Desenho 2D, como nesta captura de tela do Freehand.

Abaixo 7.16. Ao definir as dimensões como parâmetros ao invés de números fixos, uma mudança num parâmetro automaticamente mudará o design, mas não a topologia da forma. Assim, por exemplo, um parafuso pode ser feito curto e largo ou longo e estreito, mas com a mesma cabeça.

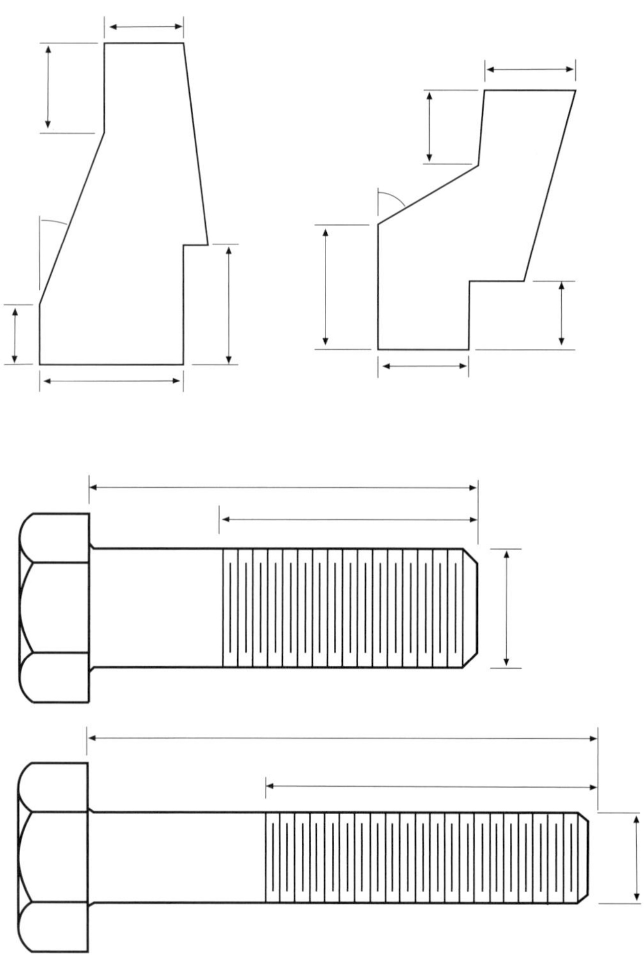

sobre suas criações. Uma B-Spline com dois segmentos é definida por cinco pontos; um com três segmentos por seis pontos e assim por diante. O design fornece os pontos finais dos segmentos $V_1, V_2, ..., V_{n+1}$ e o sistema cria uma moldura poligonal dos pontos $P_1, P_2,...,P_{n+3}$ ao redor da curva. Daí em diante, o designer trabalha com os pontos do "polígono" e as perturbações por conta de efeitos localizados são restritas às vizinhanças de, no máximo, quatro segmentos.

Curvas Bézier de ordem maior são geralmente oferecidas como uma forma alternativa em alguns sistemas CAD. O designer especifica os pontos e o programa gera uma curva que passa por eles. Subsequentemente, o designer trabalha diretamente com os vértices do polígono de Bézier com controle direto e total da definição, mas sem a habilidade de fazer mudanças localizadas de forma.

A cúbica racional é uma forma versátil e pode definir uma larga gama de formatos, incluindo curvas spline e seções cúbicas (tais como círculos, elipses, parábolas e hipérboles). Tem sido a base de sistemas próprios nas indústrias aeroespacial e automotiva por algum tempo e agora se tornou comercialmente disponível. A B-Spline não uniforme racional (amavelmente conhecida como NURBS – ver Capítulo 6) foi adotada pela maioria dos fornecedores como o meio matemático para uniformizar seus modeladores de linhas (wireframe), superfícies e sólidos.

NURBS podem ser aparadas de acordo com limites arbitrários e têm mais requisitos modestos de banco de dados. Curvas grandes, tais como um painel inteiro de carroceria de carro, podem ser modeladas com uma única entidade, de grau baixo. Operações como alisamento, intersecção e recuo são mais rápidas e estáveis, e NURBS são muito boas para ajustar curvas uniformes por um número grande de pontos, mesmo quando estes não estão igualmente espaçados. Ademais, geometria NURBS pode representar exatamente pontos, arcos, cônicas, curvas Bézier e curvas B-Spline uniformes sem aproximação para uma melhor transferência de geometria entre sistemas de fornecedores diferentes.

Design Paramétrico

Os primeiros sistemas CAD modelavam meramente uma prancheta, simulando um lápis sobre o papel. Sistemas de CAD mais atuais contêm algum grau de inteligência. Um sistema pode lembrar como os itens se conectam, quando os itens são tangentes aos outros e podem associar arredondamentos e chanfros com suas linhas mestras. Estas características economizam tempo quando são feitas alterações no desenho e asseguram ao designer que o desenho não perdeu sua integridade.

Parâmetros são úteis para criar um conjunto de peças que tem uma semelhança de família a partir de um

Abaixo 7.17. Héctor Serrano, Luminária de piscina à prova d'água, 2003. Este é um desenho de detalhe mostrando as hachuras num corte. (ver também Figs. 2.30 e 3.30)

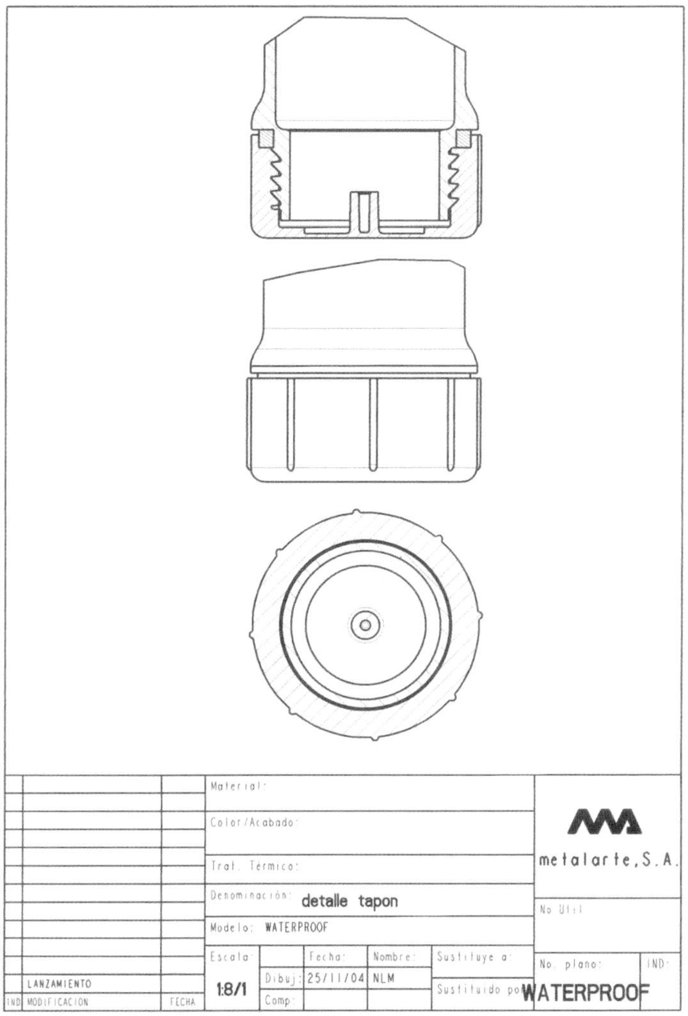

desenho inicial "generalizado". Um parafuso, por exemplo, pode ser curto e largo ou longo e fino (Fig. 7.16). A topologia é a mesma; as dimensões (ângulos e comprimentos) podem ser diferentes. Ao substituir as dimensões exatas por parâmetros: l para comprimento, d para diâmetro, e assim por diante, as dimensões reais poderão ser tecladas numa etapa posterior para automaticamente gerar os desenhos de fabricação da peça específica. Parametrização é também uma ferramenta útil no estágio de design de conceito quando as dimensões finais – por exemplo, para fazer caber um componente comprado – podem não ser conhecidas.

Convencionalmente, a parametrização é conseguida ao se colocar num arquivo de computador todos os comandos necessários para desenhar uma peça, talvez ao se registrar os comandos dados durante a construção do desenho. O designer define os parâmetros à medida que a forma é desenhada. Uma vez desenhada, a forma pode ser alterada interativamente por um comando para modificar o parâmetro para outro valor. Quaisquer itens dependentes daquele parâmetro serão automaticamente redefinidos. Qualquer geometria parametrizada pode ser convertida em um "símbolo" apontando para uma área apropriada. O símbolo pode, então, ser armazenado em uma biblioteca e recuperado num outro desenho. Na recuperação, o sistema pedirá ao designer os valores dos parâmetros. Este tipo de geometria relacional pode também ser usada para desenhar vistas ligadas e mecanismos.

Ao longo dos anos, o CAD tornou-se menos parecido com copiar e mais com projetar (Figs. 7.17, 7.21). Designers

Abaixo 7.18. Alexander Åhnebrink, Relógio Mountaineer. Este é um desenho de conjunto feito em CAD usando o Illustrator, depois exportado para o Graphite da Ashlar-Vellum para cotagem e anotações e depois trazido de volta ao Illustrator para retoques finais. (veja também Figs. 3.20, 6.14)

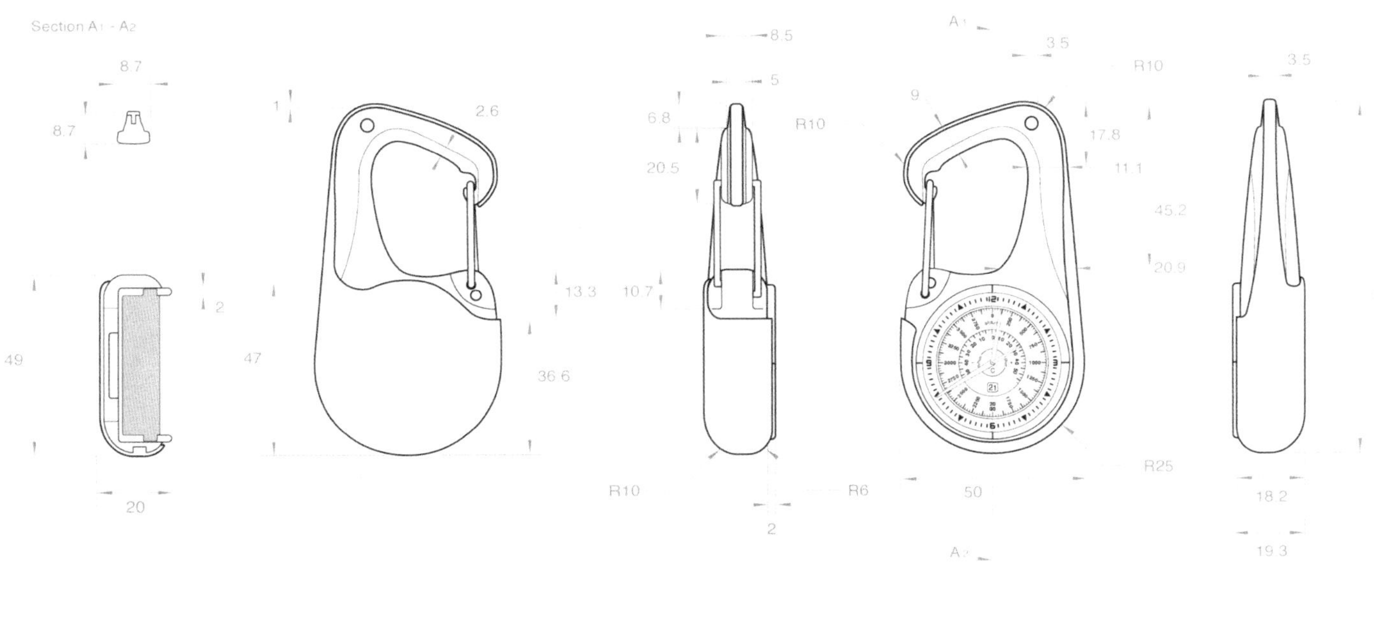

podem ter o tempo para experimentar cenários alternativos com a confiança de que poderão sempre retornar ao design original, se as variantes em teste não aparentarem ter possibilidade de sucesso. Sejam os desenhos ortográficos 2D derivados de um modelo sólido 3D ou de um modelo de superfície, ou ainda desenhados a partir do zero desde os esboços de conceito, o designer pode ficar seguro de que o desenho em CAD será preciso, legível, coordenado e facilmente concertado caso o cliente mude de ideia ou se um componente pré-fabricado acabar tendo dimensões diferentes das de sua especificação original.

Muitas consultorias em design, especialmente aquelas com operações na Europa e aquelas com origem mais arquitetônica, usualmente não se preocupam com os parafusos e porcas do desenho de engenharia. Seu envolvimento com o empreendimento do design termina com o desenho de layout ou desenho de conjunto. Nos EUA e no Reino Unido, por outro lado, há uma tradição duradoura na engenharia, e designers desejarão ver o

Abaixo 7.19. Torsten Neeland, Luminária de parede Tank, 2002. Esta é uma versão 3D renderizada para a Anta, modelada e iluminada usado 3D Studio Max.

À direita 7.20. Ito Morabito (Ora Ito), Sapatos Cinderella, 1998. Projeções Ortográficas feitas usando AutoDesk Alias Studio (anteriormente Alias StudioTools), apesar de colorido e renderizado, permanece um modo popular de mostrar objetos projetados, como estes para Roger Vivier.

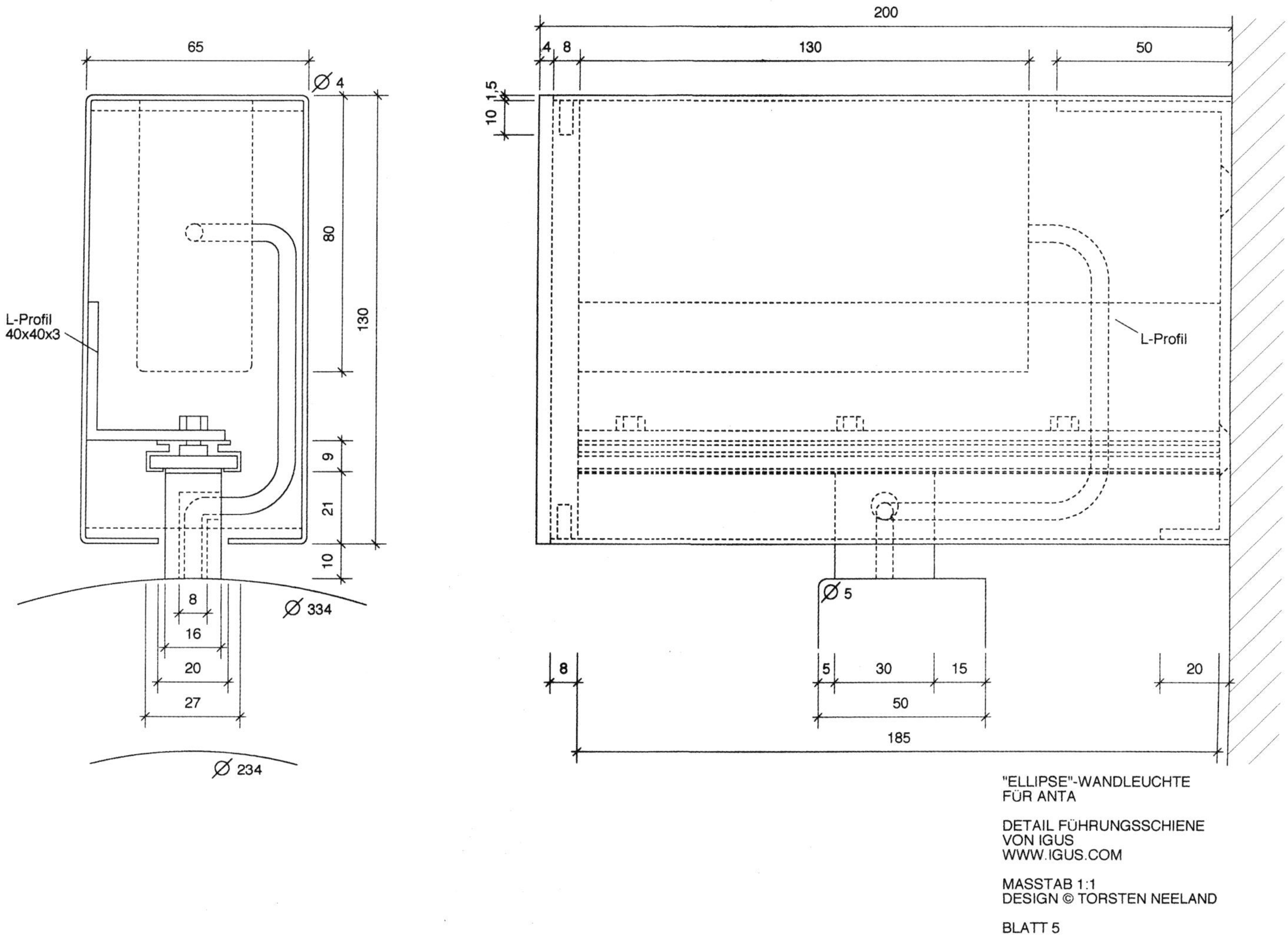

Acima 7.21. Torsten Neeland, Luminária Tank, 2002. Este é um desenho de detalhe em escala natural para a Anta, desenhado usando o Graphite da Ashlar-Vellum. Note as linhas pontilhadas para os componentes ocultos.

design até a produção. Alguns designers insistem que este é o único modo pelo qual seus conceitos originais podem ser realizados com integridade e sem compromisso. A produção de todas as muitas centenas de desenhos de detalhes, necessárias para a fabricação de um produto, é uma atividade muito trabalhosa e demorada, e o designer tem que confiar, muitas vezes, na cooperação do cliente e do escritório de desenho deste, ou, possivelmente, ter que contratar desenhistas para realizar o trabalho. Um sistema de CAD próprio, ainda que não seja uma panaceia, pode dar à consultoria em design controle sobre todo o ciclo do design à produção e os meios de reduzir as escalas de tempo, assim, conferindo a ela a vantagem competitiva nos mercados que avançam rápido.

Padrões de Troca de Dados de CAD

Os primeiros sistemas de CAD eram muito caros e acessíveis somente a grandes corporações. Eles eram baseados em mainframes e minicomputadores, necessitando suas salas próprias com ar-condicionado e monitores vetoriais enormes que precisavam estar fisicamente próximos ao computador, quase sempre do outro lado da parede. Os fornecedores incluíam Computervision, Intergraph e Applicon. O software era geralmente proprietário – desenvolvido internamente e incompatível com o software de todos os outros fornecedores – e os sistemas eram vendidos na forma de pacotes *turnkey* – pacotes completos de software e hardware – amarrando o cliente a um sistema não padronizado particular.

Para superar as incompatibilidades entre os sistemas, foi iniciado, em 1979, o desenvolvimento do IGES (sigla em inglês para Especificação Inicial para Troca de Gráficos), por grupos de fornecedores e usuários, incluindo Boeing e General Electric, com o apoio do escritório nacional de padrões dos EUA. A ideia era definir um formato de dados neutro de modo que desenhos pudessem ser trocados de um sistema CAD para outro. Entretanto, a mudança emergente para software de CAD 3D usando modelos sólidos e a necessidade de que tal software gerenciasse dados de produto, tais como propriedades de material, acabamento superficial, tolerâncias de engenharia etc., criou a necessidade de um novo padrão.

Em 1984, a iniciativa PDES (sigla em inglês para Especificação de Troca de Dados do Produto) foi realizada na Europa para atender estas necessidades. Estes dois padrões foram superados pelo STEP (sigla em inglês para Padrão de Troca de Dados de Modelo do Produto), designado oficialmente como ISO 10303 "Sistemas de Automação Industrial e Integração – Representação e troca de dados do produto". É um padrão internacional para representação interpretável por computador e troca de dados de produtos industriais. O objetivo é fornecer um mecanismo que seja capaz de descrever dados do produto por todo o seu ciclo de vida, independentemente do sistema em particular. A natureza desta descrição a torna adequada não só para a troca neutra de arquivos, mas também como base para implementar e compartilhar bancos de dados do produto, além de arquivá-los.

Tudo Muda no Mercado de CAD

O mercado de CAD foi transformado quase que da noite para o dia, em 1982, com a introdução do acessível IBM PC e um programa 2D simples da Autodesk chamado AutoCAD. Este se tornou rapidamente o programa de CAD mais vendido e em, 1994, a Autodesk anunciou que havia vendido a milionésima licença. A vigésima versão, AutoCAD 2006 tem, entre suas características, "blocos" dinâmicos (a denominação da empresa para componentes padrão de biblioteca), representando objetos que os engenheiros usam frequentemente, como parafusos. "Macetes" especiais permitem esticar, aumentar, girar, somar e remover roscas conforme necessário e ajustes de entrada de dados dinâmica que possibilitam ao usuários entrar dados com o cursor.

Os DWG e DXF (Formato de Troca de Desenhos) do Auto CAD tornaram-se os formatos padrões *de fato* para a troca de dados de CAD. Mas, a despeito da onipresença do AutoCAD, muitas empresas de design preferem outros programas, baseados no Mac, tais como o Graphite, da Ashlar-Vellum. Uma versão do AutoCAD para Macintosh foi lançada no final dos anos 1980, mas encontrou pouca aceitação e logo foi descontinuada.

A Parametric Technology Corporation lançou o primeiro software de CAD 3D baseado em estação de trabalho Unix, o Pro/Engineer, em 1987. Os fornecedores de CAD líderes daquela época – Computervision, Intergraph, McDonnell-Douglas Unigraphics, GE/CALMA, IBM/Dassault e SDRC – de início o desprezaram como irrelevante, imaturo e instável, mas 18 meses após seu lançamento, o *establishment* do CAD estava em polvorosa à medida que a Parametric technology vendia licenças do software em velocidade recorde. Hoje, a maioria dos primeiros fornecedores de CAD está falida.

Além de serem capazes de desenhar construções geométricas e curvas "corretas", um sistema útil de CAD deve ser capaz de:

- Gerar automaticamente componentes padronizados.
- Reutilizar componentes do design.
- Criar modificações e versões do design.
- Validar e verificar os designs de acordo com as especificações e regras de projeto.
- Simular os designs sem que se tenha que construir protótipos.
- Saída direta para uma máquina de prototipagem ou fabricação rápida para produção de protótipos industriais.
- Design automático de montagens, coleções de peças e/ou outras montagens.
- Produção de documentação de engenharia, tais como desenhos de manufatura e listas de peças.
- Envio dos designs diretamente para as instalações de fabricação.

O maior problema que as pequenas consultorias em design têm é que, qualquer que seja o sistema que elas prefiram usar no estúdio, geralmente terão que transferir arquivos de design para o sistema de CAD 3D do cliente, quer seja Catia da Dassault Systèmes ou NX Unigraphics, ambos populares nos setores automotivo e aeroespacial; quer seja o mais difundido Pro/Engineer. Uma combinação de IGES e DWG/DXF é a solução pragmática enquanto se espera que futuros padrões, tais como o STEPS, entrem em uso.

Conclusão

Com a produção dos desenhos de engenharia e toda a papelada associada – seja manualmente, seja como saída de um sistema de CAD – nós agora estamos no final do processo do design à produção para este trabalho em particular e o produto (que já foi meramente um esboço num papel de rascunho) está sendo fabricado. PLM (sigla em inglês para Gerenciamento do Ciclo de Vida do Produto) é um termo de efeito usado para batizar o processo de gerenciar o clíclo de vida de todo o negócio envolvendo o produto, desde sua concepção, passando pelo projeto e fabricação, manutenção e finalmente desgaste.

Desenhos são necessários em todos os estágios da vida do produto. Logo, este estará nas lojas ou com o usuário final, mas ainda falta ver uma tarefa associada ao desenho no ciclo de vida do produto que é a produção de ilustrações técnicas associadas com o produto, sua montagem, operação, embalagem e comercialização.

Estudo de Caso 4: Disco rígido portátil USB de *Nelson Au* para a Seagate

Nelson Au é um designer industrial praticante, baseado na Vale do Silício, na Califórnia. Ele tem mais de vinte anos de experiência e foi o designer fundador da IDEO. Enquanto estava na IDEO, ele desenvolveu produtos para muitos clientes, incluindo Apple, Silicon Graphics, Palma, Xerox, Sega of. America e Alaris Medical Systems. Ele também foi o gerente de programa de um convênio entre a IDEO e a Samsung, quando esta veio até a IDEO para aprender a metodologia IDEO de inovação. O driver portátil da Seagate foi projetado após sua saída da IDEO, enquanto trabalhava como designer independente com a Lunar Design. Hoje ele está com a designafairs USA.

Enquanto gerenciava projetos e designers juniores na IDEO, ele também criava produtos e trabalhava com engenheiros dentro e fora da firma. Alguns dos designers mais jovens estavam usando Alias StudioTools e Maya (agora conhecido Autodesk AliasStudio) e os engenheiros usavam Pro/E. Os designers industriais no grupo usavam principalmente Ashlar-Vellum 2D (agora conhecido como Graphite) para definir o design. Ele sentia que precisava de uma aplicação de CAD 3D para definir seus designs mais precisamente para os engenheiros e fabricantes de modelos – não tanto para fazer renderizações legais, mas para ter controle completo sobre o design da aparência da superfície. Ele decidiu aprender o Cobalt da Ashlar-Vellum, embora admitisse, naquela época, que a habilidade de fazer renderizações fotorrealistas fosse o domínio do Alias; apesar de seus colegas considerarem a escolha incomum, ela se provou ser uma boa escolha.

Tendo usado o software 2D da Ashlar-Vellum desde 1989, Au seguiu com o Cobalt porque era fácil de aprender e compatível com seu Mac. Diz Au: "Meus colegas usavam Rhino, Alias, SolidWorks ou Pro/E, e então reclamavam muito sobre seus software. Eu uso Cobalt sem toda esta irritação e posso ainda trocar informação com todas estas aplicações usando os tradutores embutidos".

Ele primeiro usou o Cobalt para criar o conceito da câmera digital Digi-pix para a competição de produtos eletrônicos fotorrealistas Design-Engine 2002. Para sua surpresa, ele ganhou o grande prêmio (ironicamente o grande prêmio era uma cópia de Alias StudioTool).

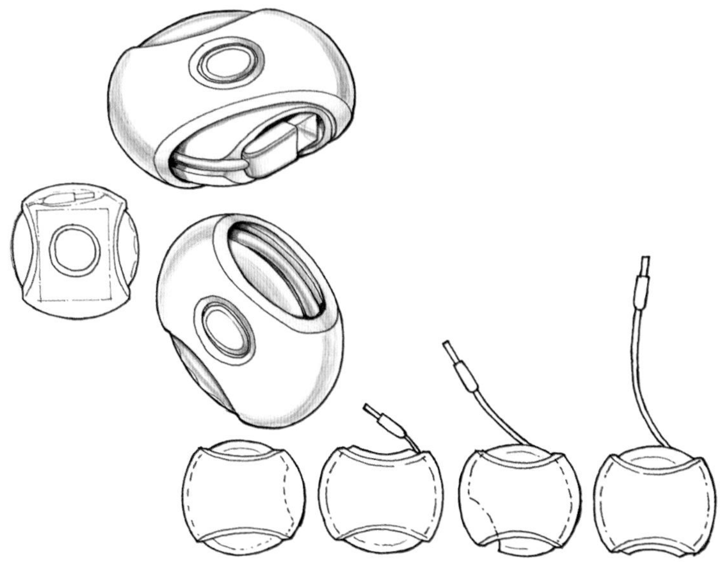

À direita CS 4.1. Esboços iniciais de conceito do drive portátil da Seagate technology feitos com caneta de ponta porosa e lápis colorido. Cortesia Seagate Technology.

À direita CS 4.2. Esboço de desenvolvimento de detalhe feito em caneta de ponta porosa e lápis colorido. Cortesia Seagate Technology.

Abaixo CS 4.3. Renderização final em CAD com o logotipo, gráficos e detalhes acrescentados. Cortesia Seagate Technology.

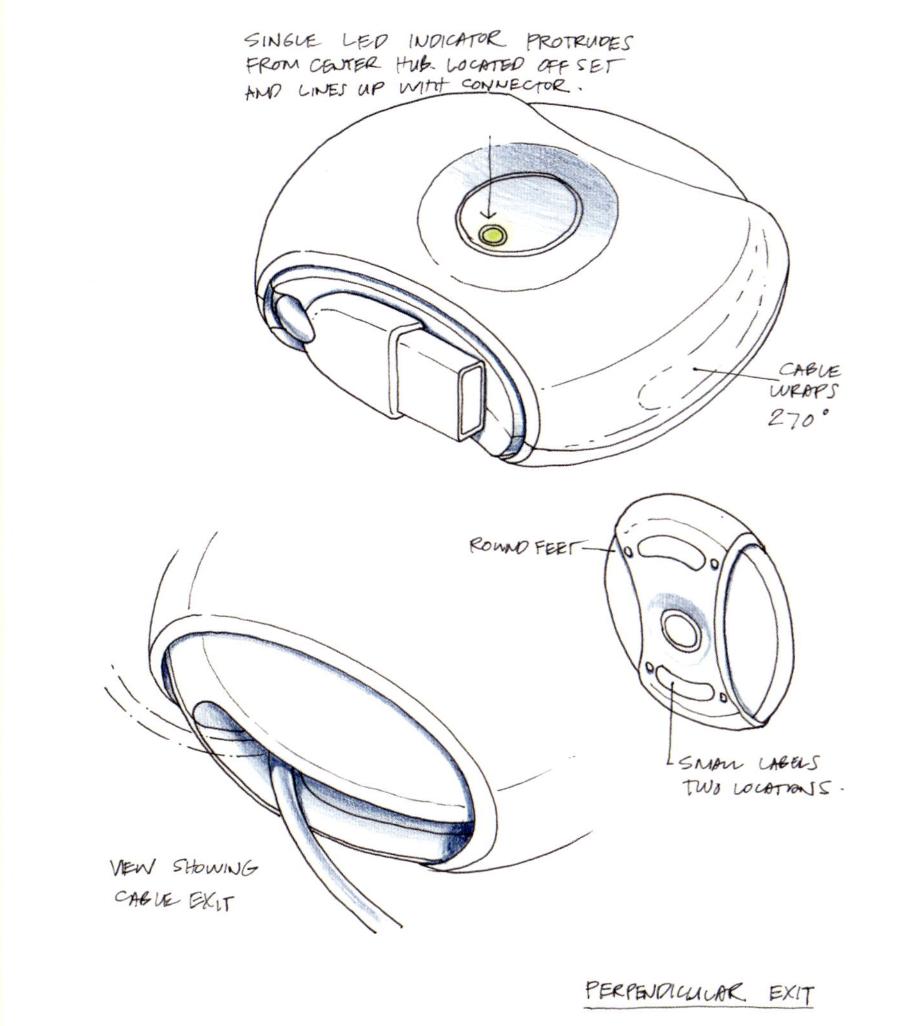

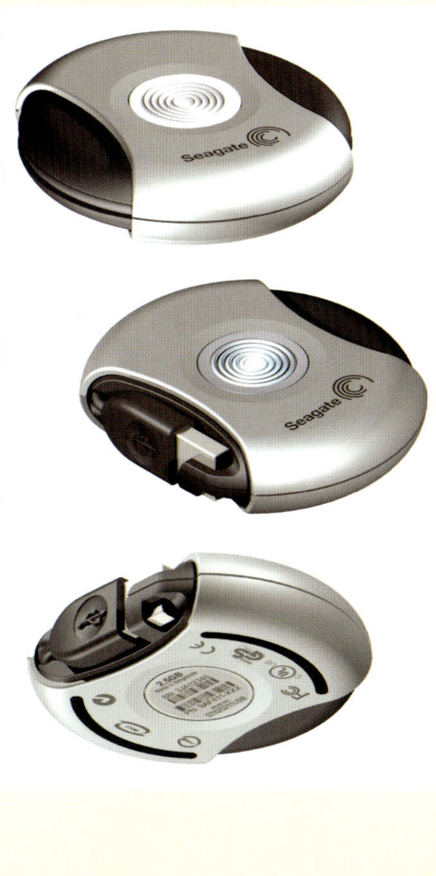

Cobalt é dirigido por história com associações e parametrização 2D guiada por equações e vínculos. Como o Alias e Rhino, tem ferramentas de superfície e é também um programa de modelagem de sólidos. Uma vez que um design é refinado nas superfícies, ele pode ter estas superfícies unidas e ser convertido num sólido com operações, tais como concordâncias e chanfros nos cantos e arestas. Furos podem ser executados passantes ou nos sólidos. Operações booleanas podem ser usadas para somar, remover, interseccionar as formas sólidas. Au construiu o conceito da câmera digital Digi-pix ao extrudar arcos fechados e splines ao longo de curvas e guias para dar forma ao objeto sólido.

A qualquer instante em que Au precisava modificar uma peça, a árvore de história permitia isto. Por exemplo, se um cliente não gostava dos raios, uma caixa “Get Info” permitia a ele digitar o novo raio. Se um furo fosse acrescentado mais cedo e depois não fosse mais necessário, ele poderia removê-lo ou modificar suas dimensões. Quando um modelo é construído com mudanças de ideia, a maioria das coisas é fácil de modificar. Quando um produto tem um LCD – como num PDA, por exemplo – e o engenheiro diz que o fornecedor de LCD mudou e a abertura da tela é mais larga e não mais simétrica, isto pode ser modificado usando a capacidade associativa.

Usuários de Graphite 2D saberão o quão fácil é selecionar os pontos de extremidade de uma linha ou objeto fechado e arrastá-los para outro local. Se a abertura do LCD, digamos, tiver que se mover, o mesmo pode ser feito tanto numericamente, quanto usando o mouse. A abertura irá mover-se e atualizar as superfícies a seu redor.

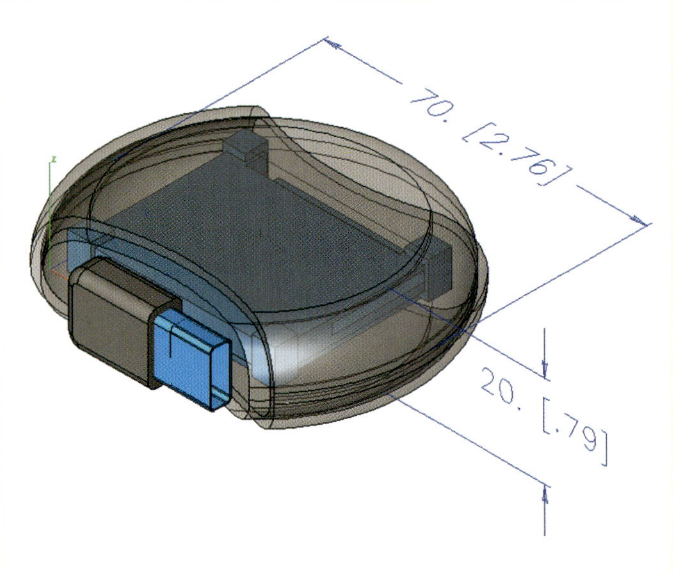

Acima CS 4.4. Primeiro modelo rápido em CAD para testar o conceito e o tamanho. Cortesia Seagate Technology.

Demorou por volta de uma semana para Au levar um design até um modelo 3D completo para a renderização fotorrealista (Figs. CS 4.1, 4.2). Isto incluiu o tempo para refinar o design na forma de rabiscos e esboços, até o modelamento 3D real. Para coisas como logotipos e gráficos no produto, Au criou decalques no Illustrator e Photoshop e, então, os aplicou ao modelo.

A iluminação demorou algum tempo para ser ajustada. Como na fotografia, você precisa tempo para configurar o ambiente para criar os tipos de reflexos que gostaria de ter no modelo e melhor mostrar os contornos, forma e detalhes. O resultado é uma imagem fotorrealista de algo que você criou, uma imagem que serve para comunicar a intenção do design de modo realista, incluindo cor, materiais e gráficos (Fig. CS 4.3).

As Iges da versão para Mac podem ser ajustadas para Pro/E, Alias, SolidWorks e AutoCAD. Outra opção de exportação é o STL para prototipagem rápida. Pode também usar QuickTime para criar filmes – ferramentas úteis de apresentação, particularmente se você não estiver lá para explicar o design.

Cobalt pode também ser usado mais cedo no processo, como uma ferramenta de esboço 3D (Fig. CS 4.4). Ao invés de usar esboços tradicionais feitos à mão ou renderizações no Photoshop, os conceitos podem ser construídos como modelos de CAD 3D. Tamanhos de componentes reais podem ser fornecidos para assegurar que caibam no design. A beleza é que um conceito pode se desenvolvido em mais ou menos um dia (dependendo do design) e apresentado renderizado. As imagens resultantes Jpeg podem ser misturadas no Photoshop para a página de apresentação por conceito com títulos, notas ou outras informações, para se imprimir ou enviar por e-mail. Sem uma superfície de fundo na renderização ou configuração complexa da iluminação, cada execução demorará menos de dois minutos num Mac G4 de 450 MHz.

Cobalt é a escolha de Au, mas ele também trabalha em Alias: *Você nunca saberá o bastante de CAD", diz Au. "Um bom amigo uma vez me disse, é o trabalho que conta, não as ferramentas."*

À direita CS 4.5. Produção final do táctil disco rígido portátil da Seagate. Foto de Nelson Au.

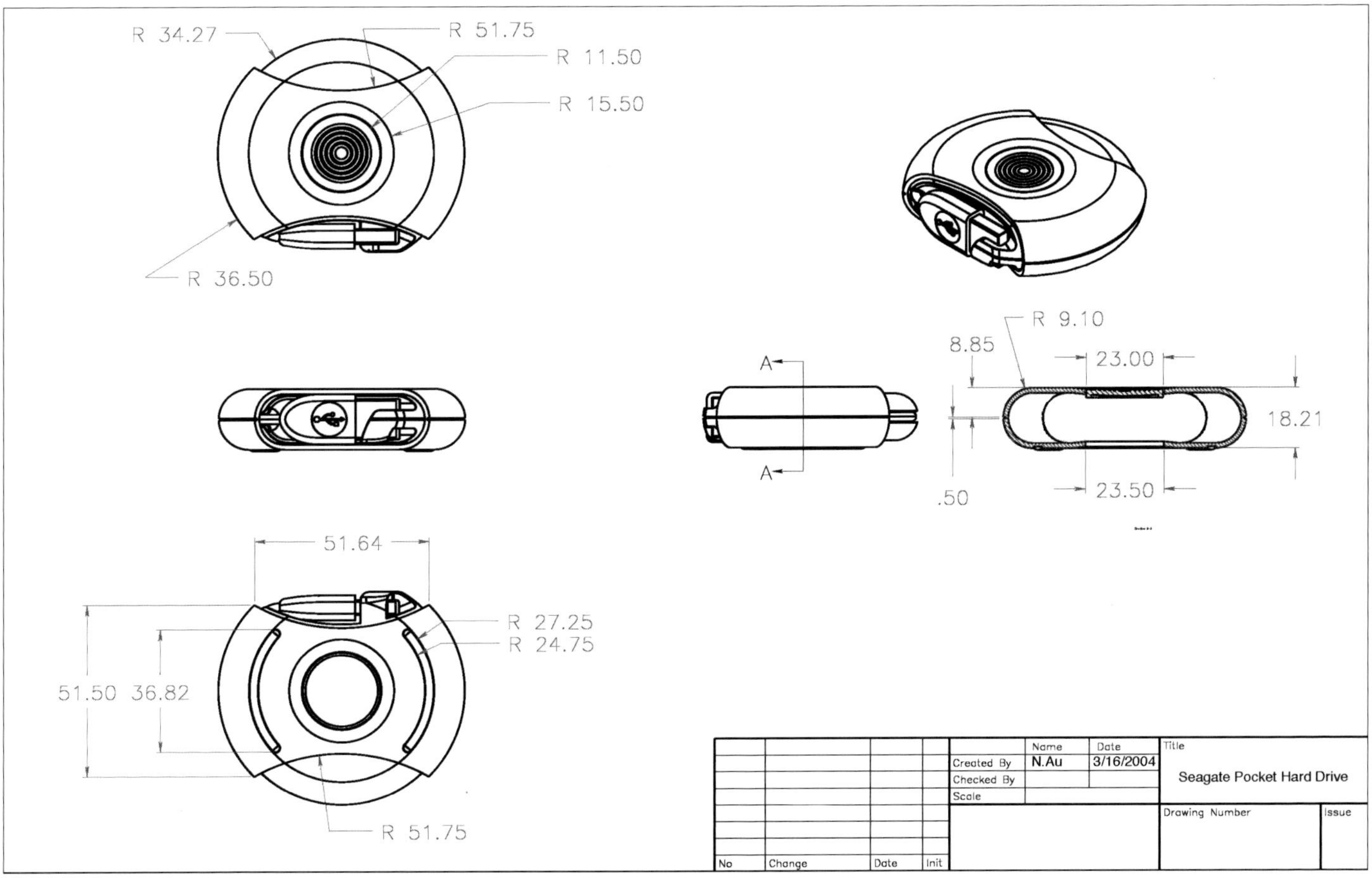

Acima CS 4.6 Desenhos ortográficos não foram necessários para este projeto, mas Nelson Au produziu estes especialmente para mostrar como eles podem ser gerados a partir do modelo 3D.

A Seagate Technology de Scotts Valley, Califórnia, queria um design icônico para o seu novo drive portátil, para completar com sucesso um mercado já repleto. William Watkins, executivo chefe da Seagate technology, diz: "Drives de disco foram um mercado de 20 bilhões de dólares por cinco anos. De repente você está vendo um crescimento fenomenal. As pessoas querem ser capazes de levar suas fotos, vídeos e músicas com elas por aí". Dados um modelo físico de um design anterior, uma placa de circuito impresso e muitos outros componentes, Au usou o Cobalt para produzir vários conceitos, aproveitando a habilidade do software para criar formas rapidamente.

Au criou um invólucro externo para abrigar o cabo USB 2.0 e uma porção interna para conter a memória de 5 Gbyte e outros componentes eletrônicos. Usando as características de transparência do Cobalt, ele foi capaz de comunicar ao cliente que o design e o funcionamento interno do drive deveriam se ajustar e funcionar juntos. O cliente aprovou o design e o modelo 3D foi diretamente para a oficina de prototipagem rápida para criar um modelo STL (estereolitografia), validando o toque e sensação de seu design táctil (Fig. CS 4.5). Nenhum desenho de CAD 2D foi necessário para este projeto, mas, para demonstrar como é fácil para produzi-los, Au gerou um conjunto especialmente para este estudo de caso (Fig. CS 4.6).

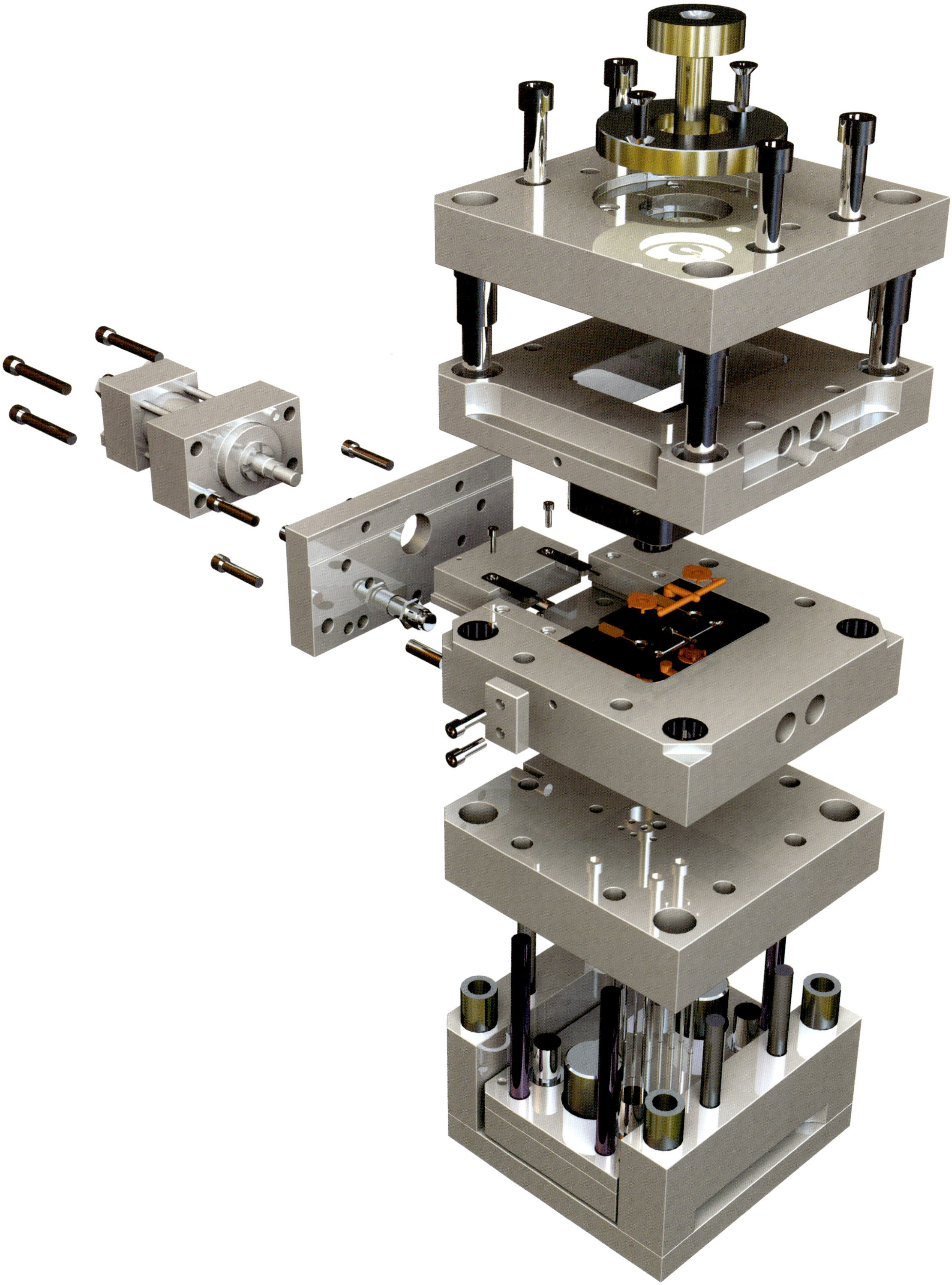

Uma imagem vale mais que mil palavras.
Provérbio chinês em *Bartlett's Familiar Quotations* (1919)

8 Ilustração técnica

Página oposta JK Mold Design, Molde de duas cavidades para fabricar tampas de válvulas, 2004. Diagrama explodido, modelado e renderizado no SolidWorks, Cortesia SolidWorks Corporation.

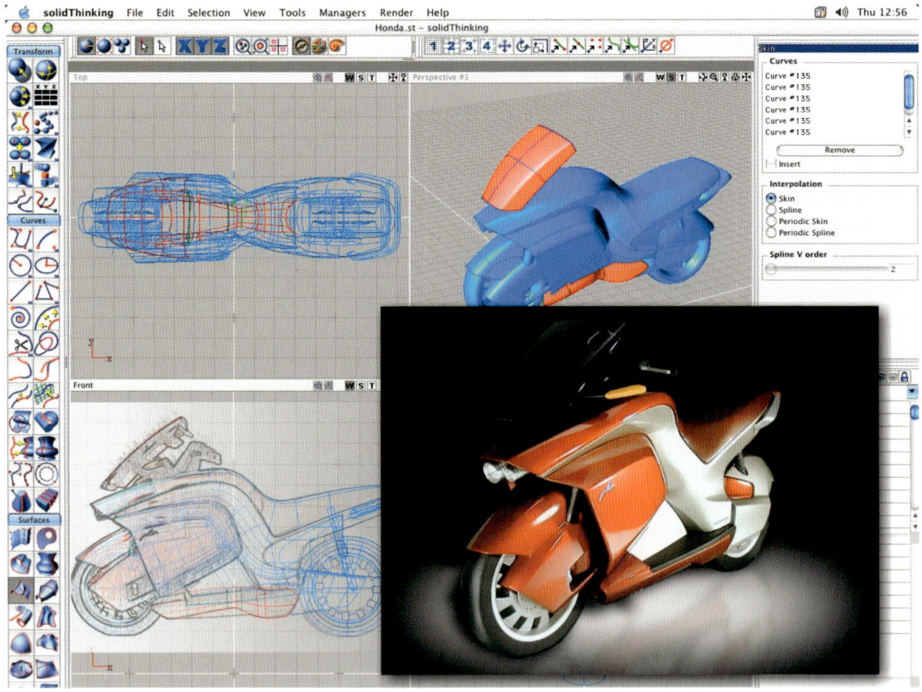

À direita 8.1. Captura de tela mostrando uma projeção ortográfica de uma motocicleta Honda e o modelo 3D, ambos na sua forma bruta e plenamente renderizado. Cortesia SolidThinking Ltd.

Abaixo 8.2. Andrew Ritchie, Bicleta dobrável Brompton, 1977. Desenho de patente.

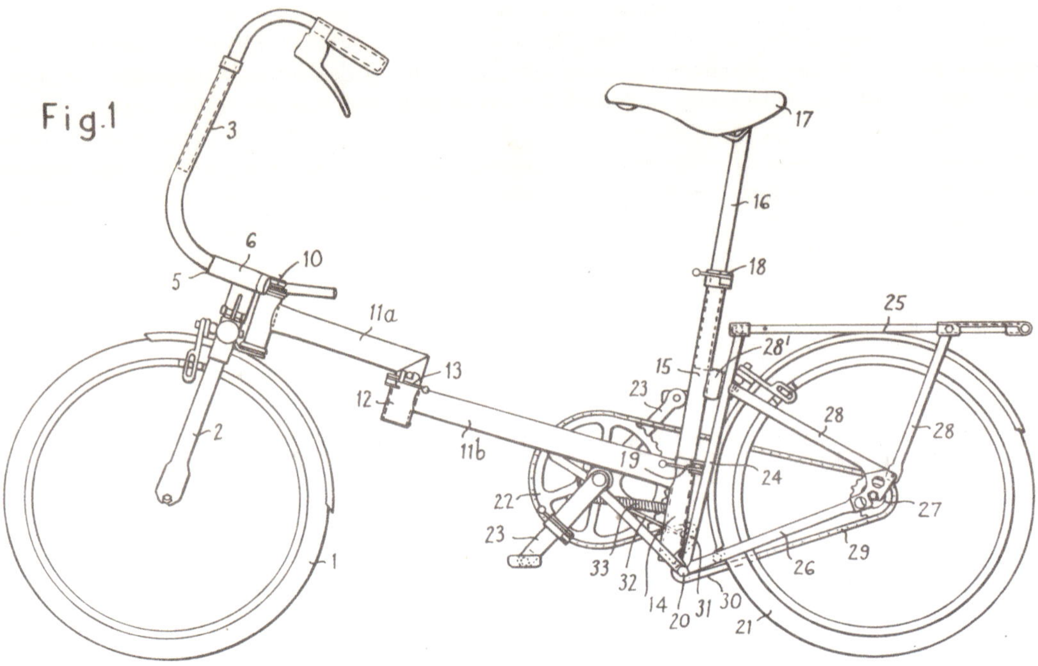

A ilustração técnica vem bem no final do processo de design (ou, tecnicamente, depois que ele acabou) quando o produto ou existe e já está em produção, ou está ao menos plenamente especificado em termos de aspecto e geometria. É uma habilidade semelhante à pintura de naturezas-mortas, em que o artista ou ilustrador (pois nem sempre compensa para o designer estar envolvido neste estágio) tem um objeto tangível – ou ao menos um conjunto de plantas ou modelo 3D em computador – para

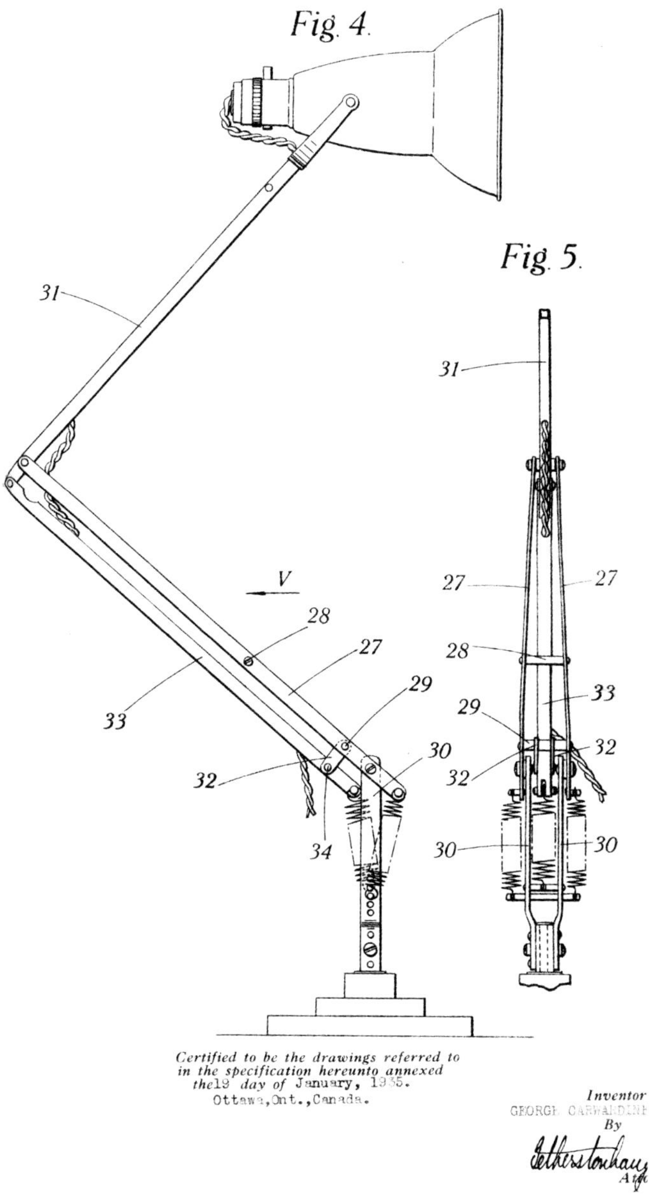

Acima 8.3. George Carwardine, luminária Anglepoise, 1935. Desenho de patente. Desenhos precisos e funcionais são documentos essenciais no estabelecimento de patentes. Cortesia Anglepoise Ltd., Waterlooville, Hampshire, England.

olhar e ter como base para fazer a ilustração. Um ilustrador técnico é um acessório após o fato. E o trabalho de ilustração técnica é explicar os mistérios do objeto projetado para aqueles cuja responsabilidade será montar, comercializar, manter e, finalmente, usar o produto.

Em contraste com o desenho técnico ortográfico 2D, que é definido na ISO5456-2:1996 e divide o objeto em vistas independentes (ver Capítulo 7), uma ilustração técnica combina todos os três lados da peça em uma única representação pictórica, mais como um desenho de apresentação (Fig. 8.1). As demandas da ISO9001:2000 a respeito da documentação técnica (chamada de "suporte ao produto") – informação do produto mais todos os serviços que os fabricantes oferecem a seus consumidores – podem abranger de simples manuais de instruções, manuais de manutenção e catálogos de peças sobressalentes, até a documentação completa do produto que pode também incluir documentos anexados, propaganda e material de treinamento. Ilustradores técnicos são também responsáveis pelos desenhos que acompanham os pedidos de patentes (Figs. 8.2, 8.3).

Operadores de montagem devem ser capazes de manter e reparar mesmo equipamentos e máquinas desconhecidas, assim, a documentação deve especificar a ordem na qual os componentes da máquina têm que ser montados ou desmontados e ajudar a identificar peças sobressalentes para reparos ou repetir pedidos.
Uma ilustração técnica será tipicamente um corte 3D ou um desenho explodido (mais tarde) em linha preta ou cor sombreada.

História

A ilustração técnica pode ser encontrada nos tempos mais remotos, quando, talvez, um homem das cavernas, querendo explicar a teoria da roda para um colega cético, rabiscou um diagrama na areia. Os desenhos de Georgius Agricola, do *De re metallica,* de 1556, mostrando o funcionamento de máquinas como a bomba a correntes, são os precursores dos cortes de hoje e diagramas explodidos que explicam os mistérios de um conjunto. Leonardo da Vinci também legou muitos exemplos de diagramas explodidos, embora se estes objetos realmente existiram ou eram meras fantasias está aberto à conjectura.

A enciclopédia de Diderot no século XVIII criou a necessidade de desenhos "instrutivos", assim como muitos pedidos de patentes que eram feitos por volta da época da revolução industrial. As ilustrações podem ter sua linhagem associada os desenhos *as-fitted* de navios, usualmente realizados por aprendizes, e os "desenhos de contrato" das locomotivas a vapor e outras máquinas (Fig. 8.4), que eram passados ao cliente como parte do

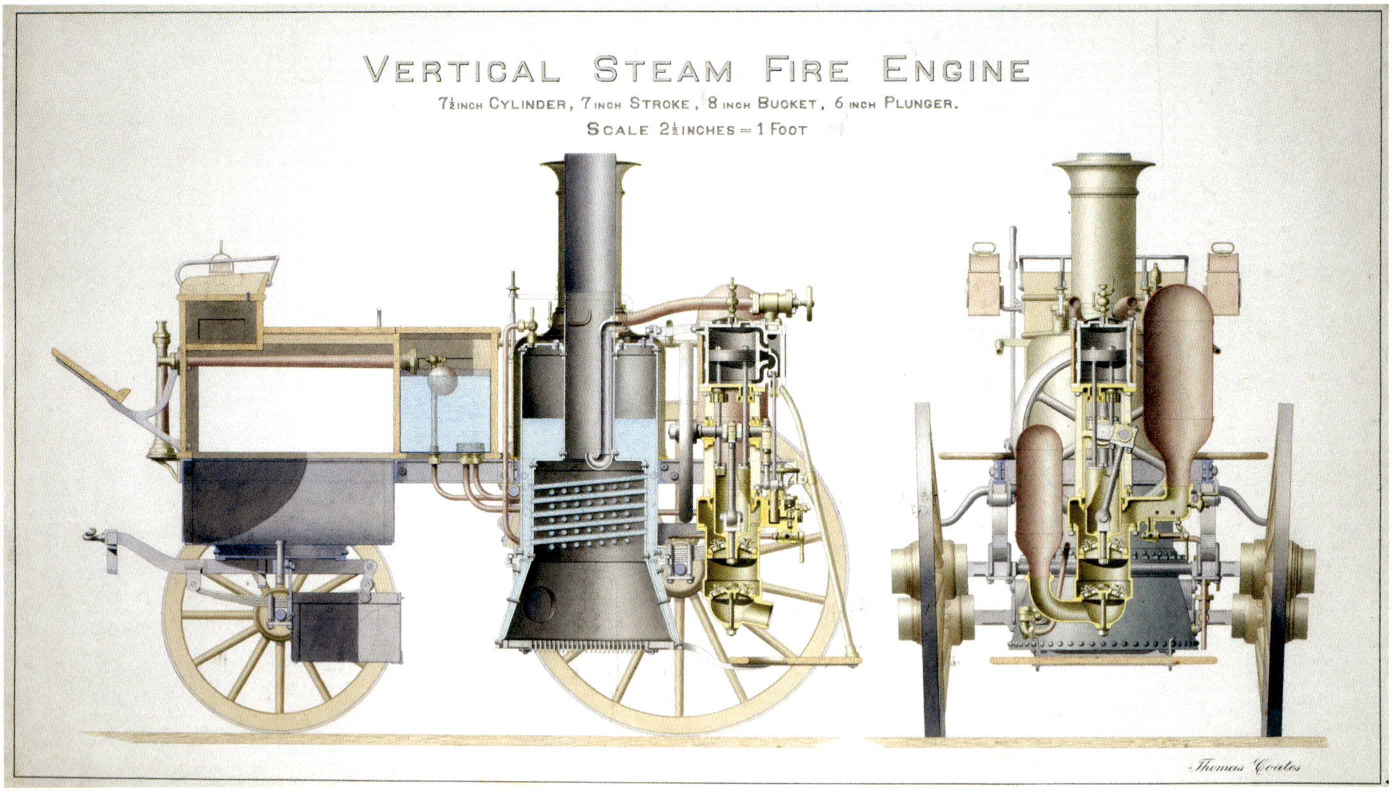

Acima 8.4. Thomas Coates, Carro de bombeiros a vapor com caldeira vertical Shand Mason, 1863. Tinta com aquarela, 47 5/8 x 27 7/8 in (121 x 70,8 cm). Este belo exemplo de ilustração técnica compreende um corte pelo meio da vista lateral (com os detalhes ocultos em linha pontilhada) e uma vista frontal cortada parcialmente para revelar o funcionamento do cilindro. Cortesia Science Museum, Londres.

contrato de projeto, na conclusão do trabalho. Entretanto, foram os militares que reviveram a necessidade de ilustrações técnicas após a Primeira Guerra Mundial, quando os manuais eram produzidos para ajudar a manter o equipamento usável.

As habilidades do ilustrador técnico sempre estiveram sob demanda nas indústrias de aviões e automóveis, e os intricados diagramas em corte que revelam o funcionamento interno das então "maravilhas modernas" (Fig. 8.5) foram, certa vez, uma característica popular de revistas para meninos, como a Eagle e revistas especializadas, e permanecem populares em livros "como funciona" e websites voltados principalmente para crianças.

O trabalho do ilustrador técnico fica bem entre o do artista e o do desenhista de engenharia, é afirmado na introdução do livro dos anos 1940, "Como Desenhar" ("how to draw"). *De um lado, o artista geralmente desenha um objeto como este aparenta a ele pessoalmente, enquanto que, de outro lado, o desenhista quebra a cabeça para garantir uma reprodução completa com dimensões, para permitir que o artesão fabrique a peça sem possibilidade de erro. O único modo de fazer isto é por meio de projeções ortográficas, que são difíceis para um leigo entender. O ilustrado técnico é o elo. As imagens do ilustrador técnico, não apenas do exterior do componente, mas também de uma seção abrangente da estrutura interna, tornam possível a leitura rápida e fácil do desenho de uma máquina.*

Acima 8.5 Locomotiva 4-6-0 classe "King" da ferrovia Great western, 1927. Desenhos em cortes, como este desdobrado, já foram populares em enciclopédias para crianças e revistas como Lion e Eagle.

A Arte da Ilustração Técnica

Um bom ilustrador técnico deve ser mais que um bom artista. Por seu conhecimento de como o produto funciona, e maestria na técnica, o ilustrador será capaz de simplificar um desenho de engenharia, destacando os detalhes importantes sem sacrificar o formato global e a forma do produto (Fig. 8.6). O ponto de vista mais apropriado deve ser escolhido em razão da clareza, decidindo o que e quanto de "material" pode ser cortado fora, deixando-o todo coerente e de aparência credível, e durante todo o tempo almejando fazer uma composição elegante e agradável. O ilustrador deve ter a intuição e a visão de raio X para gerar desenhos que seriam impossíveis de produzir por quaisquer outros meios (Fig. 8.7).

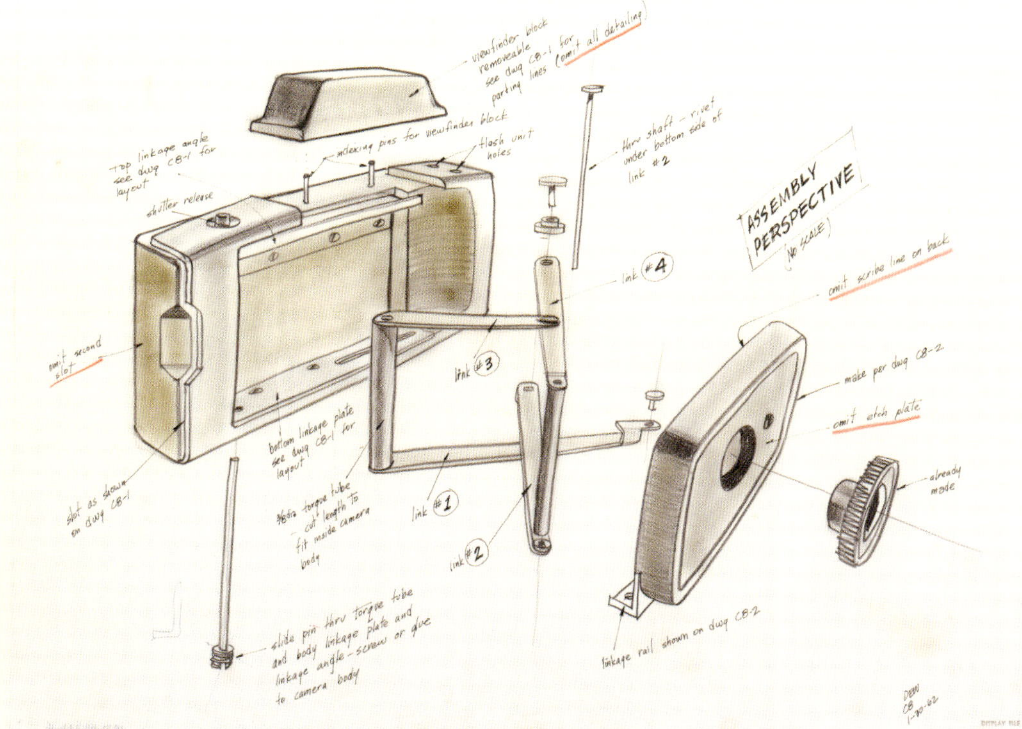

Abaixo 8.6. Henry Dreyfuss, Câmera Polaroid Automatic 100, 1962. Perspectiva explodida de montagem. Cortesia Cooper-Hewitt National Design Museum, Smithsonian Institution, Washington, DC.

À direita 8.7. Jan Frohm, Autorotor, 1960. O designer fez este desenho com aerógrafo tradicional, que já foi o meio mais usado para ilustração técnica.

Abaixo 8.8. Torsten Neeland, Luminária de parede Tank, 2002. O designer usou hachuras para denotar um corte (ver também Fig. 7.19 e 7.21)

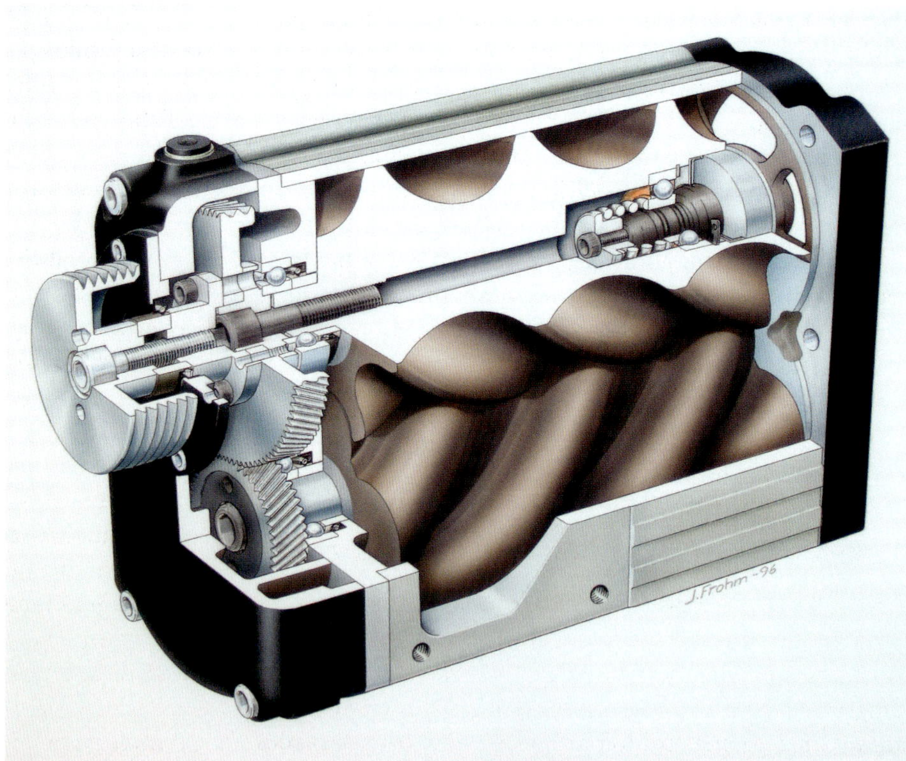

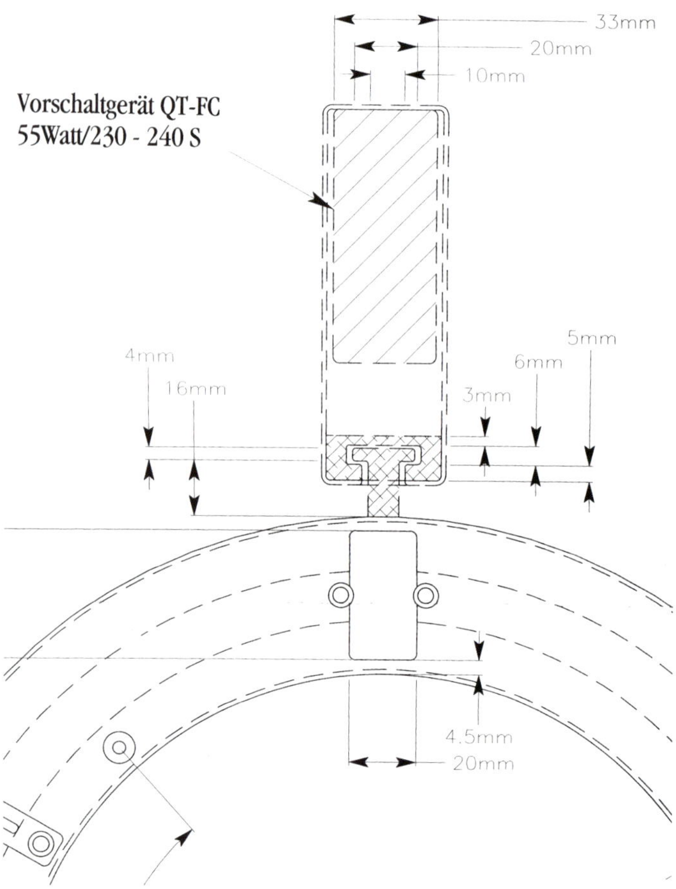

As restrições da tecnologia de impressão têm ditado os métodos e os meios usados pelos ilustradores técnicos. Aquarela, guache – mesmo marcador – têm sido usados, mas o aerógrafo foi sempre o meio favorito para trabalho com cores. Para trabalhos com linhas, voltados para manuais mais baratos quase sempre impressos em papel de baixa qualidade, o ilustrador volta-se para a tinta preta sobre um quadro ou o meio incomum (em outros ramos) do quadro de raspar, no qual uma ferramenta afiada – um bisturi ou cortador próprio – é usada para raspar a superfície preta lisa de um quadro especialmente revestido, revelando uma camada de argila ou gesso, resultando em linhas brancas de grande clareza e brilho. Alguns ilustradores preferiam o quadro branco, que podia ser coberto com nanquim preto onde houvesse áreas para serem raspadas. Erros ou áreas para detalhamento posterior podiam ser raspadas ou pintadas novamente, deixadas para secar por inteiro e redesenhada. Quadros com uma superfície granulada ou pontilhada mecanicamente em relevo no material eram também disponíveis.

Desenhos em linhas para ilustração técnica são, para auxiliar a execução e leitura, quase que estilizadas à maneira de uma história em quadrinhos. Uma fonte de luz única, geralmente vem do canto superior esquerdo; sombras e sombreado são incluídos apenas para realçar a tridimensionalidade do produto sendo ilustrados e são abandonados se obstruem a vista de algum detalhe essencial. O método de sombrear e hachurar também deve ser consistente (Fig. 8.8). Como no desenho de engenharia, há modos convencionais de representar objetos comuns, tais como molas, roscas e engrenagens.

O aerógrafo era usado em ilustração técnica por causa de sua capacidade de fazer gradações suaves de tons que sutilmente modelam a forma 3D e dão um acabamento mais liso que o pincel comum. Seu acabamento preciso, como se fosse "intocado pela mão humana", era ideal para a natureza tecnológica dos objetos retratados. Embora o aerógrafo mecânico esteja obsoleto, a técnica vive em programas de computador, tais como o Photoshop.

Aerógrafo – Manual ou Computadorizado

Aerografia, manual ou computadorizada, como técnica também tem suas convenções. Paradoxalmente, o objetivo da ilustração com aerógrafo não é tentar o realismo fotográfico (como faz um modelo computadorizado 3D em *ray tracing*), mas combinar logicamente considerações e observações, para produzir uma imagem sedutora convincente que é bem definida e tecnicamente precisa e que, também, pode ser facilmente assimilada pelo comprador do produto.

Máquinas são mostradas em condição brilhante contra fundos perfeitos, limpos e sem uso (Fig. 8.9). Superfícies brilhantes e foscas são mantidas separadas e distintas e as diferenças entre elas, exageradas. São evitados os reflexos que possam confundir uma leitura da estrutura do produto ou que interrompam as superfícies lisas.

Há, usualmente, um balanço constante de luz e sombra por toda a ilustração, com as arestas definidas pelo contraste agudo entre luz e áreas escuras, ao invés de usar dispositivos para delinear. Em cortes, arestas com iluminação de fundo são usados para destacar, dos tons mais escuros do fundo, formas tais como cilindros, eixos e parafusos.

Uma ilustração feita com aerógrafo convencional pode demorar meses para ser completada e não é incomum que uma pessoa seja responsável pelo delineamento inicial, enquanto outra é responsável por colorir com o aerógrafo. Além de ser habilidoso nas técnicas de aerografia e competente para ler desenhos de engenharia, o ilustrador deve desenvolver um olhar aguçado para julgar os valores tonais e uma memória visual eficiente para reter um plano mental do esquema geral, uma vez que o trabalho em progresso está sempre disfarçado por muitas máscaras e estampas usadas para construir a imagem.

Acima 8.9. Motor aeronáutico Napier Eland, anos 1950. Desenho em aerógrafo em quadro, 43 1/3 x 24 in (110 x 61cm). Este é um corte clássico em que o designer tirou um quarto da casca simétrica em relação ao eixo e coloriu o metal cortado em vermelho. Note as pás de hélice transparentes e cortadas na extremidade frontal (esquerda) e a aresta irregular cortada ao redor da parte posterior (direita). Cortesia Instituition od Mechanical Engineers, Londres.

À direita 8.10. Esta moderna, 2006, ilustração transparente do Jaguar XK revelando a suspensão é um desenho 3D em computador usando LightWave 3D, Cortesia Jaguar Cars, Coventry, Inglaterra.

A ilustração técnica é um dos ramos mais antigos da ilustração, mas não é de modo algum uma técnica estática. A ilustração dos dias de hoje tende a favorecer uma aparência "fantasmagórica" (Fig. 8.10), usando aerografia sutil (manual ou em computador) para fazer a carcaça externa do produto parecer feita em vidro, resultando em um desenho mais coerente e sólido, uma vez que o corte mais severo e, até agora, convencional pode ter o efeito de aparentar estar mutilando uma forma.

A ilustração técnica de hoje é muito mais livre do que já foi, e é usada em muito mais aplicações, principalmente em marketing: em propagandas, material de vendas, pôsteres etc. Algumas ilustrações técnicas são indistinguíveis de desenhos de apresentação – ou mesmo esboços de conceito – no seu aspecto de esboço e estiveram em moda por reproduzirem "conceitos do designer" para encantar um público consciente em termos de design, com a ideia de que aquela empresa está realmente empregando consultores de design (como elas sempre fazem, de qualquer forma) em seus produtos de "designer".

Técnicas de Ilustração Técnica

Embora à primeira vista pareçam similares, uma ilustração técnica tem um papel diferente do desenho de apresentação. A ideia é simplificar o desenho, mas, ao mesmo tempo, atrair a atenção para suas características salientes. Na ilustração técnica, menos é mais – omitindo algumas linhas e enfatizando outras que podem ajudar a mostrar a informação desejada de maneira mais clara.

Uma ilustração é definida como um exemplo que esclarece um conceito. Um ilustrador busca remover confusões e realçar aqueles elementos do objeto que seriam difíceis de ver na vida real: recortados ou com suas partes componentes separadas, mas ainda em correta relação umas com as outras. O ilustrador almeja produzir uma vista canônica que é tanto reveladora, quanto memorável, reduzida à sua forma mais simples e significativa possível, sem perder generalidade. A ilustração técnica é um equilíbrio entre gráficos informativos e texto, mais dados embutidos ou inteligência, resultando em vistas pictóricas que comunicam visualmente e esclarecem informações críticas do produto para o usuário final ou trabalhador de manutenção.

Linhas Grossas e Finas

O uso de linhas grossas e finas é uma convenção estilística importante para mostrar formas geométricas tridimensionais por meio de desenhos relativamente simples de linhas (Fig. 8.11). Ele dispensa os detalhes irrelevantes e informações gráficas, mas, ao mesmo tempo, permite que o observador capte rapidamente a forma do objeto mostrado na ilustração.

Linhas grossas são aplicadas ao redor dos contornos de um objeto e internamente sempre que superfícies encostem em outras superfícies não visíveis. Isto pode ser uma folga entre componentes separados, mas com um elo ou uma abertura em uma superfície plana.

Imagine ser capaz de atingir a parte de trás de uma linha com a sua mão: se as pontas dos seus dedos puderem ser ocultadas pela peça, então use uma linha grossa.
Se você pode ver ambas as superfícies adjacentes, a linha limítrofe é representada por uma linha fina. Este tipo de limite, onde ambos os lados da aresta são visíveis, é também chamado de "vinco".

Linhas finas são usadas para mudanças de plano numa superfície, tais como arestas em ângulo, áreas de concavidade ou junção entre componentes com intertravamento (Fig 8.12). Se o desenho é sombreado ou acinzentado, a linha do vinco pode ser mostrada por uma linha em branco, realçada, que dá o efeito tridimensional. Linhas finas são também empregadas para efeitos de textura, tais como grelhas e detalhes decorativos.

Linhas desenhadas em preto e branco num corpo cinzento ou colorido sugerem uma fonte de luz e ajudam a fixar a orientação do modelo. Sombras são apenas incluídas quando não ocultam detalhes em outras partes do objeto. Nas ilustrações 3D, adicionar um pouco de sombra num plano de solo, ao invés da sombra real do objeto, pode dar dicas visuais úteis sem obscurecer detalhes importantes. Não é realmente necessário que estas sombras sejam altamente precisas para fornecer informação sobre a estrutura tridimensional, especialmente em uma cena de layout espacial.

Acima 8.12. co-lab* (Vibeke S. Vendena e Greg Vendena), Your Guide to Making Tire Planters. O designer usa linhas grossas e finas, embora, estritamente falando, o círculo incompleto no cubo da roda deveria ser uma linha grossa, pois esta define uma aresta atrás da qual você poderia esconder sua mão. É uma impressão digital de um desenho original em Mylar, colorido no Illustrator e Photoshop.

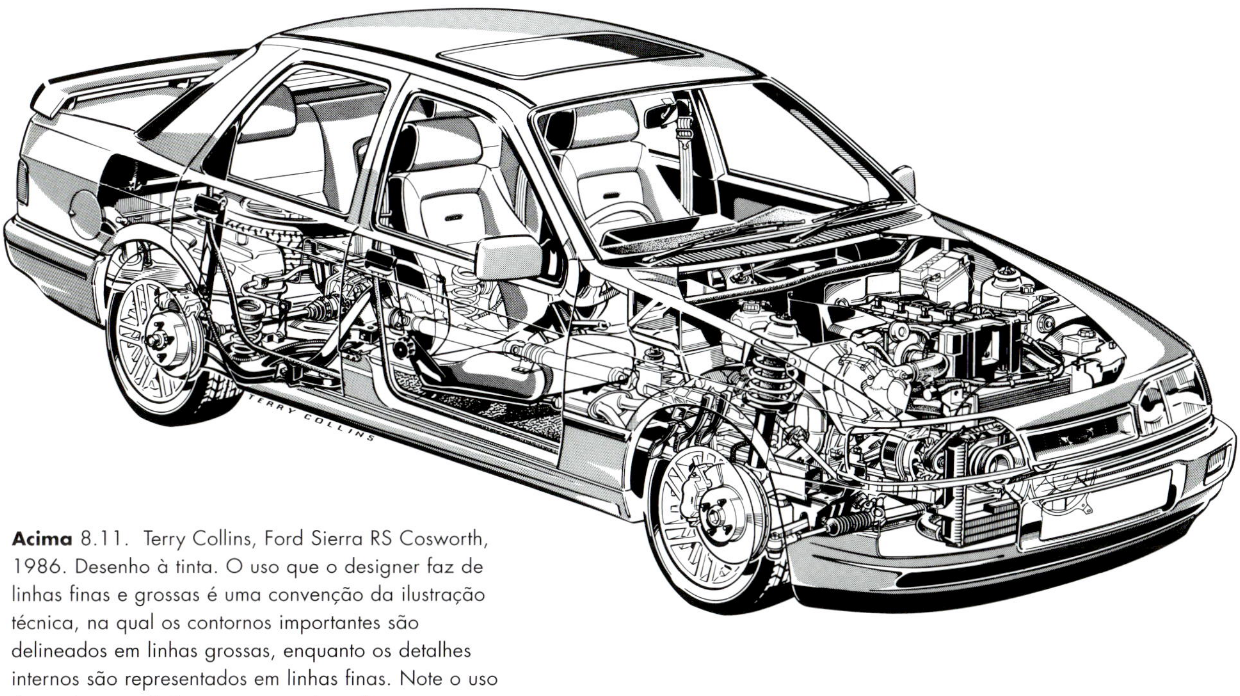

Acima 8.11. Terry Collins, Ford Sierra RS Cosworth, 1986. Desenho à tinta. O uso que o designer faz de linhas finas e grossas é uma convenção da ilustração técnica, na qual os contornos importantes são delineados em linhas grossas, enquanto os detalhes internos são representados em linhas finas. Note o uso de matizes mecânicos para o sombreado e as quebras de linhas para implicar realces.

Para pintar em um quadro (papel ou vegetal), linhas finas são feitas usando caneta técnica de espessura 0,25mm ou 0,3mm; com 0,5mm ou 0,7mm para linhas mais pesadas. Em um computador isto é equivalente a 0,35pt (pontos) e 0,5pt para linhas finas e entre 1pt e 2pt para as espessas. Pode haver um "estilo da casa" ditando as espessuras de linhas usadas. Os tamanhos usados também dependem da escala do desenho e de como a redução (se houver) deve ser aplicada quando se manda o desenho para a impressão. Um meio termo razoável é 0,5pt para linhas finas e 1pt para linhas espessas, com as linhas de notas a 0,7pt.

Um método alternativo às linhas finas e grossas é variar a espessura das linhas – fazendo-as mais grossas no primeiro plano e mais finas à medida que se afastam. Isto é chamado de indicação de profundidade com "linha-perspectiva". Às vezes, as linhas que tocam no plano base são feitas mais grossas para "aterrar" o objeto e simular um sombra sutil.

Abaixo 8.13. Este desenho em computador de 2005 do motor 1.4l TSI para a Volkswagen é uma montagem explodida com parte da seção central cortada usando a convenção de colorir o metal em vermelho. Cortesia Volkswagen AG.

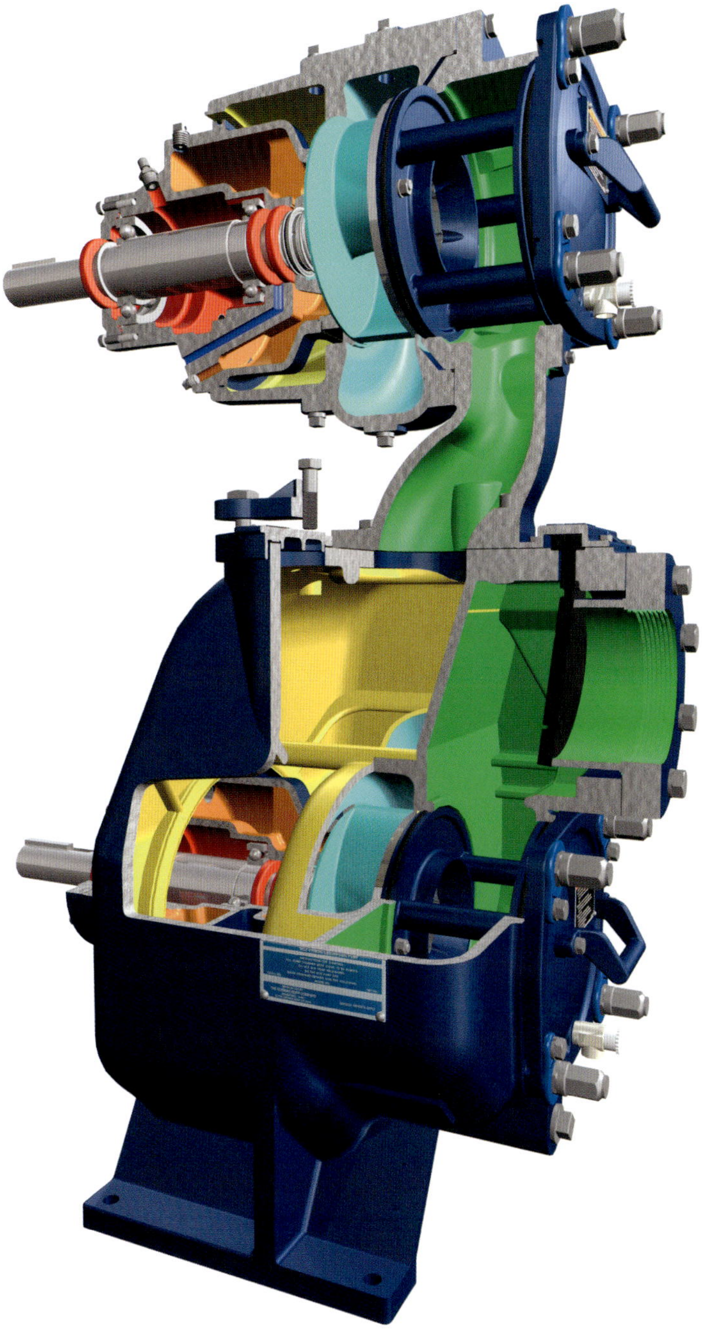

Acima 8.14. Ken Radke, Bomba Ultramate, 2005. O designer usou Solid Edge para projetar esta versão em dois estágios para a companhia Gorman-Rupp. As arestas cortadas deste desenho em corte são mostradas como metal texturado. Cortesia UGS.

Seções, Cortes e Ocultamentos

Uma seção é um simples corte transversal, geralmente em uma vista ortogonal (planta ou elevação), na qual o aresta do corte forma o contorno do objeto. Pode ser diagramático ou pode ser feito dando aos componentes internos algum grau de tridimensionalidade. Um desenho em corte é uma vista verdadeiramente tridimensional, na qual o produto é mostrado como se um pedaço de sua carcaça externa tivesse sido retirado para revelar os componentes e mecanismos interiores (Fig. 8.13). É particularmente adequado para objetos que sejam basicamente cilíndricos e tenham um eixo central, tais como bombas, válvulas e filtros e a prática usual é cortar um quarto para expor os detalhes internos, enquanto ainda mantêm a forma externa. Entretanto, a técnica pode ser aplicada a qualquer objeto e a parte cortada pode ser de qualquer tamanho ou formato, desde que seja claramente apresentada e a forma exterior seja ainda reconhecível.

Se o objeto é de construção regular e as estruturas interiores continuam por todo o comprimento do objeto, então um único corte pode bastar. Ou um corte pode abrir uma vista mais profunda, cortando muitas camadas interiores, revelando uma montagem mais complexa dos componentes. Pode ser necessário criar muitas áreas de corte, ou para que seções extras de detalhes sejam colocadas fora da ilustração principal (Fig. 8.14).

A escolha do ponto de vista é crucial: o ângulo deve melhor ilustrar o caráter do funcionamento interno e ainda preservar uma vista reconhecível do exterior. É melhor imaginar o usuário final ou a pessoa responsável pela manutenção olhando para o desenho. Dê a eles uma vista familiar do produto. A aresta do corte deve ser distinguida das arestas "reais", seja representando-as lisas, como se cortadas por uma faca ou laser, ou em linhas onduladas e irregulares, como se uma peça tivesse se partido. A espessura da aresta do corte pode ser representada por linhas, por exemplo, com um hachurado fino, deixando os planos adjacentes em branco. Caso se use cores, a convenção é fazer a aresta cortada em vermelho, para contrastar com as formas modeladas e sombreadas do restante da ilustração.

Uma ilustração ocultada ou fantasma foi desenvolvida por artista do aerógrafo para revelar os componentes internos de um produto, mostrando o exterior do objeto como sendo transparente. Tanto os cortes quanto as vistas fantasmas são combinadas para criar uma ilustração que elimine a aresta cortada, enquanto em alguns locais deixa-se o interior claramente aberto, sem sinal de cobertura da superfície. Vistas fantasmas são particularmente úteis para produtos com estilo complexo, nos quais é essencial reter a integridade da forma externa. Entretanto, como técnica,

Passo a Passo 5:
Desenho em corte de uma furadeira de impacto por *Ryan Whitaker* supervisionado por *John Fox*

SS 5.1 O Blackpool and the Fylde College, na Inglaterra, tem uma longa tradição de excelência em ilustração técnica. Este corte de uma furadeira de impacto foi produzido pelo aluno do segundo ano do curso de ilustração técnica Ryan Whitaker, sob a supervisão de John Fox. Primeiro, usando um programa desenvolvido na própria faculdade por Mark Swift, eles produziram uma grelha precisa de perspectiva de três pontos para atender os requisitos do ponto de vista do artista.

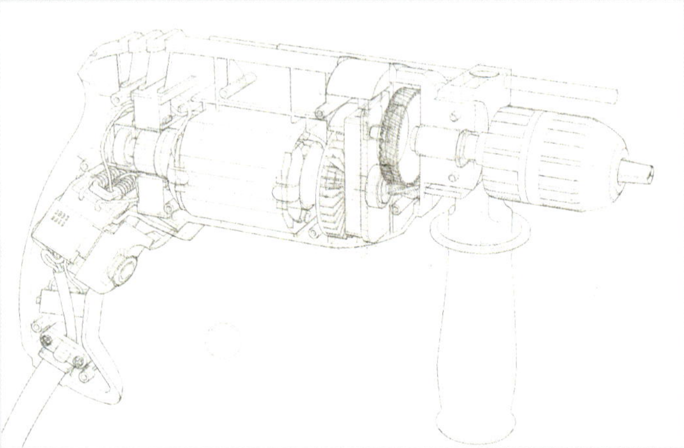

SS 5.2 Eles fizeram esta perspectiva na prancheta e construíram a lápis uma ilustração detalhada a partir de vistas ortográficas.

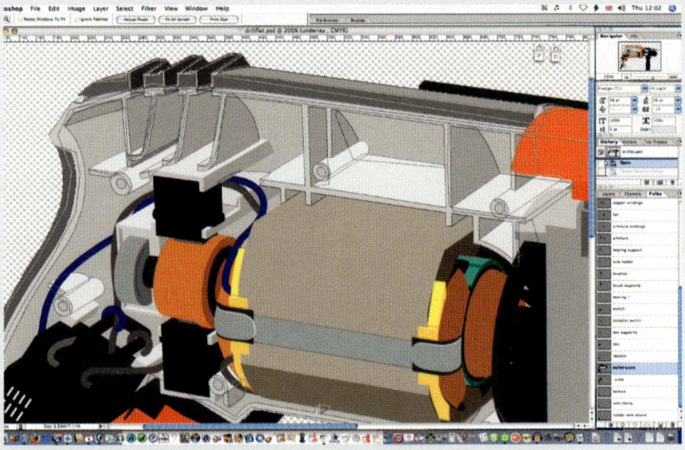

SS 5.3 Eles escanearam o desenho acabado a lápis para um computador. Usando o Adobe PhotoShop, cuidadosamente minimizaram as linhas feitas com o lápis e redesenharam o material na forma de paths do Photoshop, como mostrado nesta captura de tela.

SS 5.4 Eles minimizaram cuidadosamente os paths como máscaras e guias para preencherem e desenvolverem três tons definidos.

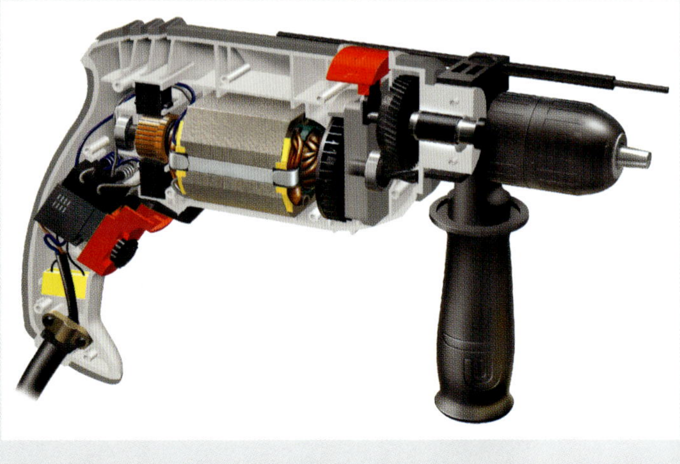

SS 5.5 Usando uma mesa Wacom Intuos e suas próprias habilidades, eles acrescentaram os detalhes finais.

pode ter a desvantagem de demonstrar a complexidade de uma máquina ou veículo sem instruir o observador a respeito da real função dos mecanismos mostrados. O desenho tem que servir ao usuário final: um desenho prático para um manual de manutenção será diferente de um desenho para o folheto de vendas, criado para impressionar uma audiência leiga.

Como os cortes, as vistas fantasmas podem ser aplicadas a pequenas áreas da imagem ou podem se estender ao longo de toda a forma. Algumas das vistas fantasmas mais elaboradas são vistas na indústria automotiva para revelar o que está por baixo da carroceria. Originalmente, os detalhes internos seriam desenhados primeiro, então o artista do aerógrafo colocaria um borrifo fino de cor no topo para representar as planos das superfícies externas de modo transparente e semitransparente. Linhas pretas ou brancas são usadas para identificar os contornos exteriores. Apresentações em computador deixam todo o processo muito mais fácil e controlável (Fig. 8.15).

Acima 8.15 O motor do Lincoln MKZ, de 2007, é um bloco leve fundido em alumínio com 4 válvulas de ação direta. Este desenho é um híbrido de um desenho simples em linhas, "uma planta", com peças em corte e em transparência muito bem-acabadas.

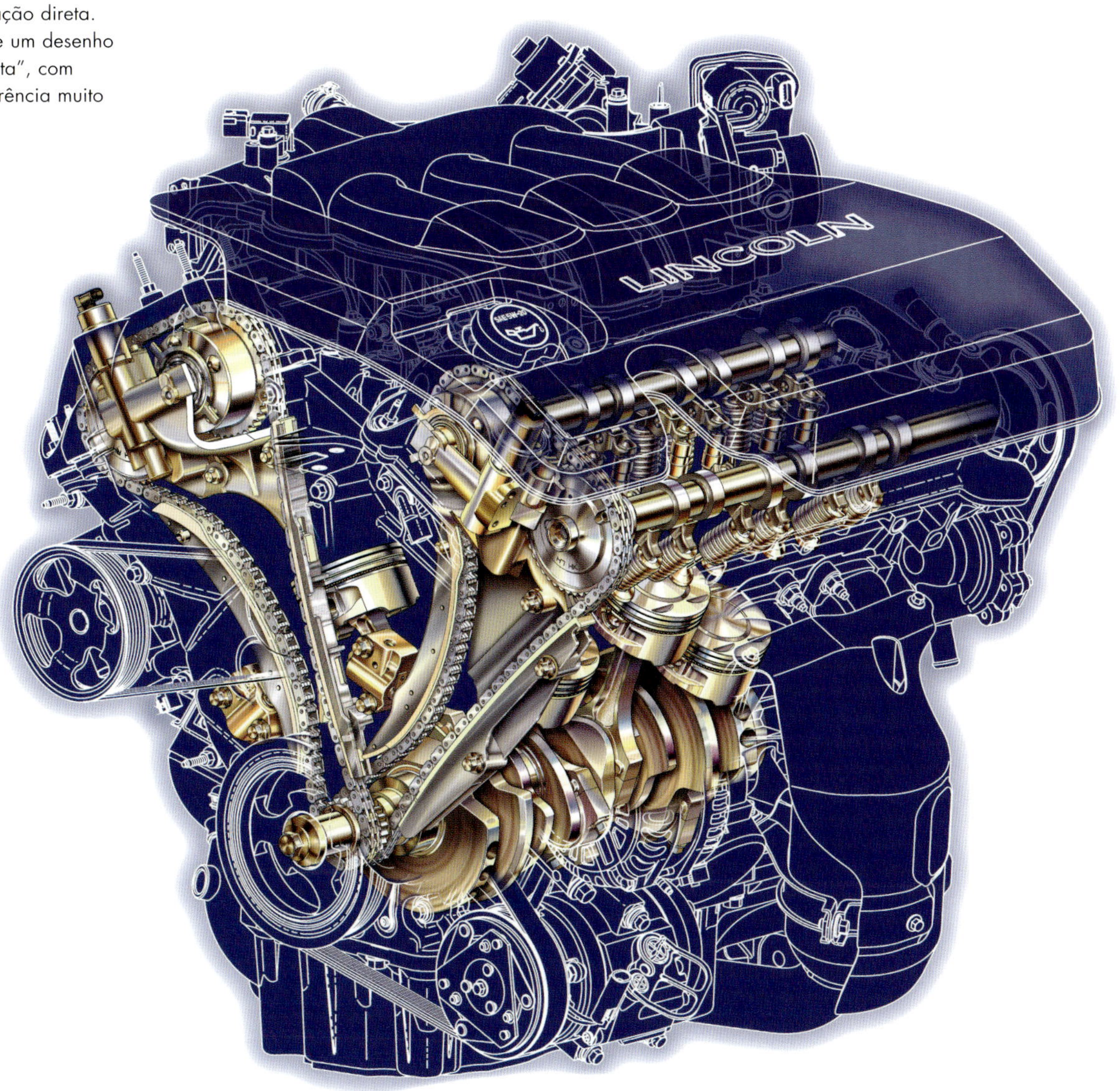

Acima 8.16. Mario e Claudio Bellini, Chaleira Palmhouse, 2001. Os designers usaram Rhinoceros para criar esta renderização explodida para a Cherry Terrace.

Vistas fantasmas podem também ser usadas para mostrar o funcionamento de peças móveis, com sua posição de repouso desenhada solidamente e as posições alternativas esmaecidas em graus diferentes. No desenho com linhas, uma aresta oculta é representada por uma linha pontilhada. Outra convenção é colocar o logotipo da empresa ou o nome do produto com um halo em cor esmaecida para estabelecer um plano frontal que, de outro modo, seria invisível.

Componentes e Diagramas Explodidos

Uma vista explodida mostra uma montagem com suas peças componentes expandindo-se para fora do corpo central, como se este tivesse explodido, mas ainda permanecendo na ordem relativa correta segundo suas respectivas linhas de centro (Fig. 8.16). É, basicamente, um

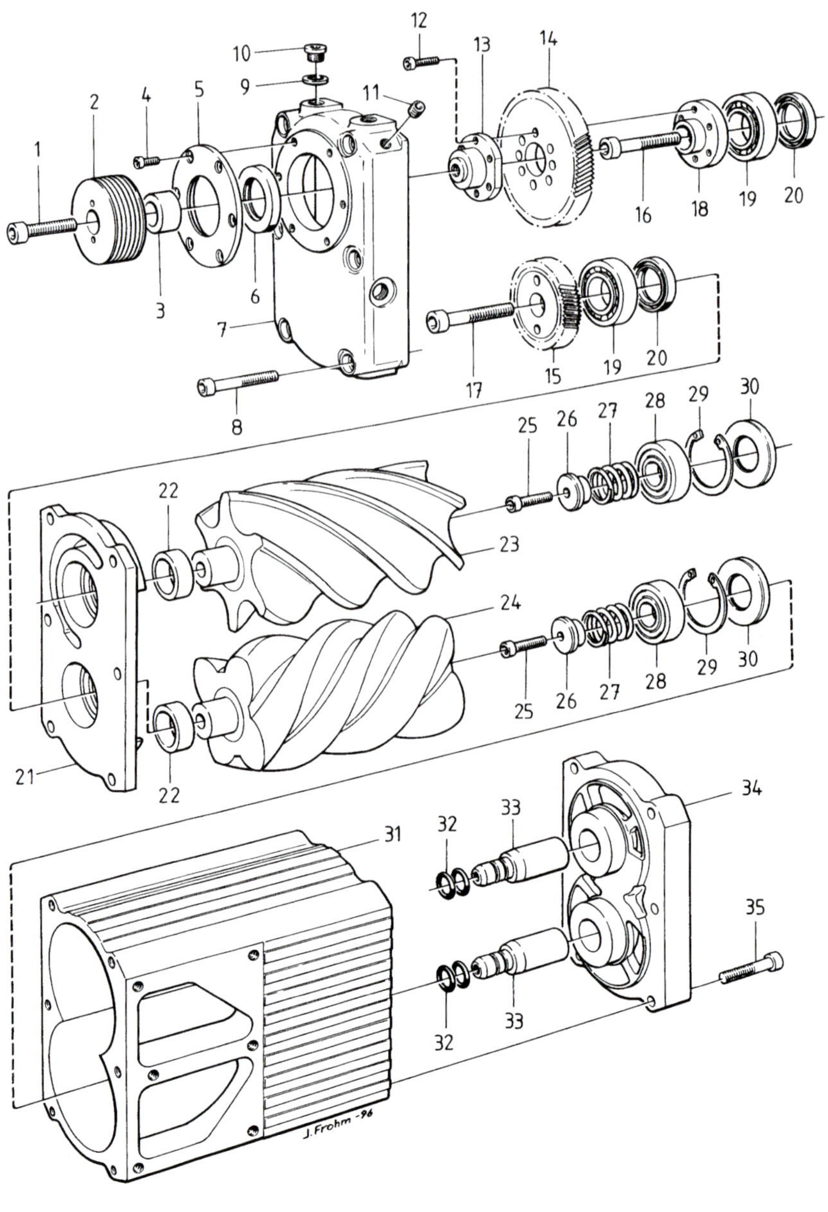

À direita 8.17. Jan Frohm, Autorotor, 1996. Desenho explodido em linhas finas e grossas à tinta. Esta execução seria grande demais para caber no papel se o designer não tivesse adotado a conveção de dobrar as linhas de centro para criar três montagens paralelas.

catálogo explicatório de peças representado gráfica e logicamente, e deveria ser familiar a qualquer um que já tenha tentado montar um móvel.

Esta técnica pode ser usada para uma lista de peças em que os itens precisam ser isolados uns dos outros enquanto ainda se mantêm em seus grupos de submontagens. É também ideal para mostrar a ordem de remoção e montagem dos componentes. Itens internos, tais como O-rings e parafusos, normalmente ocultos, podem ser mostrados enrolados ao longo de um eixo central ou, se o desenho estiver muito longo e estreito, isto pode ser resolvido quebrando a linha de centro em um formato de S ou Z ou superpondo levemente cada item (Fig. 8.17). Entretanto, deve-se também tomar cuidado para não fazer o desenho muito fragmentado de modo que seja difícil ver como as várias submontagens se juntam (Figs. 8.18, 8.19).

A montagem de peças é um processo sequencial, mas os desenhos de engenharia não apresentam a informação em um formato passo a passo (Fig. 8.20). Perspectivas explodidas (axonométricas ou isométricas) ou ilustrações em perspectiva, repletas com dados da BOM (sigla em inglês para Lista de Materiais), notas de operações sequenciais de montagem e chamadas que transmitem instruções de montagem guiam o operário no processo de montagem. Uma chamada é um elemento (geralmente um círculo com um número no interior) na ilustração que corresponde a alguma informação na forma de texto

Abaixo 8.18. Shaun Hauptli, Mancal Rollway RS20, 2005. O design usou Virtual Studio e Solid Edge para modelar esta imagem explodida para a Emerson Power Transmission. Cortesia UGS.

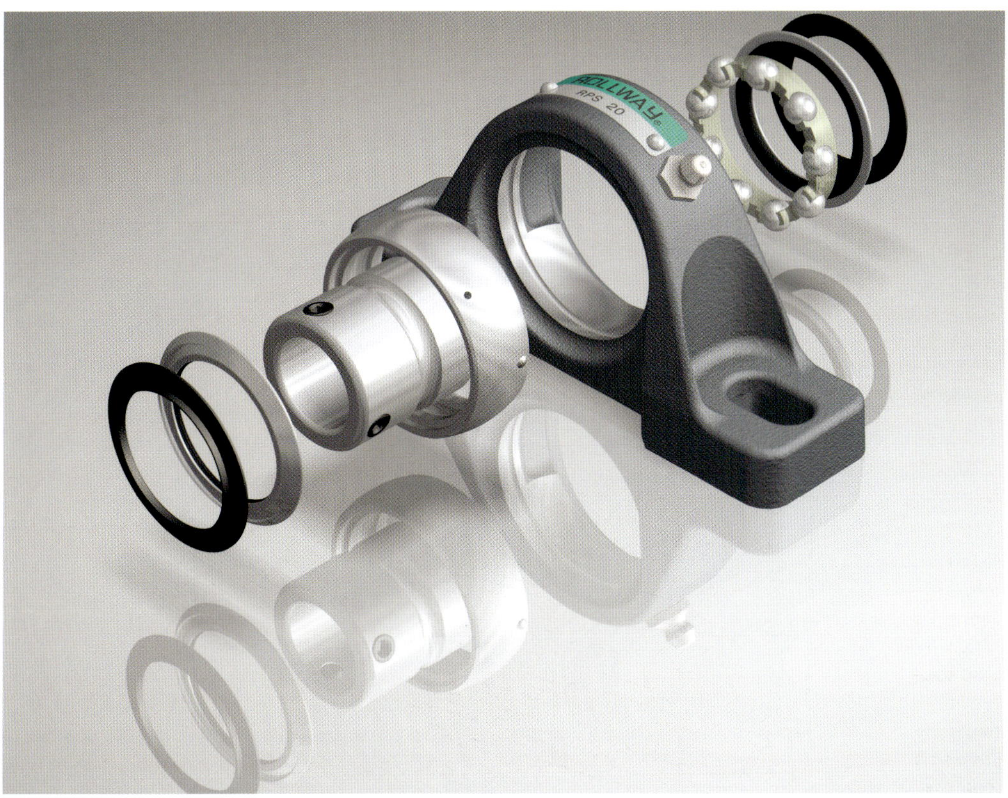

Abaixo 8.19. Youmeus, Batedor Kenwood, 2004. Este diagrama explodido foi modelado usando Autodesk Alias Studio (antes Alias Studio Tools).

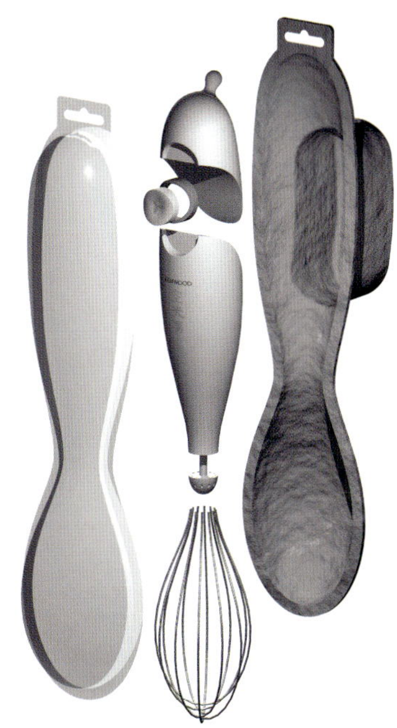

Passo a Passo 6:
Um desenho explodido detalhado de uma tomada elétrica por *James Wright*

SS 6.1 James desenha sobre uma foto digital dos dois componentes principais, um suspenso sobre o outro nas posições desejadas. Isto dá um ponto de partida preciso para seu desenho. Ele desenha mais algumas linhas de perspectiva, usando um lápis de modo que quaisquer erros possam ser apagados.

SS 6.2 Usando os dois componentes principais como ponto de referência, ele desenha os outros componentes usando o objeto desmontado, prestando atenção a suas posições, escala e perspectiva; ajuda desenhar linhas de perspectiva. Ele é tão preciso quanto é possível neste estágio para evitar ter que fazer ajustes mais tarde. Ele corrige à medida que avança.

SS 6.3 James usa guias de elipse onde necessário. Uma vez que tenha corrigido a imagem de modo que esta consista somente em linhas finas, ele esfrega parcialmente as linhas para que esmaeçam e revelem menos grafite no papel. Isto vai melhorar a aplicação subsequente de linhas feitas com canetas esferográficas sobre as linhas a lápis. Com a esferográfica, ele redesenha sobre toda a imagem e apaga quaisquer marcas de lápis. Alternativamente, ele poderia desenhar sobre o desenho usando outra folha de papel.

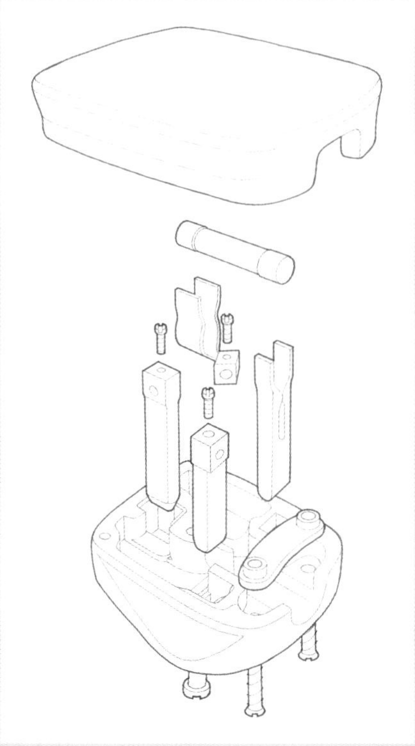

SS 6.4 Usando uma caneta de desenho técnico que seja mais grossa que a esferográfica, ele desenha ao redor de todos os componentes. Isto ajuda a enfatizar as peças e fazer o diagrama explodido mais fácil de entender. Esta técnica é chamada de "linhas finas e grossas".

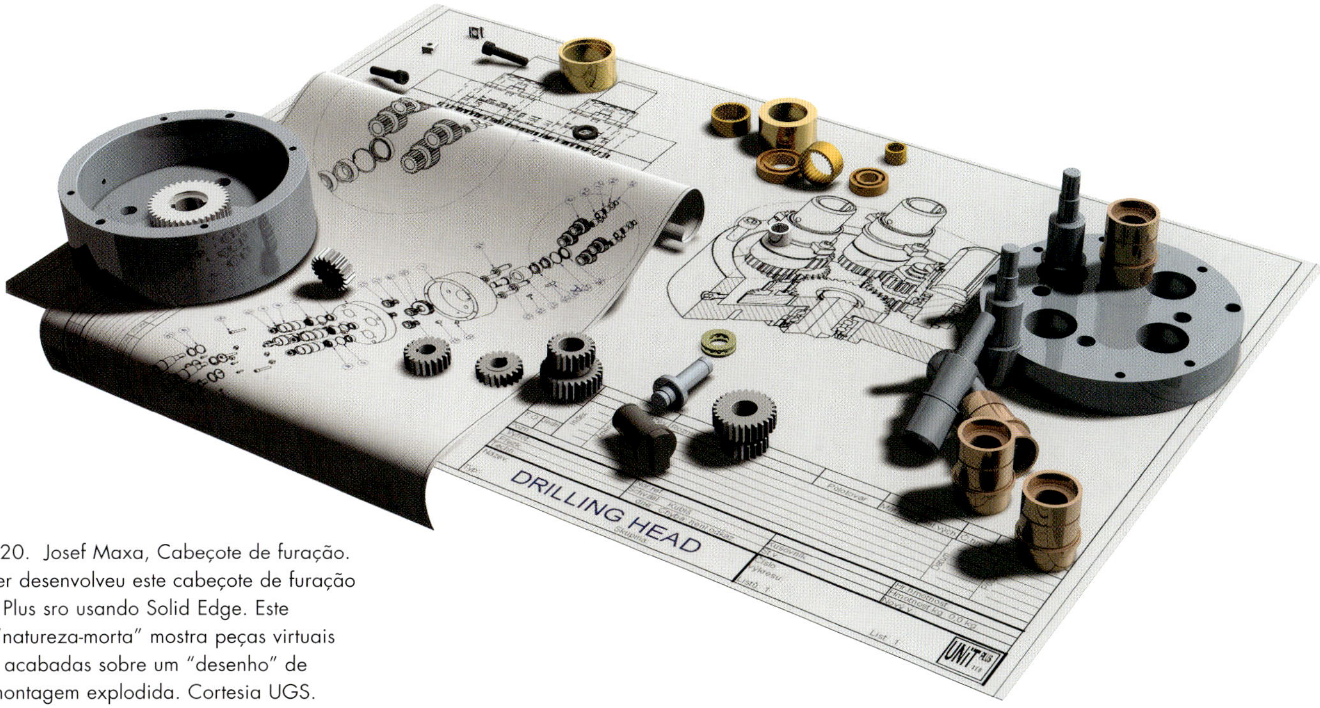

Acima 8.20. Josef Maxa, Cabeçote de furação. O designer desenvolveu este cabeçote de furação para Unit Plus sro usando Solid Edge. Este desenho "natureza-morta" mostra peças virtuais altamente acabadas sobre um "desenho" de cortes e montagem explodida. Cortesia UGS.

em outro local ou um outro desenho mais detalhado localizado num círculo, ou caixa, longe da ilustração principal.

Vistas explodidas têm que ser a forma mais precisa e invariável de ilustração técnica – a sequência de montagem não pode ser alterada por razões estéticas, então há pouco espaço para licenças artísticas. O layout é ditado pela construção do produto e de seus componentes.

O eixo central pode ficar implícito ou mostrado como uma linha traço-ponto passando pelas peças, guiando os olhos do observador pela sequência de montagem. Peças grandes ou submontagens podem também ser mostradas em corte ou em transparência. Para objetos com nenhum eixo vertical ou horizontal óbvios, haverá um ponto a partir do qual os objetos explodidos se irradiam. Um objeto cúbico, tal como uma máquina de lavar, pode ser explodida arrancando cada um dos painéis segundo uma linha direta a partir de um centro comum, com os parafusos e porcas nos eixos menores, passando pelos centros dos furos onde estes se encaixam.

Vistas explodidas são usadas em outros documentos importantes de apoio ao produto, tais como guias de instalação e operação, ordem de serviço, manuais de manutenção e catálogos de peças – todos os quais dependem da representação exata das peças e condições de ajuste crítico associadas.

Traçado sobre Foto

Se um produto realmente existe, um dos meios mais efetivos para criar uma ilustração técnica é o traçado sobre foto. Para criar um desenho de linhas a partir de uma foto, você primeiro precisa de uma fotografia do objeto tirada do ângulo requerido para usar como modelo. Se estiver desenhando à mão, os contornos e elementos principais são traçados a lápis ou caneta de ponta porosa sobre papel de detalhamento e, depois, ampliadas usando uma grelha. A maioria dos programas gráficos oferece um layer de fundo no qual você pode colocar a foto (ou esboço a lápis), que pode ser travado para evitar acidentalmente selecionar, mover ou apagar a foto. Você pode começar a fazer o traçado sobre a foto no layer seguinte usando a ferramenta caneta e curvas Bézier.

Desenhe apenas alguns detalhes necessários e sempre se certifique da posição correta dos elementos. Uma elipse mal desenhada, por exemplo, pode destruir o aspecto geral da ilustração. Elementos cilíndricos consistem de pelo menos duas elipses e duas linhas. É importante assegurar a perspectiva consistente nestes elementos e também certificar-se que o elemento está colocado na perspectiva correta em relação ao que o cerca. Como todos elementos numa foto seguirão as regras da perspectiva, um componente individual não pode simplesmente ser copiado e movido para um local diferente – não pareceria certo – nem você seria capaz de aplicar componentes-padrão da biblioteca ou elementos desenhados em paralinhas. Tal ilustração seria julgada como não funcional, embora nós não pudéssemos explicar por quê.

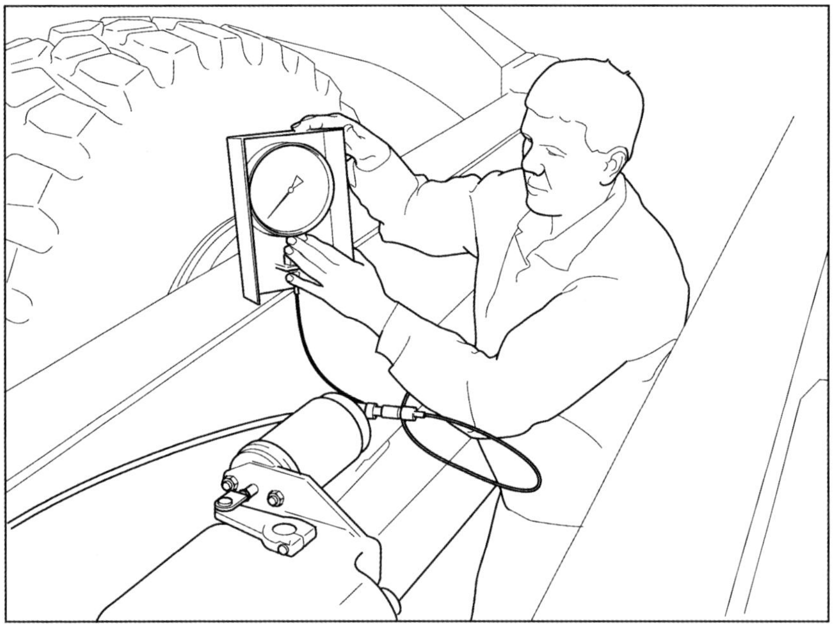

À esquerda 8.21. Rob Woods, Desenho foto-traçado, 2006. O designer usou o software comercial de ilustração técnica IsoDraw para foto-traçar esta ilustração para Granthams a partir de uma fotografia. Cortesia e ITEDO e Granthams.

Traçado sobre foto produz imagens realistas rapidamente, mas requer alguma habilidade (Fig. 8.21). Antes de você iniciar o traçado, gaste um tempo olhando a foto de perto, particularmente as áreas que serão subsequentemente o ponto focal de informação. Analise e edite as formas que compõem o produto e suas montagens. Note que tipos de material foram usados. Um painel de carro, por exemplo, será arredondado com uma cobertura mole. Certifique-se de que você entende como as peças que está retratando funcionam, imagens distorcidas ou imprecisas podem dar a impressão de que elas não funcionariam corretamente.

Você pode sugerir raios se fundindo por meio de pequenos ganchos nas extremidades das curvas. O desenho pode precisar de alguma melhora para além da fotografia – se você só usar linhas retas, sua ilustração parecerá um conjunto de linhas desconexas em vez de uma representação de um objeto.

Você pode, muitas vezes, achar que desenhou tudo corretamente e acertou a perspectiva, mas sua ilustração ainda parece estática e angulosa. Precisa ser suavizada usando linhas com pequenos espaços nelas (conhecidos como contornos internos). Seja sutil: você não precisa de uma linha para toda aresta individual.

Anotações e Rotulagem

Na ilustração técnica, legendas e/ou chamadas são, muitas vezes, necessárias para identificar peças específicas e transmitir outra informação. Pode haver um estilo próprio da empresa para fontes, tamanho etc., mas, para evitar que seu texto seja mal interpretado, ou seja, perdido, por exemplo, quando o desenho for aberto em outro computador e a fonte que você usou não estiver instalada, coloque o texto de modo que este não possa ir para cima da ilustração se o comprimento aumentar, ou transforme o texto em linhas de modo que este não possa ser alterado. Entretanto, se você fizer isto, lembre que o texto não poderá ser mais editado, então mantenha uma cópia editável dele em um layer separado.

Linhas de referência são sempre usadas para fixar o texto ou números de posição a partes específicas de uma ilustração. Uma vez que estas linhas cruzarão outras na ilustração, é importante que possam ser distinguidas de outras linhas que descrevem o objeto. A linha de referência não deve perturbar o elemento mostrado. Isto pode ser conseguido sombreando ou fazendo um halo na linha, pela criação de uma linha branca larga que fica entre as linhas de referência, por exemplo.

Ilustração Auxiliada por Computador

Usar computadores, geralmente, significa que nada tem que ser feito duas vezes. Em teoria, deveria ser possível reutilizar e reaproveitar desenhos criados mais cedo no processo de design para as publicações técnicas necessárias mais adiante neste processo. Entretanto, na prática, desenhos de engenharia conterão informação demais e são, geralmente, complexos de mais e difíceis de reproduzir direito; desenhos de conceito/apresentação invariavelmente estarão obsoletos ou inexatos demais. Recai no ilustrador técnico o trabalho de criar desenhos baseados na última atualização dos desenhos de produção, ou mesmo do próprio produto acabado. Estes serão desenhados a partir de nada especificamente para este propósito, por exemplo, encomendados para ilustrar um manual de operação.

Muitos programas de computador são disponíveis para ilustrações técnicas e são completamente não relacionados aos programas de CAD, embora tenham algumas características comuns. O produto final de um sistema CAD é o produto projetado; o produto final de um programa de ilustração técnica auxiliada por computador é um desenho pronto para impressão, em um formato que possa ser posteriormente incorporado em uma publicação impressa.

Conforme explicado no Capítulo 6, há dois modos fundamentalmente distintos de se produzir ilustrações, referidos como "desenho" e "pintura". Um documento "pintura" é armazenado na memória do computador como um mapa de bits (bitmap), de maneira sequencial, com cada elemento correspondendo a um pixel na tela e o programa mais conhecido deste tipo é o Adobe Photoshop.

Um programa de "desenho" ou vetorial, tal como o Adobe Illustrator, é mais assemelhado a um programa de CAD, armazenando dados na memória do computador sob a forma de uma "lista de exibição" do ponto e coordenadas de linha, além de fórmulas para círculos e curvas que compõem o desenho. Este tipo também é conhecido como gráfico orientado a objetos, porque cada "objeto" – um círculo, linha ou curva – pode ser contabilizado separadamente.

Na prática, um ilustrador usará uma combinação de programas para obter o desenho acabado, talvez iniciando em um programa vetorial, em seguida exporta a ilustração para o Photoshop usando os formatos de arquivo EPS ou PDF e, finalmente, retocando, usando aerógrafo e suavizando a imagem em um programa de pintura. Como os programas de pintura produzem arquivos que são dependentes da resolução, o Photoshop pedirá por informações tais como tamanho, resolução etc., durante a conversão da imagem vetorial para mapa de bits.

Ilustração Técnica Interativa

Técnicas tradicionais de ilustração, sejam manuais ou usando ferramentas computacionais, atualmente ainda fazem um melhor trabalho ao descrever a forma, estrutura e composição de material de objetos do que apresentações criadas automaticamente de modelos sólidos 3D.

Como nós vimos anteriormente, uma ilustração técnica é uma abstração que preserva e enfatiza algumas qualidades do produto, enquanto sacrifica ou elimina características que não são o foco imediato de atenção. A maior parte desta edição é feita na cabeça do ilustrador e requer uma grande dose de habilidade e experiência. Mas tentativas estão sendo feitas por cientistas da computação para repetir este processo automaticamente.

No livro, "Desenhando com o lado direito do cérebro", Betty Edwards lista cinco habilidades de percepção de que um artista necessita para produzir desenhos: a percepção das arestas, a percepção dos espaços, a percepção das relações, a percepção de luz e sombra e a percepção do todo ou *gestalt*. Um programa de ilustração técnica interativa deveria ser capaz de realizar indicação de profundidade por variação na espessura da linha, sombreados e sombras, luz e colocação de realces e incluir um método simplificado de representar materiais tais como metal.

Execução em computação gráfica está geralmente preocupada com fotorrealismo, isto é, tenta emular uma imagem que pareça com um fotografia de alta qualidade. Este objetivo é útil e apropriado em muitas aplicações, mas não em ilustração técnica, em que a elucidação da estrutura e da informação técnica é a motivação primordial. Isto pede um tipo diferente de abstração na qual a comunicação técnica é central, mas arte e aparência ainda são instrumentos essenciais para este fim.

O objetivo de um sistema de ilustração técnica interativa seria produzir uma imagem mais clara da forma, estrutura e composição de material do que aquela dos métodos tradicionais de computação gráfica, usando algoritmos para desenho em tempo real das curvas da silhueta, usando apresentação não fotorrealista e métodos de iluminação.

Soluções Comerciais

Entretanto, em alguns casos foi possível produzir ilustrações técnicas simples diretamente de desenhos em CAD 2D ou modelos sólidos 3D em computador, e existe software comercial que almeja fazer isto. IsoDraw (fig. 8.22), da companhia alemã ITEDO (Ingenieurbüro für Technische Dokumentation und Illustration), é um programa projetado especificamente para produzir ilustrações técnicas a partir de dados de CAD e atinge parcialmente os objetivos acima listados. O designer exporta o modelo 3D do programa de CAD, tal como o Catia ou Pro/Engineer em um formato como o IGES ou um dos formatos do AutoCAD. IGES (Initial Graphics Exchange Standards) é um formato independente de qualquer fornecedor ou software e que permite ao designer transferir seus dados do design de um sistema CAD (por exemplo, Catia) para outro sistema CAD (por exemplo, Pro/Engineer) ou para um programa gráfico (por exemplo, IsoDraw).

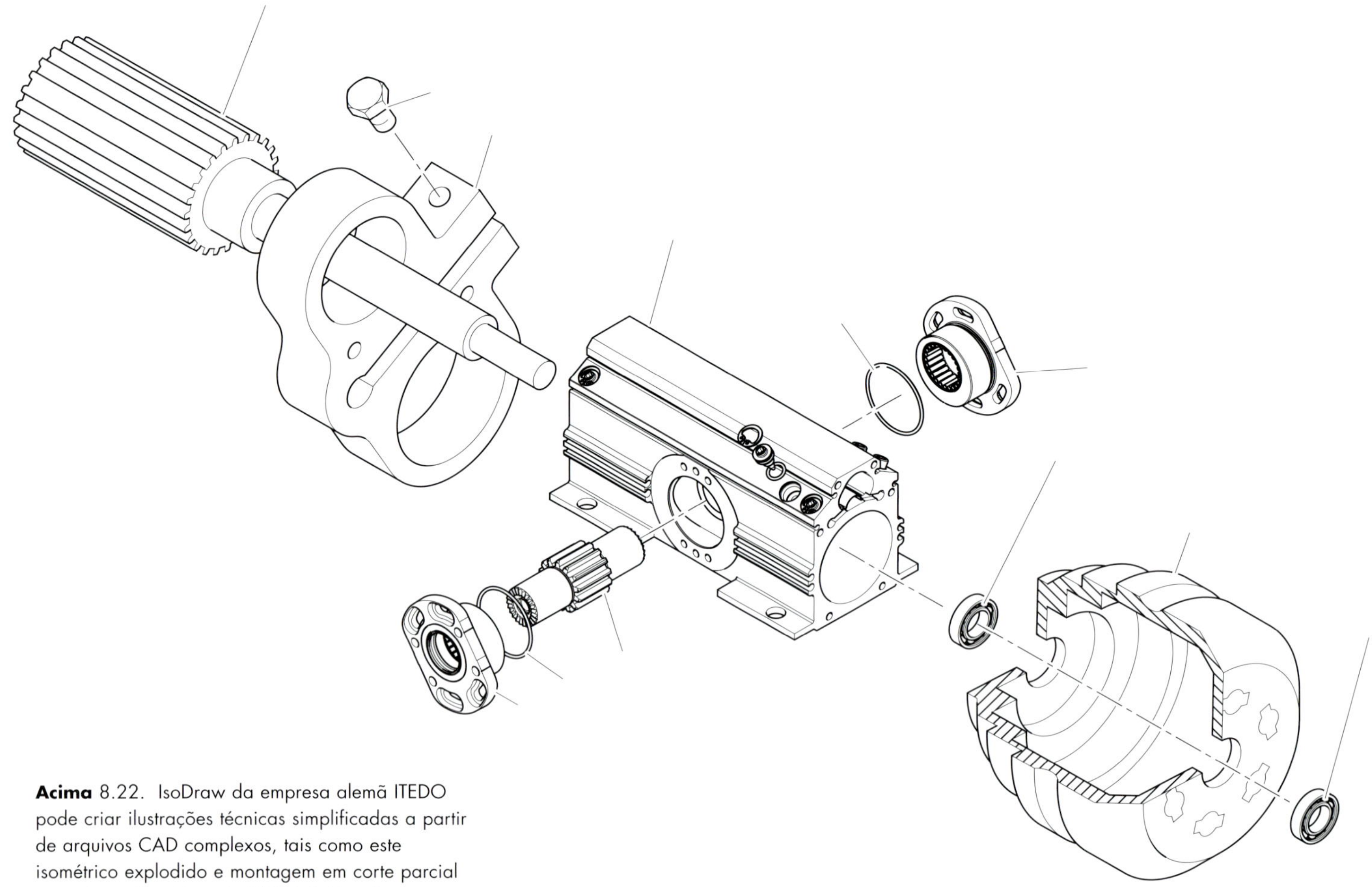

Acima 8.22. IsoDraw da empresa alemã ITEDO pode criar ilustrações técnicas simplificadas a partir de arquivos CAD complexos, tais como este isométrico explodido e montagem em corte parcial com chamadas. Cortesia ITEDO & Granthams.

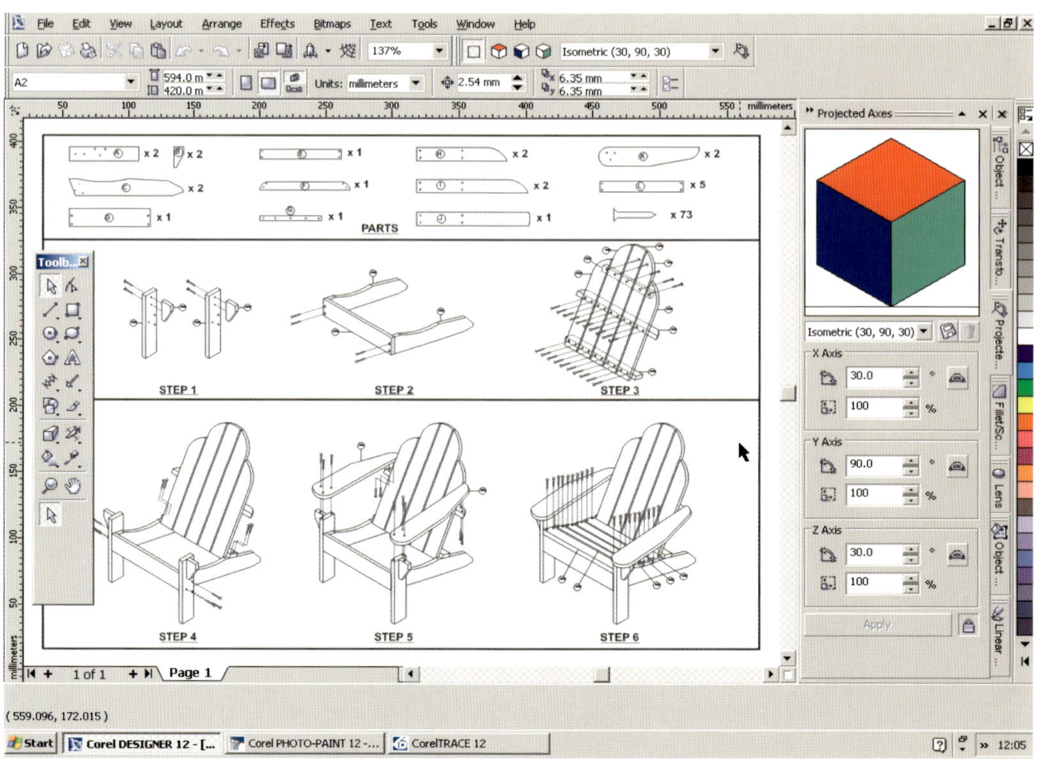

À direita 8.23. Corel Designer é outro programa comercial destinado a auxiliar ilustradores técnicos. Esta captura de tela da montagem de uma cadeira é mostrada em projeção em perspectiva.

Praticamente todo sistema CAD pode criar arquivos com informação de montagem. Assim, o designer pode exportar uma montagem completa em um único arquivo, que é importado no IsoDraw usando um programa da mesma empresa chamado CADprocess. O ilustrador decide que montagens/componentes incluirá. O arquivo 3D pode, assim, ser dividido em ilustrações de peças sobressalentes, um trabalho que, no passado, tinha que ser feito pelo designer. CADprocess apaga linhas ocultas, acerta a espessura de linhas conforme requerido e otimiza os elementos. Segmentos individuais de linha são conectados e suavizados na forma de curvas Bézier ou elipses. Montagens podem ser importadas seletivamente e colocadas em ilustrações diferentes. Todas as ilustrações criadas com o IsoDraw são mostradas automaticamente em linhas finas e grossas e existem ferramentas disponíveis para manipular os dados 3D: explosão ao longo de eixos, cortes, rotações e reflexos.

Entretanto, a ligação ao arquivo de CAD permanece intacta e quaisquer mudanças são atualizadas automaticamente. Isto significa que o ilustrador pode fazer o início da documentação mais cedo no processo de design e, quando o design for modificado (e será), a ilustração é atualizada automaticamente. Corel Designer é outro programa voltado para a ilustração técnica.

Conclusão

Enquanto a ilustração técnica está, estritamente falando, além dos limites do ciclo do design à produção e é raramente realizada pelo designer do produto, ela está no ciclo de vida do produto e, muito provavelmente, será a imagem que o consumidor relaciona ao produto. O aerógrafo costumava ser o meio dominante do ilustrador técnico e um excelente ilustrador demoraria horas para completar uma imagem. Hoje, o computador fornece o "aerógrafo", mas com a necessária intervenção humana do ilustrador. Entretanto, no futuro próximo, o computador provavelmente desempenhará um papel mais ativo na conversão de dados capturados de um modelo 3D para uma ilustração técnica significativa. Também se espera que o designer adote a web e a tecnologia dos DVDs/CD-ROMs como um modo de disseminar os desenhos para o usuário final.

Dica Quente:
Desenhando mangueiras e tubos

Na ilustração técnica com linhas escuras, é difícil transmitir a tridimensionalidade de mangueiras e tubos. Estes elementos são tecnicamente feitos de duas linhas paralelas, mas, quando se olha para um tubo muito dobrado – por exemplo, o sifão de um tanque de lavar roupa – você verá que é impossível desenhar o contorno da linha mais interna do tubo por todo o comprimento. Em vez disso, a linha de contorno está passando na superfície de retorno do tubo. Com algumas poucas extensões de linhas cuidadosamente escolhidas e "ganchos", o posicionamento do tubo no espaço 3D – está vindo para frente ou se afastando? – pode ser feito de forma muito mais convincente (Fig. 8.24).

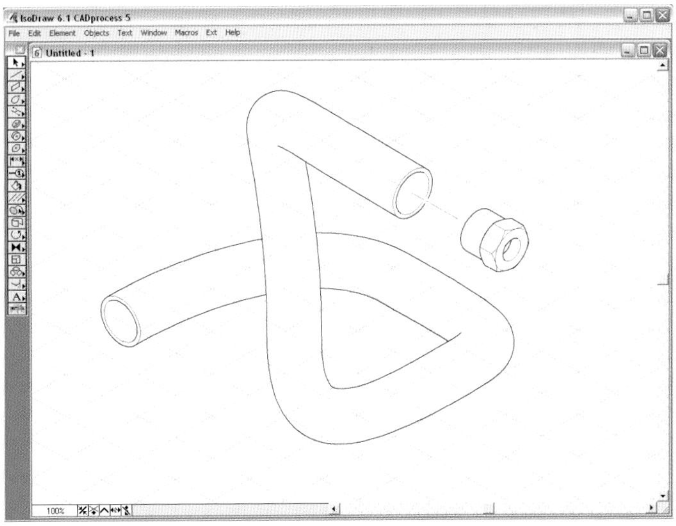

Acima 8.24. Desenhos de mangueiras ou tubos no espaço 3D mostrados em isométricos e perspectiva podem ser feitos mais convincentes ao se adicionarem ganchos ou linhas de continuidade que indicam se as imagens estão vindo ou se afastando. Cortesia Itedo e Granthams.

Desenhos são testemunhas do processo criativo... e, de modo mais imediato que trabalhos publicados, dão uma compreensão clara a respeito da vida espiritual de um artista. Assim, eles são documentos de peso para o estudo e entendimento da atividade do artista.

Woldemar vom Seidlitz num tratado sobre Leonardo da Vinci, 1909.

9 O futuro do desenho de design

Página oposta Ron Arad, Cadeira de balanço Blo Void, 2003. O designer usou a mesa digitalizadora da Cintiq graphics e o software Corel Painter para produzir este expressivo desenho em computador.

À direita 9.1. Karim Rashid, Painel Exercício, 2006. Esta imagem leva o desenho do designer aos domínios da arte para uma exibição chamada "Kairotic" na Galeria Townhouse no Cairo. A facilidade com que os computadores podem repetir formas e texturas significa que os designers podem rapidamente criar imagens não fotográficas visualmente ricas. O designer usou SolidWorks para objetos 3D, Illustrator para o trabalho vetorial e Photoshop para combiná-los para apresentação.

Designers de produto não só imaginam o futuro, eles criam o futuro (Fig. 9.1). Os objetos que estão sendo desenhados neste momento por designers ao redor do globo podem não ver a luz do dia por alguns anos, após os quais ficaremos espantados à medida que estes objetos de desejo, até então desconhecidos, forem revelados. Designers estão lutando para criar um mundo melhor, melhorando e otimizando produtos do cotidiano, bem como imaginando novos usos para tecnologia de ponta – e tudo começa com um simples esboço no papel. Para resumir o papel do desenho no design, veja de novo qualquer um dos estudos de caso. A mesma sequência de esboços de conceito, seguidos de desenhos de apresentação mais bem-acabados e depois de desenhos de engenharia detalhados ou modelos 3D no computador, será vista em cada um dos casos. Quaisquer diferenças no processo de design destacadas nestes estudos de caso só servem para mostrar que todos os estúdios de design têm modos de trabalhar bastante semelhantes, mas com diferenças práticas.

Houve muitas mudanças desde que escrevi "Drawing for 3-dimensional design", em 1990. Primeiro, os computadores pessoais - junto com scanners e impressoras baratos – tornaram-se comuns tanto no escritório quanto em casa, e estão mais poderosos a cada ano. Programas tais como o Photoshop, que derrubariam um PC naquela época, são hoje usados rotineiramente em casa para retocar fotografias digitais e para fazer arte. Hoje existe um computador em cada mesa de designer. Uma vez que o produto virtual tenha sido descrito na forma de um modelo sólido 3D, pode ser também animado para mostrar como pareceria de todos os ângulos e como poderia ser montado e usado no mundo real. A internet, enquanto meio de comunicação, fez grandes mudanças na sociedade, não apenas ao permitir que grupos de trabalho estejam espalhados ao redor do globo, mas também que desenhos e vídeos de animação sejam disseminados para os usuários finais de forma barata e simples.

Ademais, tantos produtos de desenho desapareceram: o aerógrafo mecânico é, hoje, uma peça de museu e mesmo os marcadores, que já foram o principal item da caixa de ferramentas do designer, são difíceis de encontrar. Em uma ida a uma loja de material de desenho é mais provável que você encontre cartuchos de inkjet e papel de impressora nas prateleiras que certa vez estocavam canetas técnicas, tinta nanquim e gabaritos de elipse. Hoje a maioria dos suprimentos de material para artes parece ser destinada a "hobistas" e artesãos, ao invés dos profissionais do design. Felizmente, lápis ainda são procurados e canetas de ponta porosa estão se tornando cada vez mais sofisticadas e confiáveis.

A despeito da mudança de ferramentas manuais para CAD, há um interesse crescente nas pessoas querendo ver e comprar desenhos feitos à mão pelos designers

Acima 9.2. Aldo Rossi, Cafeteira Press Filter com coluna Dórica, 1985. Rossi abriu o caminho que fez o desenho de designer mais visível, como neste desenho da cafeteira Cupola para a Alessi. Foi reproduzido num livro suntuoso de desenhos de design para apelar aos consumidores-alvo do produto.

À direita 9.3. Aldo Rossi, Cafeteira Cupola, 1985. Foto do produto para a Alesi.

(Figs. 9.2, 9.3). Um colecionador, tal como Barbara Pine, baseada em Nova Iorque, tem mostrado seus desenhos (principalmente por arquitetos/designers) em exposições ao redor do mundo, mais recentemente (2005) no Sir John Soames Museum, em Londres. Talvez esta demanda encorajará os designers a manterem e mostrarem seus desenhos, como têm feito Perry King e Santiago Miranda, na Trienal de Milão.

"Doodles, Drafts e Designs" é uma exposição itinerante, acontecendo na época em que este livro foi escrito, organizada pela Smithsonian Institution em Washington DC, com mais de setenta esboços originais a lápis, desenhos em nanquim em papel vegetal, cadernos, desenhos de patentes, capas de literatura especializada e outros documentos ilustrando produtos de consumo como máquinas de costura Singer, um sutiã Maidenform, Tupperware e Crayons Crayola.

A internet está bombando com designers, tanto profissionais quanto estudantes, compartilhando dicas e tutoriais sobre como desenhar usando o software mais recente. Computadores não podem pensar, ou fazer design, por si mesmos - ao menos ainda não – então ainda é necessária a especialização artística do elemento humano em alguém bem versado nos métodos manuais e conhecedor de software gráfico, para melhor usá-los. O papel do desenho está assegurado por um tempo considerável no futuro.

Desenho como Comunicação

O desenho, como meio de exteriorizar ideias e comunicá-las aos outros, tem sido usado por artistas e designers desde os primórdios da civilização. A revolução industrial, com sua necessidade de separar o designer de quem construía os objetos, deu ao desenho uma nova importância: aquela de ser a representação simbólica do objeto projetado que pode ser trabalhada, testada e aprovada antes da forma final ser comprometida em um modelo caro ou protótipo.

Até os anos 1930, teóricos de design e professores de desenho estavam preocupados com o desenho enquanto linguagem formal e codificada. A tradição europeia do Modernismo, refinada na Bauhaus, pôs ênfase na harmonia por meio da geometria com seus elementos construtivos, círculo, quadrado e triângulo. Não era tanto "a forma seguir a função" quanto "a forma seguir o estilo de desenho". (A expressão "forma [sempre] segue a função" poderia ser uma citação de alguém da Bauhaus, mas foi de fato pronunciada pelo arquiteto americano Louis H. Sullivan).

A partir do final de 1940, o design de produto foi realizado por escritórios de grupos de trabalho ou consultorias, usualmente fora da estrutura organizacional da empresa cliente. E, a despeito da demanda da média por "estrelas do design", é quase sempre difícil atribuir a autoria de um design em particular a um determinado indivíduo. O design, nos dias de hoje, é uma atividade complexa que requer trabalho em equipe e uma gama de habilidades. O Apple iMac, por exemplo, é uma peça de gênio da geometria 3D na qual a fonte, os drives de DVD e os circuitos eletrônicos internos são claramente integrados com o exterior funcional e esteticamente agradável (e, por conseguinte, vendável). Este não foi um caso de um estilista ter sido trazido em um estágio posterior do projeto para executar mudanças (cosméticas) em um "design" já feito.

Fora do Comum

Considerações ergonômicas e psicológicas estão sendo acrescentadas às especificações funcionais de um produto, e os designers estão estudando a "semântica" do design, usando símile, metáfora e hipérbole para explicar a função e a operação de produtos que, graças à era da tecnologia de informação, foram desovados nas mãos de usuários *naive*. Estes produtos, tipificados pelos designers da escola "Cranbrook", têm uma aparência orgânica/cubista que tem muito mais em comum com os designs de bioforma de Luigi Colani. Eles estão se libertando da camisa de força Euclidiana, com suas caixas retilíneas, com cantos arredondados, impostas por métodos ultrapassados de desenho e técnicas de manufatura (Fig. 9.4).

O desenho sempre esteve ligado com tentar expressar a tridimensionalidade do mundo real numa folha de papel plana. Inevitavelmente, algo será perdido e dificuldades quase intransponíveis inerentes à descrição de formas "esculturais" complexas em um plano bidimensional devem ter feito, nos dias anteriores ao computador, com que muitos designers tenham desistido de até mesmo desenhá-las. Se um desenho para a fabricação tem que ser completo e sem ambiguidades, então pode ser reto, e a teoria de design poder ser retrospectivamente racionalizada usando os fundamentos do movimento modernista.

CAD é mais que imagens limpas de *ray tracing* (Fig. 9.5) e aumentos de produtividade no desenho 2D, uma vez que permite ao designer explorar novos formatos e formas. Com a modelagem sólida 3D, um designer pode "desenhar" em três dimensões, trabalhando num modelo virtual que pode ser visto de qualquer ângulo. Um designer também pode ter confiança de que, durante experimentos com a forma, qualquer especificação funcional essencial, como peso, resistência, espessura de parede, folgas e tolerâncias de componentes de terceiros, será satisfeita. Considerações ergonômicas também podem ser levadas em conta no design (Fig. 9.6)

À medida que o preço do computador continua a cair, o sistema CAD se torna outra ferramenta disponível ao designer. Os sistemas CAD foram inicialmente trazidos para o escritório de design para lidar com a grande quantidade de desenho 2D, necessária nas etapas de pré-produção do processo de design. Entretanto, depois que eles foram instalados, os designers começaram a se dar conta do seu potencial para auxiliar nos estágios iniciais de design conceitual e na produção de desenhos de apresentação. Todos os designs agora se sentam diante de algum tipo de computador. Graduados de escolas de design têm sido, de maneira crescente, ensinados nas técnicas de CAD e passaram a esperar que estes recursos estejam disponíveis em seus locais de trabalho.

Assim como os monitores LCD têm substituído pesados monitores CRT, eles serão substituídos um dia por vídeo walls ou mesmo imagens holográficas. Houve muitas tentativas inovadoras para produzir monitores realmente

À direita 9.4. Mathias Bengtsson, Cadeira Slice, 1999. Uma representação em computador, tal como esta modelada em Rhinoceros e renderizada no Autodesk Alias Studio (antes conhecido como Alias Studio Tools), pode abrir a mente do designer para formas novas.

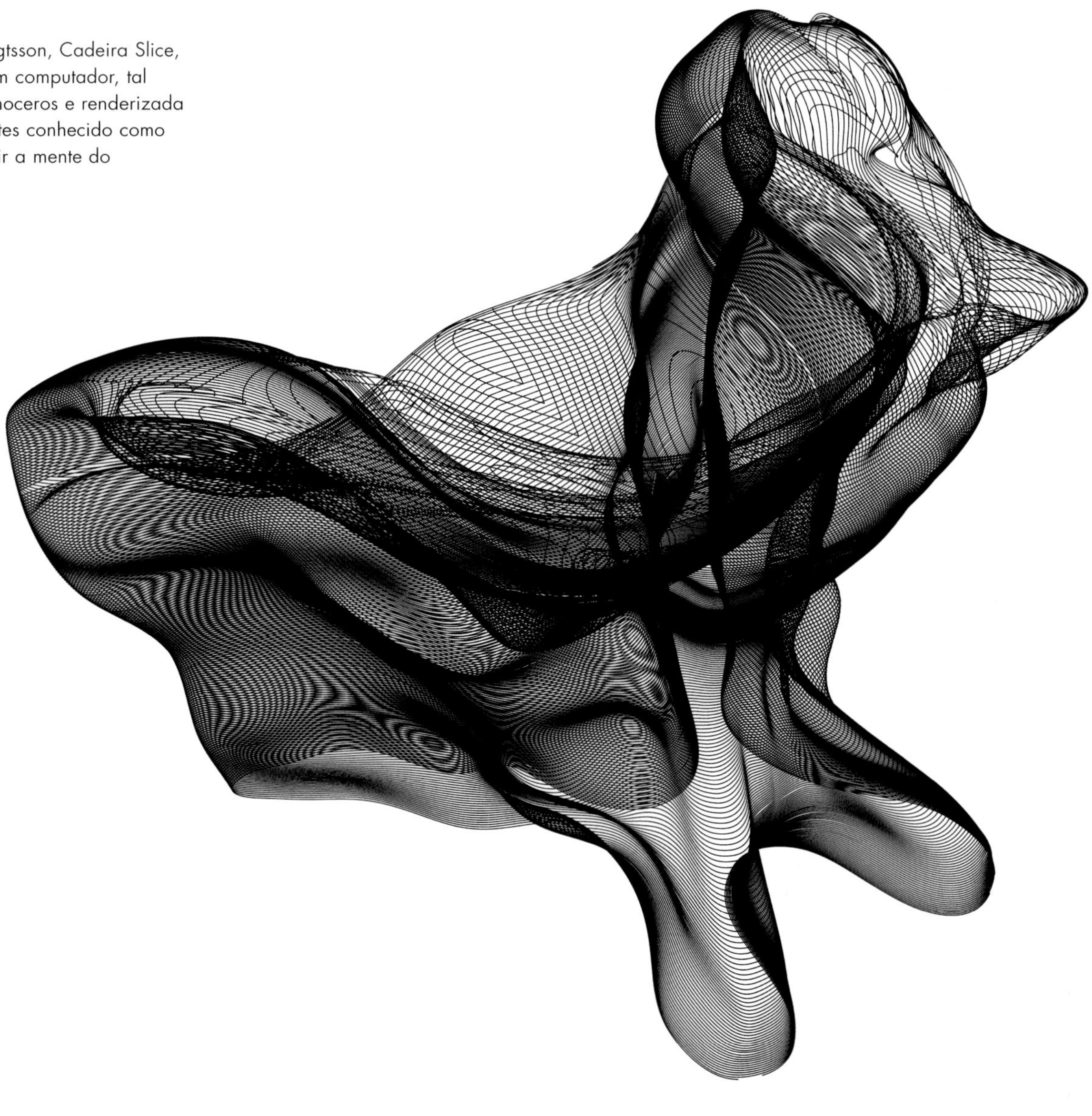

À direita 9.5. Björn Halmgren Corpo de válvula Multiflow fundido em latão, 2004. Visualizações em computador, usando técnicas como o *ray tracing*, fazem com que objetos virtuais pareçam ter sido fotografados. Quanto tempo levará até que nós possamos tocar e manipular designs usando dispositivos tácteis? Este corpo de válvula fundido em latão para a Tour Andersson AB ganhou um prêmio de melhor peça projetada com o solid edge usando um software de renderização de terceiro (MicroStation). Cortesia UGS.

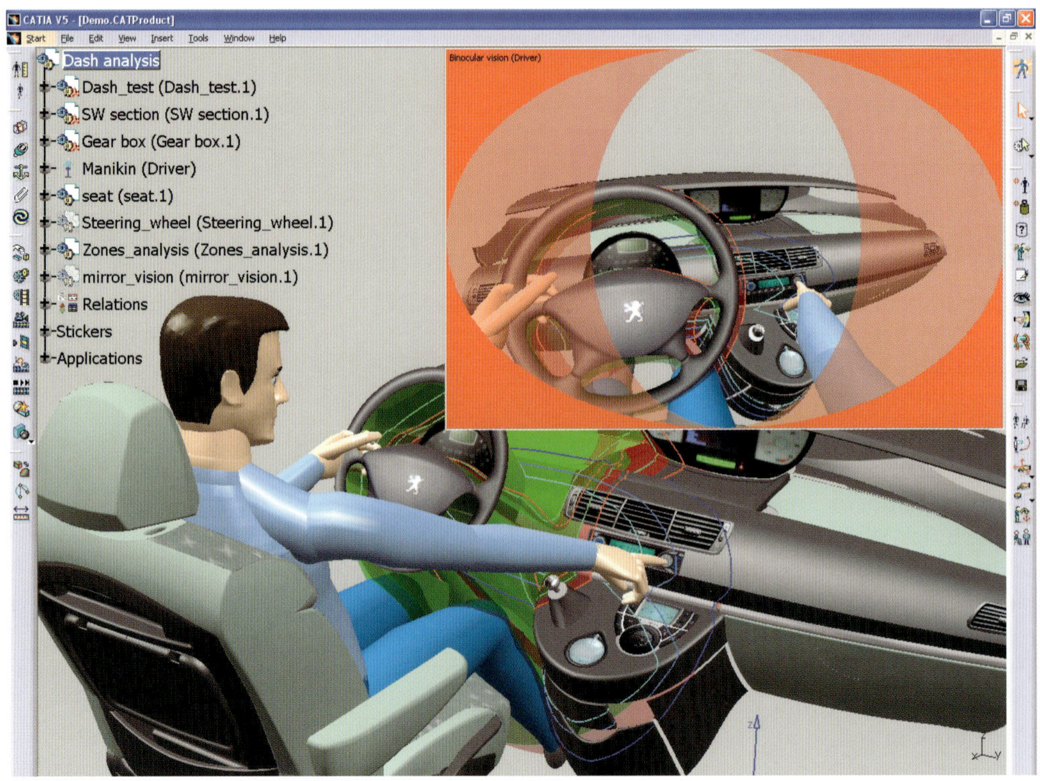

À direita 9.6. O propósito do design não é só fazer a superfície dos objetos mais atraente para o consumidor; mas também fazer o produto funcionar melhor. Programas de ergonomia como o Catia da Dassault Systèmes pode ser usado para verificar se as pessoas são capazes de alcançar os controles de um carro e, digamos, verificar a visibilidade.

3D no passado. Mostradores montados na cabeça são comuns em aviação, por que não em design também?
Já a apresentação para o cliente, uma vez feita em flipcharts e segurando os desenhos tirados de numa pilha de cartazes, foi substituída pelas apresentações em PowerPoint projetadas do laptop, com documentação impressa em cores (lembra quando o DTP era novidade?). Dispositivos

táteis para esculpir em argila virtual já foram discutidos e provavelmente vão ficar mais sofisticados, talvez controlados por voz ou ativados por uma luva especial. Várias formas de simulação e teste, tais como análise por elementos finitos para tensões e outras formas de análise de engenharia estão disponíveis há algum tempo e estão fora do escopo deste livro, mas serão provavelmente usadas com maior frequência em projetos menores.

Telas de computador substituíram a prancheta de desenho, mas o desenho sempre será uma parte necessária do processo de design. A ideia de um escritório sem papel tornou-se uma espécie de piada, uma vez que a informatização criou uma demanda enorme por papel. Mais dados, em muitas formas diferentes, são a consequência da revolução da informática. *Se um computador pode fazer, então nós o queremos* é a palavra de ordem da administração. Desenhos na forma de diagramas e gráficos estão ajudando a dar sentido a toda esta informação de "auxílio à decisão", e computadores ajudam o designer de todas as maneiras: na produção de relatórios ilustrados, em gerenciamento de projetos, na comercialização e no arquivamento de designs anteriores. Assim como o estúdio de Achille Castiglione tinha um museu de objetos inspiradores, o designer dos dias de hoje pode ter um DVD ou um disco rígido de imagem de acesso imediato ao seu alcance. E sistemas de busca, como o Google, estão sempre disponíveis para percorrer a internet na procura por inspiração.

Superando o Medo do CAD

Alguns comentários, notadamente de Mike Cooley em Design after Modernism, levantaram dúvidas sobre a adoção às cegas do CAD, com consultorias comprando estes sistemas para impressionar os clientes ao invés de aumentar a qualidade (e quantidade) de serviço. Cooley sempre argumentou que o CAD aumentaria a divisão de trabalho (também conhecida como taylorismo por conta de Frederick W. Taylor [1856-1915] que desenvolveu a teoria "da administração científica" promovendo a racionalização, padronização e automação da produção para economizar em mão de obra), iniciada na Revolução Industrial, para as atividades intelectuais, nomeadamente o design, durante esta "revolução da informática". A teoria tem simetria e elegância, mas foi superada pelos fatos.

Que o trabalho em equipe visto nos projetos atuais de design multidisciplinar possa ser tratado como taylorismo é discutível e aconteceria se houvesse ou não envolvimento do CAD. Trabalho em turnos, introduzido por grandes firmas quando o custo do CAD era absurdamente elevado, foi considerado contraproducente. O uso de operadores treinados em CAD, atuando como treinadores de designers luditas e relutantes, é, da mesma forma, desfavorável. O melhor trabalho evolui quando o designer tem acesso a seu próprio sistema para ser usado quando necessário. Os alertas de Cooley, de que trabalhar com CAD ou sistemas computadorizados de qualquer tipo podia ser alienante, fragmentado e estressante por causa do ritmo sempre crescente, foram entendidos e assimilados.

Ao invés de subdividir a descrição de função tradicional do designer, o CAD pode expandir a visão conceitual do designer e dar a ele uma visão holística do projeto, com cada vez mais controle sobre o processo do design à produção. É concebível que um designer com ajuda do computador possa lidar sozinho com todo um projeto de grande porte da concepção até a geração de dados para comandar máquinas ferramentas. O equipamento de CAD tem possibilitado que muitos designers montem escritórios de uma ou duas pessoas com um mínimo de espaço, mas com capacidade de realizar projetos um tanto complexos.

Cooley tem receio que o "conhecimento tácito" seja perdido com os ditos sistemas especialistas baseados em regras e que os designers percam a habilidade de visualizar, digamos, um objeto 3D a partir de uma planta e uma elevação. Mas, do mesmo modo que as calculadoras eliminaram a necessidade de aprender a divisão de números grandes, os designers com o CAD estão, teoricamente, livres para se concentrarem em aspectos mais criativos do trabalho. Entretanto, tempo para pensar, preferivelmente longe da tela, deve ser permitido e, de fato, só um bobo aceitaria acriticamente que um computador é infalível. *Alternativas existem,* diz Cooley citando Dürer, *que não rejeitam o julgamento humano, o conhecimento tácito, a intuição e, nem o conhecimento científico ou métodos baseados em regras e que nós devemos uni-los em sua totalidade simbólica.*"

A palavra-chave no design auxiliado por computador é "auxiliado": o sistema deve ser construído sobre a habilidade humana em vez de marginalizá-la.

Futuro do CAD

John Frase, coordenador internacional de pesquisa da Gehry Technologies Digital Practice Ecosystem, vê o futuro dos sistemas CAD como uma musa e crítico eletrônicos. Seria capaz de extrair do design o propósito da atividade de design presente e, então, discutir a abordagem adotada. Quando o designer não puder superar um problema, o sistema CAD poderia ajudar sugerindo estratégias alternativas, encontrar abordagens análogas, ou fazer sugestões para ajudá-lo a clarear suas ideias.

O CAD corrente atua como um amplificador ou "turbo"; aumenta a habilidade, mas amplifica a ignorância indiscriminadamente. Ao invés de serem estressantes, no sentido de Cooley, computadores podem curar o tédio dos designers e a falta de desafio que, de acordo com Frazer, produziu *a frivolidade intelectual periférica do estilo pós-moderno*". Em vez de imitar os *rabiscos e esboços, [CAD] imita o processo de malabarismo com ideias.* No design do produto, os programas devem modelar não as formas bi ou tridimensionais, mas o processo de fabricação e montagem que produz aquelas formas. Isto, diz Frazer, reestabelece ao designer o poder que o artesão tem quando faz um objeto único, superando a alienação e separação entre designer e máquina que existe desde a Revolução Industrial.

Colecionando Desenhos de Designer

Assim como os desenhos de artista atingiram uma estatura maior no início do século XX e galerias buscavam novos meios para encher suas paredes, os desenhos de designer estão encontrando a apreciação merecida (Fig. 9.7). Além de proporcionarem uma compreensão do processo criativo em funcionamento no design, os desenhos de designer são cada vez mais avaliados como obras de arte em si mesmos, seguindo um renovado interesse nos desenhos de engenheiros e arquitetos enquanto objetos decorativos. Por exemplo, um desenho de Afra e Tobia Scarpa da sua cadeira *Miss* para a Molteni, à venda na feira de mobiliário de Milão em 1987, custou mais que o móvel ilustrado.

De acordo com Charles Hind, curador de desenhos na RIBA e anteriormente na casa de leilões londrina Sotheby´s, há alguns problemas para colecionadores de desenhos principalmente do século XIX, incluindo a dificuldade de discernir cópias coloridas à mão do "original" genuíno e o fato de os desenhos de trabalho muitas vezes estarem desfigurados com alterações e anotações posteriores. Entretanto, se um desenho foi guardado em condições adequadas, ele pode não ter sofrido danos pela luz e brilhar com cores de um modo raro para aquarelas que estiveram penduradas (e esmaecendo) durante anos.

Página Oposta 9.7. Daniel Weil (agora da Pentagrama) e Gerard Taylor, Inside-outside (dentro-fora), 1987. Aquarela, giz de cera e lápis e enchimento de papel de parede. Os designers desenharam esta imagem para uma instalação em Frankfurt (e depois em Barcelona). Eles acreditam que o desenho é mais que uma representação passiva e calculada; deve transmitir energia e emoção para dar vida, na mente do cliente, ao produto proposto.

Conclusão

Finalmente, aqui estão algumas palavras sérias dos dias em que o design significava nada mais que acrescentar ornamentação e que o praticante de designer de produtos deveria considerar. R.L.B. Rathbone escreveu na seção de metalurgia (a mais próxima que havia do atual design de produtos) do "Practical Designing: A handbook on the preparation of working drawings" (1893):

> *Geralmente vale a pena dar ao trabalhador um esboço em perspectiva de todo o projeto, para que ele possa retratá-lo em sua mente de modo mais fácil do que pode fazer somente com plantas e elevações. Para evitar os perigos do trabalho subdividido, o designer deve ousar obter uma relação livre com o trabalhador que realizará o design; mas não até que ele tenha tido o treinamento manual prático ou tenha se educado a ponto de entender a construção e o processo de metalurgia como um estudo teórico permitiria.*
> *Os nossos trabalhadores britânicos estão acostumados a considerar as ideias e as realizações dos designers com elevado desdém e tenham, talvez, um certo grau de satisfação em enterrá-los com todas as dificuldades práticas no caminho daquilo que parecia tão bom no papel... O designer tem que ter paciência para seguir estes detalhes técnicos, estéreis, caso ele agora seja capaz de evitar cometer aqueles erros de construção que fizeram o trabalhador britânico (e de outra nacionalidade) coçar a cabeça e perguntar por que os designers foram criados com o propósito aparente de criar-lhe problemas que ele nunca pode resolver – erros que fazem o inimigo da divisão do trabalho blasfemar, não sem razão.*

Abaixo 9.8. Héctor Serrano, Mundoeconomia, 2003. Este desenho é parte do projeto Netobjects de Serrano com Victor Viña, uma coleção de objetos do cotidiano para o lar que apresentam informação em tempo real da Web.

Acima 9.9. El último grito, Bancos Funktion e objetos modulares, 2001. Este desenho brincalhão, para a UEG, combina objetos realistas criados em 3D Studio Max com usuários com jeito de cartoons desenhados à mão no PhotoShop e explica como o produto podia ser montado para propósitos diferentes.

Os designers de produtos de hoje bem podem jamais encontrar os trabalhadores responsáveis pela fabricação de seus designs – eles podem mesmo estar do outro lado do mundo – e, assim, devem estar confiantes que os desenhos, sejam projeções ortográficas, perspectivas mais pictóricas e paralinhas ou um modelo sólido 3D em computador, apresentam seus objetivos e intenções, preocupações e aspirações de modo tão explícito e enfático quanto permita a tecnologia de desenho. Mas, acima de tudo, os designers devem apreciar o ato de desenhar (Fig. 9.8), um dos prazeres requintados da vida: a habilidade de comunicar uma ideia a outro ser humano por meio de umas poucas linhas no papel (Fig. 9.9). Assim, pegue o lápis e pratique desenho todo dia. Como disse Pablo Picasso: *A inspiração existe, mas tem que te encontrar trabalhando.*

Glossário

$2^1/_2$D Uma versão simplificada do 3D na qual um perfil 2D x, y é "extrudado" na direção z para gerar uma forma sem reentrâncias.
Aramado (wireframe) Uma representação 3D "transparente" de um objeto na qual todas as linhas podem ser vistas, feita de linhas e pontos mas nenhuma superfície.
B-Rep (Boundary Representation – representação de contorno) Um tipo de modelador sólido que mantém uma lista de todas as faces, arestas e vértices do modelo, junto com as relações topológicas de Euler e de adjacências entre estes elementos.
CAD – Computer aided design (Design [ou Projeto] Auxiliado por Computador) ou, mais exatamente, no caso de sistemas 2D, desenho auxiliado por computador. Ainda não há design *realizado* por computador – as pessoas ainda têm lugar no processo de design.
CADCAM A união das duas siglas não necessariamente assegura integração, embora hoje os dois tipos de sistemas possam rodar na mesma máquina.
CAM – Computer Aided Manufacturing (Fabricação Auxiliada por Computador) todas as atividades subsequentes realizadas no chão de fábrica, tais como NC e, planejamento de produção, que podem fazer uso de parte da geometria da peça, uma vez que esta seja saída de um sistema CAD.
CGI – Computer Generated Imagery (Imagem Gerada por Computador) Termo usado em computação gráfica para denotar qualquer objeto virtual numa cena.
Chamada Um elemento (geralmente um círculo com um número no interior) em uma ilustração técnica que corresponde a alguma informação em texto em outro local ou outro desenho mais detalhado e localizado em um círculo ou caixa longe do desenho principal.
Conjunto, desenhos de São a chave para todos os outros desenhos de detalhe, ferramental e montagem necessários para a produção. É aqui que o layout final é decidido, dimensões são fixadas, questões ergonômicas resolvidas e os métodos de produção finalizados. Desenhos de engenharia, que se contam às centenas, podem, em escalas diferentes, ser coordenados com referência aos de conjunto.
Cópia Heliográfica (Blueprint) Cópia de desenhos, à tinta ou a lápis, em papel vegetal ou Mylar, feita pelo processo de impressão por contato de cianotipo. Em inglês, o termo Blueprint é sinônimo de desenho de arquitetura ou engenharia e, hoje, é tipicamente a impressão de um arquivo em computador.
Corte Uma fatia passando pelo objeto sólido para ilustrar um perfil ou interior de uma peça que não é óbvio a partir das vistas ortográficas; toda uma série de seções é necessária para representar objetos complexos com formas de dupla curvatura, tais como o carroceria de um carro.
Cromado Califórnia Uma convenção dos artistas de aerógrafo para criar reflexos convincentes e que admite que o objeto brilhante, sendo desenhado, está cercado por areia em amarelo brilhante sob um céu de azul profundo que vai gradualmente mudando para branco em direção ao horizonte, onde ele encontra com o deserto escuro.
CRT (Tubo de Raios Catódicos) Uma tecnologia quase obsoleta para fazer monitores de computador.
CSG (Geometria Construtiva Sólida) Um tipo de modelador sólido que constrói objetos por combinação ou subtração de primitivas geométricas.
Curva Bézier Um modelo de computador para desenhar curvas livres, inventado em 1962 pelo engenheiro francês Pierre Bézier, que as usava para projetar carrocerias de automóvel para a Renault. Ver também **Spline.**
Design restrito por pacote Projetar um produto que tem que conter uma coleção de componentes adquiridos de terceiros com uma geometria especificada, tais como motores e placas de circuito impresso.
Dispositivo táctil Dispositivo sensível ao toque, conectado a um computador, dando ao usuário a impressão de que realmente estão sentindo e esculpindo o objeto virtual.
DWG e **DXF** (Drawing Intechange Format – Formato para Troca de Desenho) Formatos de aquivo do AutoCAD que são o padrão de fato para troca de dados.
Esboço de tema Uma expressão inicial de como se quer que um design proposto pareça, desenhado com liberdade sem que o designer tenha que considerar quaisquer restrições internas.
Estereolitografia Um método de prototipagem rápida que usa laser sob controle de um sistema CAD para solidificar um fotopolímero numa mesa móvel que é, então, abaixada de uma espessura de camada no reservatório de líquido.
Extrusão Empurrar ou extrair um perfil 2D pelo espaço para conformar um sólido 3D prismático, funciona como forçar um material semilíquido por uma matriz.
FEA (Análise por Elementos Finitos) Dividir a geometria do componente numa malha de formas simples que podem ser analisadas para tensões e propriedades térmicas.
Fractal Uma forma que é recursivamente construída ou autossimilar em todas as escalas de ampliação e assim infintamente – usada em programas como o Bryce para criar fundos e texturas com aparência natural. O termo foi criado em 1975 por Benoit Mandelbrot, a partir da palavra latina *fractus* que significa fraturado.
Hardcopy Desenhos impressos numa impressora a laser ou a jato de tinta.

Iges (Especificação Inicial para Intercâmbio de Gráficos) Um formato padrão para transferir um design entre sistemas diferentes. Superado pelo **Step.**
Impressão 3D Um método de **prototipagem rápida** no qual camadas de um pó fino são coladas seletivamente por um adesivo à base de água que "imprime" a partir de uma cabeçote de impressora a jato de tinta sob controle de um sistema CAD.
Impressora por sublimação de corante Uma tecnologia de impressora que mistura as tintas enquanto estão em sua forma gasosa para produzir imagens quase fotográficas.
ISO (International Standards Organization) O organismo para policiar as convenções de desenho e coordenar o trabalho dos organismos nacionais tais como a BSI (British Standards Institution), Ansi (American National Standards Institute) e ABNT (Associação Brasileira de Normas Técnicas).
LAN (Rede Local) O meio mais conhecido para conectar computadores em grupos de trabalho é a Ethernet.
LCD (Mostrador de Cristal Líquido) Uma tecnologia para produzir monitores de computador de tela plana.
LER (Lesão por Esforço Repetido) ver **Wruld.**
Modelador de superfície Um programa de CAD 3D usado para o design de objetos com dupla curvatura complexa, tais como aquelas que definem pás de turbina, carroceria de automóveis e aparelhos de telefone.
Modelador sólido (também conhecido como modelador volumétrico ou modelador geométrico) Um sistema CAD que produz um modelo 3D completo e sem ambiguidades para um componente que pode ser "pesado" e verificado em busca de interferências com outros objetos. Modelos são esculpidos usando **operações booleanas** (união, intersecção e diferença) nas formas geométricas primitivas tais como cilindros, cubos e esferas.
NC Controle numérico, como aplicado às máquinas ferramentas, tais como fresadoras. **Programação de peça em comando** numérico é um método de converter a geometria de um objeto saído do CAD num caminho eficiente para uma máquina ferramenta apropriada para fabricar a peça, verificando se há conflitos entre a ferramenta e os elementos de fixação da peça.
Nurbs (B-Spline Racional Não Uniforme) Um modelo matemático comumente usado em **CAD** para gerar e representar curvas e superfícies.
OOP (Programação Orientada a Objeto) Software contendo módulos testados e experimentados, além de componentes chamados "objetos" que herdam os atributos de outros objetos.
Operações Booleanas (união, diferença e intersecção) Um sistema de operações lógicas para combinar ou subtrair formas 3D para construir um sólido, batizado em homenagem ao seu criador George Boole.
Paralinha ver projeção métrica.
PDS (especificação de design do produto) Um documento detalhado de proposta que apresenta todos os requisitos do produto.
Perspectiva Doblin Jay Doblin desenvolveu um método simplificado em 1956 usando um cubo como unidade básica de perspectiva, que podia ser multiplicado ou dividido para construir a estrutura para descrever qualquer forma de objeto.
Perspectiva Um método de introduzir distorções sistemáticas no desenho para simular a realidade. Objetos aparecem diminuídos e convergentes à medida que a distância em relação ao observador aumenta. O horizonte é admitido estar infinitamente distante, de modo que linhas paralelas convergem para os pontos de fuga. Uma perspectiva é uma convenção – na vida real seriam muitos pontos de fuga variáveis à medida que os olhos e cabeça do designer movem-se e perambulam pela cena.
Pixel Abreviação para "elemento de imagem", o tamanho de um ponto num monitor de computador. A resolução de um monitor é medida pelo número de pixels horizontalmente e pelo números de linhas verticalmente, por exemplo 1280 x 1024.
Primitivas geométricas Os elemetos de construção da geometria 3D: esferas, cubos, cones e cilindros.
Programa de pintura Software gráfico; como o Adobe Photoshop, no qual a imagem é armazenada na memória do computador na forma de bitmap, numa sequência correspondendo aos pixels (pontos) na tela. Também ver programa vetorial.
Programa vetorial Software de computação gráfica, como o Adobe Illusrator, no qual a imagem é armazenada na memória do computador como uma lista de exibição de pontos, linhas que compõem a ilustração, mais as fórmulas para quaisquer círculos, elipses e curvas usando uma liguagem chamada PostScript (o mesmo formato usado para descrever as formas de letras em uma fonte).
Programação paramétrica Um método quase automático de gerar desenhos de componentes que tenham uma semelhança de família, ao se definir primeiro uma forma para um componente generalizado e entrando as dimensões específicas subsequentemente.
Projeção auxiliar Uma vista do componente a partir de um ângulo que não é perpendicular a qualquer uma das três vistas numa projeção ortográfica e é geralmente acrescentada para esclarecer a leitura do desenho.
Projeção axonométrica Um método de representação pictórica de um objeto 3D não em perspectiva. Contém uma planta real, ângulos de 45°, e é a projeção métrica mais simples de construir a partir de desenhos ortográficos.
Projeção cavaleira Uma projeção oblíqua na qual linhas oblíquas, emergindo da elevação, estão em verdadeira grandeza.
Projeção dimétrica Uma forma de projeção isométrica usando ângulos idealizados de 7° e 42°, com a horizontal para os eixos x e y, tal que dois dos três eixos do espaço apareçam igualmente condensados.

Projeção isométrica Um método pictórico em não perspectiva de representação de um objeto 3D, produzindo um desenho menos extremo que a projeção axonométrica. Elevações são construídas usando um quadrado a 30º e, como resultado, a "planta" fica distorcida.

Projeção oblíqua Um método pictórico em não perspectiva de representação de um objeto 3D usado onde a vista frontal do objeto é de particular importância, em design de móveis, por exemplo; as vistas laterias e superior do objeto são fixadas nas arestas da vista frontal. As linhas oblíquas emergindo da elevação podem ser de qualquer tamanho: em uma **cavaleira** elas estão em verdadeira grandeza; em uma projeção de **gabinete** elas têm metade do comprimento em verdadeira grandeza.

Projeção ortográfica O método de desenho de engenharia para representar três dimensões num papel 2D pela projeção de três vistas adjacentes – uma planta e duas elevações – de um objeto em três planos ortogonais, em seguida desdobrando estes planos de modo que fiquem num mesmo plano. Uma planta com a vista frontal imediatamente sobre ela é dita estar no **primeiro diedro**. Projeções no **terceiro diedro** têm as vistas organizadas de modo a haver uma elevação abaixo da planta com uma outra elevação à esquerda da primeira. Esta tem a vantagem de colocar características de vistas adjacentes em justaposição, fazendo mais fácil a projeção de uma vista a partir da outra quando se desenha e também facilitando a cotagem e leitura do desenho.

Projeção trimétrica Uma forma de isométrico em que todos os três eixos aparecem igualmente encurtados.

Projeções métricas Métodos pictóricos em não perspectiva de representação de um objeto 3D, tais como o **isométrico** e **axonométrico**. Também conhecido como projeções **paralinha.**

Prototipagem rápida Construção de objetos físicos usando fabricação de formas livres, construindo um objeto por impressão 3D, sinterização seletiva a laser ou estereolitografia, em oposição ao fresamento do material a partir de um bloco de cera, metal ou plástico.

Radiosidade Uma abordagem para apresentar uma cena virtual 3D que determina a energia luminosa de todas as superfícies em um ambiente estático, independentemente da posição do observador.

Ray tracing Uma técnica para calcular uma visualização fotograficamente realista de um objeto e de seu ambiente usando as leis da óptica. Cada raio que sai da superfície é uma soma de contribuições variáveis de três fontes: luz refletida difusamente, luz refletida especularmente e luz transmitida ou refratada. Raios são traçados de volta à fonte desde o ponto de vista do observador.

Revolução Criar uma forma 3D a partir de um perfil 2D por rotação deste ao redor de um eixo. Também conhecido como torneamento, por semelhança com o método de tornear madeiras e metais.

Sinterização seletiva a laser Um método de prototipagem rápida que usa laser para fundir metal em pó sob controle de um sistema CAD.

Sistema turnkey Um sistema integrado de hardware, software e suporte, certa vez comum, para sistemas CAD de fornecedores tais como a computer vision e Intergraph.

Sombreado Gouraud Método de renderizar um objeto virtual 3D, inventado em 1971 por Henri Gouraud, para interpretar linearmente o sombreado através de cada polígono, assim conferindo uma transição suave de uma aresta à seguinte. Ver também **Sombreado Phong.**

Sombreado Phong Método de adicionar reflexos especulares (realces) a um objeto virtual 3D, inventado por Bui Tuong Phong em 1973, baseado na obeservação empírica que superfícies brilhantes refletem a luz de maneira desigual em direções diferentes. Ver **sombreado Gouraud.**

Spline O equivalente computadorizado da curva francesa ou corda de piano, mas mais controlável – o tipo mais avançado disponível comercialmente é chamado **Nurbs** – B-Spline racional não uniforme. Ver também **Curva Bézier.**

Step (Padrão de Troca de Dados de Modelo do Produto) Um padrão internacional a que todos os modeladores sólidos aspiram, anteriormente conhecido por PDES (Especificação de Troca de Dados do Produto).

TFT (Transistores em Filme Fino) Pequenos transistores de chaveamento e capacitores em um monitor LCD.

TPD (Documentação Técnica do Produto) O termo moderno para um conjunto de desenhos de engenharia, também conhecido por TPS (Especificação Técnica do Produto).

Vista auxiliar Uma ampliação em separado de um detalhe em particular no desenho e que requer atenção especial.

Wruld (Distúrbios dos Membros Superiores de Causa Ocupacional) Um distúrbio nas mãos e nos pulsos causando apatia, inchaço, formigamento e, por fim, ataque completo, também conhecida como **LER** (Lesão por Esforço Repetitivo).

Bibliografia

Recursos: Leitura Adicional e Websites

Desenho Manual

Ronald B. Kemnitzer. *Rendering with markers:* definitive techniques for designers, illustrators and architects (New York: Watson-Guptill Publications, 1983). ISBN 0823045323
Apresenta os marcadores secos e equipamento relacionado de esboçar. Demonstra como mascarar técnicas de mistura e edição e mostra como simular materiais e condições especiais de iluminação.

Mike Lin. *Drawing and Designing with Confidence* (Hoboken, NJ: John Wiley & Sons, 1993). ISBN 0471283908
Com um estilo de ensinar que insiste em velocidade e relaxamento, o autor cobre todos os aspectos de design, composição gráfica, meios, tipos de desenho e técnicas de perspectiva.

Richard M McGarry. *Marker magic:* the rendering problem solver for designers (Hoboken, NJ: John Wiley & Sons, 1992). ISBN 0471284343
Perfis dos tops em renderização, com suas técnicas e exemplos de seus melhores trabalhos com 40 minilições que demonstram soluções para problemas de renderização do cotidiano.

Dick Powell. *Presentation Techniques* (London: Little, Brown, 1994). ISBN 0316912433
O livro definitivo a respeito de renderização com marcador, com desenhos históricos e sequências como fazer, por um designer praticante. Infelizmente está esgotado, mas você pode encontrar no eBay ou em uma biblioteca.
No campo da renderização em computador, existem muitos livros voltados para produtos de software individuais, tais como o Adobe Photoshop ou 3D Studio Max – os guias for *dummies*, por exemplo – que, ou complementam os manuais que vêm com os programas, ou fornecem introduções simplificadas e tutoriais. Poucos livros, se algum, comparam e contrastam as vantagens e desvantagens de pacotes de software rivais. Para isto você precisa consultar as páginas de avaliação de revistas como *Computer Arts* e *MacWorld*.

Desenho Técnico e Ilustração

Jay Doblin. *Perspective:* a new system for designers (New York: Whitney Library of Design, 1956). ISBN 0823074196
Um método simplificado para desenhar perspectivas voltado especificamente aos designers. Infelizmente está esgotado, mas você pode encontrar no eBay ou em uma biblioteca.

Jon M. Duff e Greg Maxson. *The Complete Technical Illustrator* (New York: McGraw-Hill, 2003). ISBN 007292229X
Uma visão abrangente da ilustração técnica usando pacotes de software incluindo Adobe Photoshop e Illustrator, AutoCAD e 3D StudioMax. Um CD-ROM incluiu uma ferramenta chamada AxonHelper, usada para determinar vistas axonométricas.

Frederick E. Giesecke et al. *Technical Drawing* (Upper Saddle River, NJ: Prentice Hall, 2002, 12nd). ISBN 0130081833
Texto de autoridade americana sobre desenho de engenharia, incluindo desenho manual, CAD e modelamento sólido.

Robert W. Gill. *Perspective: from basic ro creative* (London: Thames & Hudson, 2006). ISBN 0500286078
Originalmente publicado em dois livros separados, este volume ampliado e unificado fornece uma explicação clara e simples dos princípios da perspectiva.

Judy Martin. *Technical illustration:* materials, methods and techniques (London: Macdonald Orbis, 1989). ISBN 0356175669
Levantamento abrangente dos métodos manuais de ilustração técnica, significando principalmente aerógrafo. O autor também escreveu livros sobre técnicas de desenho em pastel e lápis colorido. Infelizmente está esgotado, mas você pode encontrar no eBay ou em uma biblioteca.

Colin Simmons. *Manual of engineering drawing:* to British and international standards (Oxford: Newnes, 2003). ISBN 0750651202
Um guia abrangente para a produção manual ou em CAD de desenhos segundo a BS8888:2002 que, sendo derivada de normas ISO, é também válida internacionalmente.

Desenho em Geral

Ken Baynes e Francis Pugh. *The art of the engineer* (Guildford: Lutterworth Press, 1997) ISBN 0718825063
Um livro ricamente ilustrado concentrando-se em desenhos dos engenheiros da era Vitoriana e restrito, no seu conteúdo, aos meios de transporte. Infelizmente está esgotado, mas você pode encontrar no eBay ou em uma biblioteca.

Betty Edwards. *The new drawing of the right side of the brain* (Londres: Haper Collins, 2001). ISBN 0007116454.
O guia clássico de "desenho para o apreensivo". O lado esquerdo do cérebro é de onde vêm as palavras e os números, mas usar o lado direito pode destravar o pensamento criativo, intuição e alfabeto visual.

Keith Micklewright. *Drawing:* mastering the language of visual expression (Londres: Laurence King Publishing, 2005). ISBN 1856694607
Nesta abordagem, o desenho é visto como uma forma flexível de expressão ao invés de um conjunto de habilidades mecânicas. Não há um jeito certo de desenhar criativamente, o autor argumenta, do mesmo modo que há vários estilos de escrever criativamente.

Howard J. Smagula. *Creative drawing* (Londres: Laurence King Publishing, 2002). ISBN 1856693104
Uma introdução viva e abrangente à história e à prática do desenho, lindamente ilustrado por todo conteúdo. Inclui seções sobre artistas individuais e vários projetos para estudantes.

Estudos de Caso

Ron Arad et al. *Spoon* (Londres: Phaidon Press, 2004). ISBN 0714844551
Descrito como "uma exposição em forma de livro", apresenta o trabalho de 100 designers de produto, escolhidos por 10 críticos, educadores, designers e empreendedores, e inclui muitos desenhos.

Industrial Designers Society of America. *Design secrets:* products: 50 real-life project uncovered (Gloucester, MA: Rockport Publishers, 2001). ISBN 1564966380
Bastidores de 50 projetos de design de produtos reais, cada um ilustrado em detalhe do cenceito à conclusão com as plantas originais, esboços, desenhos temporários e apresentações.

Industrial Designers Society of America with Lynn Haller e Cheryl Dangel Cullen. *Design secrets:* products 2: 50 real-life project uncovered (Gloucester, MA: Rockport Publishers, 2004). ISBN 1592530710
Segundo volume com estudos de caso de design de produto, do BMW Mini Cooper ao transporte individual Segway.

Phaidon Design Classics Pts 1, 2 &3 (Londres, Phaidon Press, 2006). ISBN 0714843997
Conjunto enorme de 3 volumes, cada um com seu sistema de carregamento a obra apresenta 999 produtos fabricados industrialmente, selecionados por um grupo de especialistas. Incluindo muitos desenhos, vários deles desenhos de patentes disfarçados como se fossem plantas.

Ettore Sottsass, Milco Carboni (ed.) e Hans Hollein (ed.). Sottsass: 700 drawings (Milão: Skira, 2005). ISBN 8876240934
Com 700 desenhos do designer do Memphis, abrangendo sua carreira em design e arquitetura de 1936 até hoje, incluindo mobiliário, cerâmica, vidro e joias.

Outros livros mais decorativos e monografias de editoras como a Taschen, Phaindo (e, claro, Laurence King) sobre "ícones" do design industrial/de produto e designers tais como Phillippe Starck e Ross Lovegrove, quase sempre contêm exemplos de seus desenhos.

Websites

A internet é um recurso rico em informações e tutoriais, mas os endereços mudam, logo, verifique com um site de busca, como o Google, se os links fornecidos aqui funcionam. Para informação sobre produtos comerciais, como o Adobe Photoshop, visite primeiro o site da empresa que produz o software.

Design no Design Museum
www.designmuseum.org/design
Perfis de designers de produto, grupos de design e movimentos famosos.

Doodles, Drafts and Designs
www.sites.si.edu/exhibits/doodles/main.htm
Uma exposição itinerante, documentando 200 anos de design americano com mais de 70 desenhos originais do Smithsonian.

Product Design Forum
www.productdesignforums.com
Muitos tutoriais e conselhos de outros designers nesta lista de discussão.

Wikipedia
http://en.wikipedia.ork/wiki/Main_Page
Uma grande fonte de informação técnica concisa, com links para sites de fornecedores e artigos de autoridades sobre qualquer assunto.

Websites de alguns colaboradores deste livro

Alessi
www.alessi.com

Alvar Aalto
www.aaltosvoice.com

Ron Arad Associates
www.ronarad.co.uk

Nelson Au
www.nelsonau.com

Georg Baldele
www.georgebaldele.com

Bang & Olufsen
www.beoworld.co.uk

Bellini Studios
www.bellini.it

Bengtsson design
www.bengtssondesign.com

Oscar Tusquets Blanca
www.tusquets.com

Braun
www.braun.com

Brompton
www.bromptonbicycle.co.uk

co-lab
www.co-labstudio.org

Michael diTullo
http://michaeld2lo.spymac.com

El ULTIMO GRITO
www.elultimogrito.co.uk

Factory Design
www.factorydesign.co.uk

Thomas Gardner
www.kloss-online.co.uk

David Goodwin
www.david-goodwin.com

Isao Hosoe Design
http://85.18.123.118/isao

Ora Ito
www.ora-ito.com

Georg Jensen
www.georgjensen.com

King and Miranda Design
www.kingmiranda.com

Torsten Neeland
www.torsten-neeland.co.uk

Pearson Lloyd
www.pearsonlloyd.co.uk

Philips Design
www.design.philips.com

Pilipili
www.pilipili.be

Priestman Goode
www.poestmangoode.com

Karim Rashid
www.karimrashid.com

Rio21Design
www.rio21design.com.br

Héctor Serrano
www.hectorserrano.com/

Seymourpowell
www.seymourpowell.com

Shin Azumi
www.shinazumi.com

Sottsass Associatti
www.sottsass.it

Sowden Design
www.sowdendesign.com

Springtime-USA (Tucker Viemeister)
www.springtime-usa.com

Philippe Starck
www.philippe-starck.com

Marcel Wanders Studio
www.marcelwanders.com

Tokujin Yoshioka
www.tokujin.com/en/main.html

Youmeus Design
www.youmeusdesign.com

Índice Remissivo

(Números de página em *itálico* referem-se a legendas de imagens)